Amants infidèles

D1065631

Guy Saint-Jean Éditeur
3440, boul. Industriel Laval (Québec) Canada H7L 4R9
450 663-1777 • info@saint-jeanediteur.com • www.saint-jeanediteur.com

....

Données de catalogage avant publication disponibles à Bibliothèque et Archives nationales du Québec et à Bibliothèque et Archives Canada.

....

Nous reconnaissons l'aide financière du gouvernement du Canada par l'entremise du Fonds du livre du Canada (FLC) ainsi que celle de la SODEC pour nos activités d'édition.

Gouvernement du Québec – Programme de crédit d'impôt pour l'édition de – Gestion SODEC

© Guy Saint-Jean Éditeur Inc. 2016

Publié originalement en Grande-Bretagne sous le titre *Married Lovers* par Simon & Schuster UK Ltd (a CBS Company).
Copyright © Jackie Collins, 2008.
© Guy Saint-Jean Éditeur inc., 2016, pour cette édition en langue française.

Traduction : Isabelle Allard
Adaptation québécoise : Fanny Fennec
Correction : Lysanne Audy
Conception graphique de la couverture et mise en page : Olivier Lasser
Photo de la page couverture : Shutterstock

Dépôt légal – Bibliothèque et Archives nationales du Québec, Bibliothèque et Archives Canada, 2016
ISBN : 978-2-89758-091-9
ISBN EPUB : 978-2-89758-092-6
ISBN PDF : 978-2-89758-093-3

Tous droits de traduction et d'adaptation réservés. Toute reproduction d'un extrait de ce livre, par quelque procédé que ce soit, est strictement interdite sans l'autorisation écrite de l'éditeur. Toute reproduction ou exploitation d'un extrait du fichier EPUB ou PDF de ce livre autre qu'un téléchargement légal constitue une infraction au droit d'auteur et est passible de poursuites pénales ou civiles pouvant entraîner des pénalités ou le paiement de dommages et intérêts.

Imprimé au Canada
1re impression, avril 2016

 Guy Saint-Jean Éditeur est membre de
l'Association nationale des éditeurs de livres (ANEL).

JACKIE COLLINS

Amants infidèles

ROMAN

Traduit de l'anglais
par Isabelle Allard

Guy Saint-Jean
ÉDITEUR

DANS LA MÊME COLLECTION

Des livres qui rendent heureuse !

Matilde Asensi
Le pays sous le ciel

Erica Bauermeister
Le goût des souvenirs

Carmen Belzile
Comme l'envol des oies

Chris Bohjalian
La femme des dunes

Corina Bomann
L'île aux papillons
Le jardin au clair de lune

Alan Brennert
Moloka'i

Jackie Collins
L'héritière des Diamond
Amants infidèles

Kimberley Freeman
La maison de l'espoir

Pour mes trois filles, Tracy, Tiffany et Rory.
Ma plus grande réussite.

ANYA

Anya Anastaskia était une enfant délicieuse. Dès sa naissance dans un petit village près de la ville de Grozny, dans la République de Tchétchénie, les gens commencèrent à s'extasier sur sa beauté. Sa mère, une ancienne ballerine russe, n'en était pas étonnée. Elle était tombée amoureuse du fermier Vlad Anastaskia, le plus bel homme qu'elle ait jamais vu, et avait quitté Moscou pour passer sa vie avec lui. Anya naquit le 1er août 1985 à la maison, sans aucune complication. Elle était non seulement jolie, mais charmante et d'humeur joyeuse. La famille Anastaskia menait une vie paisible, jusqu'à la guerre qui opposa la Tchétchénie à la Russie en 1994, alors qu'Anya n'avait que neuf ans. Au début, l'affrontement féroce entre les Tchétchènes et les Russes n'affecta pas la famille Anastaskia. Mais tout changea lorsque le père d'Anya fut appelé en ville pour combattre et qu'il ne revint jamais. La mère d'Anya en eut le cœur brisé. Elle semblait avoir perdu le goût de vivre. Avant la fin de la guerre, en 1996, elle alla se coucher un soir pour ne plus jamais se réveiller. Âgée de onze ans, Anya était seule et terrifiée. Des voisins la recueillirent, mais ces gens n'étaient pas bienveillants et la traitèrent avec dureté. Ce qui n'aidait pas, c'est que la beauté éthérée et plutôt délicate qu'Anya avait héritée de sa mère déplaisait à Svetlana, la fille de la famille – une fille trapue et méchante à la langue de vipère.

Même si Svetlana avait seulement quelques années de plus qu'Anya, elle traitait cette dernière comme son esclave. Les parents de Svetlana n'étaient pas beaucoup mieux et confiaient à Anya les tâches les plus pénibles. Elle devait nettoyer la cage à porcs, laver les sols de pierre glacés et accomplir d'autres corvées ingrates. Ils l'avaient peut-être accueillie chez eux, mais l'utilisaient à leurs propres fins et la faisaient dormir sur un vieux couvre-pied dans un coin de la cuisine. La nuit, quand les lumières étaient éteintes, les coquerelles et les souris (parfois même un rat ou deux) traversaient le sol de la cuisine. Anya se blottissait sous sa couverture, trop effrayée pour faire le moindre geste.

Finalement, l'inévitable se produisit. La mère tomba enceinte et le père saisit cette occasion pour abuser d'Anya, se présentant nuit après nuit avec une érection, exigeant qu'elle accède à ses désirs les plus bruts. Au début, elle résista, mais à quoi bon ? Elle n'avait pas d'argent et nulle part où aller. C'était sa maison, à présent. Elle serra donc les dents et endura ces sévices sexuels. Ils commencèrent lorsqu'elle avait douze ans et se terminèrent deux ans plus tard, quand la guerre reprit, avec ses raids aériens et ses troupes terrestres.

Un soir, sept soldats firent irruption dans la maison. Sept soldats ivres, rebelles et incontrôlables, n'ayant que la destruction en tête. Ils battirent le père, violèrent la mère, puis s'attaquèrent à Anya et Svetlana. Anya eut de la chance. Ils se contentèrent de la violer tour à tour. Mais avec Svetlana, ils s'adonnèrent à de vils jeux sexuels, avant de finir par lui trancher la gorge. Ensuite, avec des rires d'ivrogne, ils abattirent les parents d'une balle dans la tête et mirent le feu à la maison, laissant ses occupants pour morts.

Blottie dans un coin, paralysée de frayeur, Anya attendit qu'ils soient partis. Puis elle s'obligea à bouger et parvint à s'enfuir de la maison en flammes.

Elle ne savait pas pourquoi elle avait été épargnée ; mais le fait qu'elle soit toujours vivante la poussa à tout faire pour oublier ses épreuves et se concentrer sur sa survie. Elle se joignit à un groupe de réfugiés tchétchènes qui voulaient franchir la frontière pour atteindre la province voisine d'Ingouchie. Anya se lia d'amitié avec une jeune mère et ses trois enfants, tentant de se convaincre qu'elle faisait partie de leur famille. Mais elle savait que ce n'était pas le cas. Elle était à moitié affamée, seule au monde, et n'avait aucune idée du sort qui l'attendait.

1

Cameron Paradise entra chez Bounce, un club sportif privé réservé aux membres, au pas de course. Littéralement.

— Bonjour! lança-t-elle, hors d'haleine, à Lynda, la jolie Latino-Américaine perchée derrière le bureau de réception en rotin blanc. Est-ce que je suis en retard? Mon client de huit heures est-il arrivé?

— Évidemment! répondit Lynda en écarquillant exagérément ses yeux bruns expressifs. Ce vieux cochon est prêt et ne se gêne pas pour dire des obscénités. Comme d'habitude!

— Bon, soupira Cameron en repoussant une mèche naturellement blonde de ses yeux. Quelqu'un pourrait me dire pourquoi il arrive toujours si tôt?

— Parce que ça lui donne le temps de répéter ses propos dégoûtants, répliqua Lynda d'un air entendu. De plus, tu sais bien qu'il t'aaaaaime!

— Merci beaucoup, murmura Cameron en faisant la grimace.

— Ce type ne parle que de sexe, de sexe et encore de sexe ! gémit Lynda. Je ne sais pas comment tu peux le supporter.

— Je le supporte, riposta Cameron patiemment, parce qu'il paie bien et que j'aurai bientôt économisé assez d'argent pour ouvrir mon propre gym. À ce moment-là, tu viendras travailler pour moi. Et tout client qui nous dira des grossièretés sera mis à la porte. Qu'en dis-tu ?

— Tu fais mieux de te dépêcher avant que je lui flanque une claque sur sa gueule répugnante une fois pour toutes ! dit Lynda en prenant sa lime à ongles.

— Allons, dit Cameron. Tu sais bien que la violence n'est pas une option.

— Hum..., dit Lynda en tripotant un de ses gros anneaux dorés. Si mon petit ami Carlos entendait les trucs que ce vieux pervers me dit, il lui casserait ses deux jambes maigrichonnes !

— Fais comme moi, ignore-le ! déclara Cameron en étirant les bras au-dessus de sa tête.

— J'essaie, protesta Lynda, mais tu sais bien que c'est impossible !

— Rien n'est impossible, répliqua Cameron en se dirigeant vers le vestiaire des employés.

— Peut-être pour toi ! cria Lynda.

Cameron était une femme d'un mètre soixante-treize à la beauté frappante et au style sportif décontracté. Elle avait un corps svelte et ferme, une peau impeccable, des pommettes hautes et des cheveux châtain clair coupés court et hérissés, avec une longue frange retombant d'un air aguichant sur ses yeux verts.

Elle travaillait chez Bounce depuis près de trois ans, depuis qu'elle avait quitté Hawaï et sa relation abusive avec son mari australien, Gregg. Bounce était l'endroit idéal ; elle payait un loyer au propriétaire pour l'utilisation des lieux, ainsi qu'une commission sur chacun des clients qu'elle y amenait. Tout le reste allait directement dans ses poches. Elle pouvait donc fixer les prix qu'elle souhaitait, et ne s'en privait pas.

Âgée de vingt et un ans à son arrivée à L.A., elle aurait facilement pu devenir actrice ou mannequin grâce à sa beauté exceptionnelle. Mais ce genre de carrière n'était pas pour elle. Elle cherchait quelque chose de plus substantiel, et quel meilleur objectif que d'ouvrir un jour son propre centre sportif?

Comme tout le monde à L.A. semblait obsédé par son apparence, c'était un domaine qu'elle pouvait sûrement exploiter. Elle en savait suffisamment sur la santé et la mise en forme; Gregg lui aurait au moins appris quelque chose! Et le plus beau, c'est qu'elle était assez intelligente pour savoir qu'elle atteindrait son but en travaillant sans relâche et en ne se laissant pas embarquer dans le tourbillon des drogues récréatives, des boîtes de nuit et des soirées interminables.

— Hé, beauté!

Dorian, un entraîneur aux muscles découpés, à la crinière filasse de style Fabio et aux tatouages voyants, l'interpella au moment où elle enfilait une camisole propre.

— Ton vieux bonhomme s'impatiente. Il marmonne des obscénités dans sa barbe!

— Oh, mon Dieu! s'exclama Cameron. Quel connard, ce type!

— Il a besoin de se faire clouer le bec, ajouta Dorian. Littéralement!

— Je le ferais bien, rétorqua Cameron en se hâtant vers la salle d'exercice, mais je pense qu'il aimerait trop ça!

— Elle a tellement raison, dit Dorian en rejetant sa précieuse crinière en arrière.

En effet, son pire client, monsieur Lord, l'attendait. Une silhouette bizarre vêtue d'un short de vélo rouge et noir gonflé par ce qui ne pouvait être décrit que comme un faux pénis; un t-shirt de la tournée de 1965 du Rat Pack; et un postiche brun sale perché de travers sur le dessus de sa tête. Il était l'auteur de biographies médiocres, truffées d'informations issues d'articles de journaux inexacts et dépassés. Les célébrités dont il parlait le considéraient comme un paumé pathétique incapable d'écrire une phrase acceptable, mais il continuait sans se laisser décourager.

Il lui jeta un regard désapprobateur en tapotant le cadran de sa fausse Rolex dorée.

— Tu es en retard, grommela-t-il. Si je n'avais pas aussi envie de te sauter, je me trouverais une autre entraîneuse.

Quel salaud ! pensa-t-elle en arborant un sourire radieux. Elle avait bien envie de laisser tomber ce client, mais en ce moment, elle avait besoin de tout l'argent qu'elle pouvait gagner. Elle lui demandait donc le double de son taux horaire habituel et serrait les dents en essayant de ne pas écouter ses propos obscènes.

— Je suis désolée, dit-elle en détournant les yeux du renflement de son short de vélo. Commençons ! Comme vous le répétez toujours, il n'y a pas de temps à perdre, n'est-ce pas ?

— Tu as besoin d'un homme, déclara monsieur Lord en fixant sa poitrine des yeux. Et je ne parle pas d'un petit jeune. Un vrai homme qui saura comment te lécher la chatte et tripoter ton...

Cameron tenta de l'ignorer pendant qu'il pontifiait sur les plaisirs du sexe oral, domaine dont il était – selon lui – le maître absolu. La seule idée de monsieur Lord en train de pratiquer le cunnilingus sur quiconque était tout à fait répugnante.

Ses pensées revinrent à Gregg, comme cela lui arrivait souvent, et les souvenirs qui remontèrent étaient toujours douloureux.

* * *

Sa rencontre avec Gregg avait eu lieu en Australie, le pays natal du jeune homme, qu'elle parcourait sac au dos à l'âge de dix-neuf ans. Elle avait quitté sa maison de Chicago un an plus tôt, peu de temps après avoir enterré sa mère, qui avait succombé à un cancer. Son père avait disparu depuis longtemps, et comme elle ne pouvait supporter son beau-père, elle avait décidé de partir. L'année avant de fréquenter Gregg, elle avait donné libre cours à son envie de voyager, explorant l'Asie avec Katie, une copine d'école. Les deux amies avaient séjourné dans des auberges de jeunesse et des communes de plage, travaillant à temps partiel comme serveuses et gardiennes d'enfants, jusqu'à ce qu'elles décident d'être plus aventureuses et de se rendre en Australie. Mettant leur argent en commun, elles avaient acheté des billets d'avion à bas prix pour Sydney. À partir de là, elles avaient mis le cap sur la Grande Barrière de corail.

Quelques jours plus tard, Cameron avait croisé Gregg à une fête sur la plage. Ce fut un coup de foudre immédiat. À vingt-cinq ans, ce gaillard musclé d'un mètre quatre-vingt-dix était une vedette du monde du surf.

Étonnamment, à dix-neuf ans, elle était encore vierge. Gregg entreprit de la séduire, abandonnant bientôt les multiples petites amies qu'il fréquentait alors. Il l'invita rapidement à s'installer dans sa maison délabrée sur la plage. La jeune fille accepta à la condition que Katie vienne avec elle, spécifiant que son emménagement ne signifiait pas qu'elle coucherait avec lui.

C'était faire preuve de naïveté... Gregg n'était pas du genre à tolérer un refus.

La première fois qu'ils firent l'amour ne fut pas une grande réussite. Elle était timide et impressionnée, trop avide de plaire. Mais la fois suivante fut explosive.

Après quelques mois, Gregg reçut une offre d'emploi très bien rémunéré dans l'un des grands hôtels de luxe de Maui. Comme cette proposition était trop alléchante pour pouvoir être refusée, ils s'envolèrent pour Hawaï en faisant toutes sortes de projets d'avenir. Six semaines plus tard, ils se marièrent sur la plage au soleil couchant. Cameron était véritablement heureuse pour la première fois de sa vie.

Tout le monde les considérait comme le couple idéal, tous les deux bronzés, grands, blonds, beaux et si amoureux l'un de l'autre.

Durant deux ans, leur vie fut pratiquement parfaite, jusqu'au jour où, après un accident de surf qui l'obligea à suspendre ses activités pendant plusieurs mois, Gregg commença à changer. Ce champion à l'humeur radieuse se transforma en ermite méchant et malheureux qui semblait prendre plaisir à lui lancer des bordées d'injures.

Au début, elle était trop surprise pour réagir, mais après une suite d'invectives et d'attaques verbales fielleuses, elle décida de répliquer. Ce qui ne plut pas à Gregg, lequel devint bientôt violent. Cela fit comprendre à Cameron que la situation, désormais incontrôlable, allait vite lui échapper. Sa mère avait été victime d'une relation abusive avec son beau-père, et au fil des ans, Cameron avait vu cette femme extravertie et pleine de vie se transformer en loque effrayée et tremblante. La jeune fille s'était juré de ne jamais subir le même sort. Par conséquent, elle avait beau toujours éprouver de l'affection pour Gregg, elle n'en prit pas moins la décision de partir.

Elle planifia soigneusement sa fuite, mais avant d'avoir pu mettre son projet à exécution, elle découvrit qu'elle était enceinte. C'était toute une surprise, et après le choc initial, elle se dit qu'elle pouvait peut-être tourner cela à son avantage. Naïvement, elle se convainquit qu'avoir un bébé changerait tout. Persuadée d'agir pour le mieux, elle décida d'accorder une dernière chance à Gregg.

Ce fut une erreur fatale. Sept semaines plus tard, au milieu d'une de ses crises, il la jeta par terre et lui donna des coups de pied répétés dans le ventre. Après quelques heures de douleurs atroces, elle perdit son bébé.

Dès lors, elle n'eut plus aucun doute. Elle devait s'enfuir.

Quelques jours plus tard, toujours endolorie et couverte d'ecchymoses, elle tenta de partir au milieu de la nuit, pendant qu'il dormait, ne prenant qu'un petit sac, son passeport et l'argent qu'elle avait économisé en enseignant le surf à des enfants.

Malheureusement, Gregg se réveilla et se déchaîna en s'apercevant qu'elle voulait le quitter. Dans un élan de force brutale, il la renversa et la plaqua au sol en hurlant, l'accusant de la perte de leur enfant et de tout ce qui n'allait pas dans sa vie. Puis il la battit avec tant de violence qu'elle se retrouva avec les deux yeux au beurre noir, un bras cassé et une plaie profonde sur le front.

Il semblait résolu à la tuer.

Sans trop savoir comment, elle s'empara d'une lampe sur une table et la lui brisa sur la tête. Le coup le rendit sans connaissance. Elle quitta la maison sans se retourner.

Une fois à l'aéroport, elle réserva une place dans le premier vol en direction de San Francisco. Son ancienne complice de voyage y vivait avec Jinx, un musicien de rock misérable. Katie et lui l'accueillirent à son arrivée à San Francisco et prirent soin d'elle, en veillant à ce qu'elle reçoive des soins médicaux.

Elle demeura chez eux plusieurs semaines, le temps de se remettre de son épreuve. Mais aussitôt qu'on enleva le plâtre de son bras, elle décida de prendre le train pour L.A., où elle était déterminée à oublier le passé et à se forger une vie meilleure.

C'était possible. Tout était possible. Même si elle savait qu'un jour, il faudrait bien qu'elle fasse quelque chose à propos de Gregg. Il n'était pas question qu'elle demeure mariée à cet homme. Toutefois, elle n'était pas encore prête à retourner à Hawaï pour divorcer. Elle irait seulement quand elle se serait établie. Quand elle aurait assez d'assurance pour l'affronter et lui dire qu'il était un lâche et un salaud de la pire espèce.

* * *

Monsieur Lord n'aimait pas sentir qu'il n'avait pas toute son attention.

— À quoi penses-tu? demanda-t-il, en sueur, tout en exécutant une série d'exercices pour les bras.

— Rien qui puisse vous intéresser, rétorqua-t-elle d'un air vague.

— Ah, mais tout ce qui te concerne m'intéresse, dit l'homme avec un large sourire lubrique. Tes seins magnifiques, ton beau petit cul, ton...

— Un peu de retenue, l'interrompit-elle avant qu'il puisse en dire davantage. Franchement, je ne suis pas d'humeur à écouter vos propos machos aujourd'hui. Alors, la ferme.

— Macho? Moi? s'insurgea monsieur Lord en ajustant son short rembourré. J'adore les femmes. Je les vénère. J'adore leur chatte mouillée...

Une fois de plus, Cameron l'ignora. Il avait une grande gueule, mais au fond, elle était convaincue qu'il était juste un vieux cochon incapable de bander. Ce qui était plutôt triste, non?

2

—Je m'ennuie! annonça Mandy Richards. Il ne se passe jamais rien d'excitant!

Elle était assise en tailleur sur l'énorme canapé de son vaste salon donnant sur une piscine à l'eau bleue miroitante.

Ryan Richards regarda son épouse, une princesse hollywoodienne de trente-deux ans aux cheveux auburn brillants attachés en queue de cheval juvénile. Parfois, elle parlait comme une adolescente geignarde. Ce jour-là en était un exemple. Il n'était pas d'humeur à lui passer une autre de ses crises puériles.

De toute évidence, elle s'attendait à ce qu'il réponde, mais il garda le silence. C'était moins risqué.

—J'ai dit que je m'ennuyais, répéta Mandy avec un regard accusateur, en faisant tourner ses coûteux bracelets de tennis en diamants sur son poignet délicat. As-tu entendu?

—Eh bien, finit-il par répondre. Si tu t'ennuies tellement, fais quelque chose!

Sa réponse ne lui plut pas.

—Tu es mon mari, répliqua-t-elle, le regard chargé de colère. Pourquoi ne fais-tu pas quelque chose?

Ryan n'était pas dupe. Une fois de plus, Mandy cherchait la bagarre, et une fois de plus, il était sa cible de prédilection. Pas besoin d'être un génie pour s'en rendre compte.

— Désolé, dit-il, tentant une échappatoire. J'ai une tonne de trucs à faire aujourd'hui.

En fait, il avait une tonne de rien du tout, mais sortir de la maison lui semblait une excellente idée.

— Quels trucs ? demanda Mandy en se redressant. C'est samedi ! Ne devait-on pas passer la journée ensemble ?

— Non, répondit Ryan d'un ton un peu brusque. Je pensais t'avoir dit que je brunchais avec le réalisateur argentin dont je t'ai parlé. Il est venu exprès pour me rencontrer. Et ensuite, j'ai promis à ma sœur que je passerais voir les enfants.

— Quelle sœur ? lança Mandy en prononçant ce mot comme si c'était une grossièreté. Celle qui est mariée au prisonnier ?

Bon Dieu ! Il détestait qu'elle s'en prenne à sa famille, et elle le savait très bien.

— Ne commence pas, Mandy, l'avertit-il, sentant la colère monter. Marty s'est fait arrêter pour conduite en état d'ébriété. Cela aurait pu arriver à n'importe qui.

— C'était sa troisième infraction, souligna Mandy d'un air entendu. Même papa n'a pas pu l'aider cette fois.

Oui. Papa. Le père de Mandy. Hamilton J. Heckerling. Le grand magnat du cinéma. Le super producteur. Le créateur de vedettes. Un casse-pieds égocentrique. Aucune conversation entre eux ne pouvait se dérouler sans qu'elle ramène Hamilton sur le tapis.

— Où est donc super papa ? demanda-t-il.

La réponse lui importait peu, mais il était déterminé à faire dévier la conversation loin de sa sœur, Evie, qu'il chérissait. Mandy ne pouvait la supporter. Elle était jalouse, car Evie et lui étaient très proches.

— Hamilton est à New York, répliqua Mandy en décroisant ses jambes couvertes d'un pantalon de yoga. Je crois qu'il a une nouvelle petite amie.

— Une autre ?

— Il est divorcé ! protesta Mandy, se portant aussitôt à la défense de son père. Il peut avoir autant de petites amies qu'il veut !

— Bien sûr. Combien de fois a-t-il été marié, déjà ? demanda Ryan d'un air entendu.

— Tu le sais bien, marmonna Mandy en reniflant.

— Je ne suis pas un expert.

— Oh, pour l'amour du ciel !

— Quoi ?

— C'est peut-être là que je devrais être, s'empressa-t-elle de dire pour changer de sujet.

Elle n'aimait pas discuter de la vie amoureuse de son père, surtout pas avec Ryan.

— Où ça ? demanda-t-il, faisant exprès de l'asticoter.

— À New York, avec lui ! riposta-t-elle d'un ton sec.

— Dans ce cas, tu n'as...

— Non ! lança Mandy avec un regard acéré. Tu aimerais ça, n'est-ce pas ? Tu adorerais ne plus m'avoir dans les jambes pour pouvoir te payer du bon temps avec une petite traînée.

Doux Jésus ! Pourquoi disait-elle des trucs pareils ? Pourquoi faisait-elle tout pour le mettre en colère ?

Ils étaient mariés depuis sept ans. Sept longues années, au cours desquelles il ne l'avait pas trompée une seule fois, bien que de multiples occasions se soient présentées. À trente-neuf ans, il était plutôt bien de sa personne. Au-dessus de la moyenne, même. Il mesurait un mètre quatre-vingts et était en forme, grâce à son jogging quotidien. Il avait des cheveux brun-roux plutôt longs, des yeux d'un bleu intense (son meilleur atout) et un nez légèrement de travers en raison d'une blessure de football survenue quand il avait douze ans.

Son allure, qui rappelait vaguement un Kevin Costner jeune, plaisait beaucoup aux femmes. Il recevait les avances continuelles d'actrices, de mannequins, de jeunes cadres, de femmes mariées, mais les refusait systématiquement. Ryan Richards faisait partie de cette rare espèce d'hommes qui croient en l'institution du mariage. Il avait épousé Mandy pour le meilleur et pour le pire. Bien que cette union se soit révélée un cauchemar, ça ne signifiait pas qu'il pouvait en sortir. Même s'il en rêvait à l'occasion. Et cela ne lui donnait pas le droit de tromper sa femme comme le faisaient la plupart de ses amis. Il avait des principes, et l'un d'eux était la fidélité.

Tout avait si bien commencé, pourtant. Mandy, jolie, gentille et attentionnée, s'était présentée dans sa vie comme l'épouse idéale.

Il l'avait rencontrée lors de la première de son deuxième film, un drame réaliste autour d'une femme condamnée à mort. Alors âgé de trente-trois ans, il était prêt à se caser avec une femme qui lui conviendrait. Il en avait assez de toutes ces aspirantes actrices et mannequins qu'il trouvait ennuyantes, sottes, arrivistes et trop jolies. Mandy lui avait paru la femme parfaite qui arrivait à point nommé. Elle avait fait des commentaires intéressants et perspicaces sur son film, sans flatterie servile. À ses propos réfléchis et directs, il s'était aperçu avec plaisir qu'elle pouvait entretenir une conversation intelligente sur la production cinématographique. Un autre avantage était que même si cette femme menue était très jolie, elle n'avait aucun désir de devenir actrice.

— Un de ces jours, j'ai l'intention d'avoir une famille et de m'occuper de mes enfants, lui avait-elle déclaré.

Ryan avait été impressionné.

À ce moment-là, il ne soupçonnait pas que Mandy était la fille de Hamilton J. Heckerling. Évidemment qu'elle savait exactement quoi dire aux jeunes producteurs. Elle avait été élevée par l'une des figures les plus influentes du showbiz, Hamilton J. Heckerling, une légende de son époque, l'incarnation des magnats d'autrefois.

Quand Ryan avait découvert l'identité de son célèbre père, ils étaient sortis discrètement ensemble à trois occasions et avaient eu plusieurs relations sexuelles extrêmement satisfaisantes. La jeune Mandy ne donnait pas sa place au lit, et lui avait taillé une série de pipes dépassant tout ce qu'il avait connu auparavant. Et il ne manquait pas d'expérience ; personne n'aurait pu dire qu'il n'avait pas profité de sa vie de célibataire.

Après avoir appris qui était son père, il avait décidé que cela n'avait pas d'importance. C'était même stimulant. Tous ses amis l'avaient prévenu du risque qu'il courait en épousant une Heckerling, mais il ne les avait pas écoutés.

Idiot.

Stupide.

Imbécile.

Il était amoureux à l'époque, ou du moins, il pensait l'être.

Plusieurs de ses copains avaient insisté pour lui organiser un enterrement de vie de garçon. Prétendant l'emmener à Las Vegas, ils avaient en fait réservé un avion privé pour aller à Amsterdam. Ils y avaient passé une longue fin de semaine de luxure, d'aventure et de débauche. Sa dernière virée.

Ce fut un voyage mémorable, quatre jours qu'il n'oublierait jamais.

Mandy avait été furieuse en apprenant qu'il s'était rendu en Europe sans elle. Si elle avait su ce qui s'était véritablement passé, elle aurait été plus que furieuse. Toutefois, cela ne l'avait pas empêchée de l'épouser. Mandy était une fille qui obtenait toujours ce qu'elle voulait, et l'homme qu'elle voulait était Ryan.

Leur mariage eut lieu sur une plage privée de Puerto Vallarta, près du domaine de vingt-cinq millions de dollars du père de Mandy. Ryan aurait préféré une cérémonie intime avec la famille, mais Mandy l'avait supplié d'accéder à ses désirs.

— Papa ne demande pas grand-chose, avait-elle dit gentiment. Je suis sa seule fille ! Tu ne peux pas le blâmer de vouloir que mon mariage soit un événement mémorable. C'est le moins qu'on puisse faire pour lui.

Il avait donc cédé.

Six cents personnes avaient assisté au mariage, dont quatre-vingts provenant de sa propre famille et de ses amis. Il ne connaissait aucun des autres invités, mais Mandy l'avait assuré qu'il s'agissait de figures importantes de l'industrie du cinéma.

Tant pis, s'était-il dit, *cela n'arrivera qu'une seule fois.*

Sauf que cela s'était répété toutes les semaines par la suite. En effet, Hamilton organisait des soirées hebdomadaires dans sa magnifique demeure des collines de Bel Air. Et il comptait sur leur présence chaque fois.

— Quel ennui ! s'était plaint Ryan après la quatrième fin de semaine de festivités.

— Mais non, avait protesté Mandy.

— Je n'en peux plus de toutes ces soirées, avait-il dit. Ce n'est pas mon genre.

— Papa appelle cela du réseautage, avait-elle expliqué. Tu devrais le remercier. Tu peux y rencontrer les gens les plus importants en ville.

— Et pourquoi voudrais-je faire ça ?

— Pour ta carrière, avait-elle rétorqué. On ne sait jamais quand tu auras besoin d'une faveur.

— Ma carrière progresse très bien, avait-il répliqué avec irritation. Au cas où tu l'aurais oublié, j'ai deux projets de films en développement et un autre qui va bientôt entrer en production.

— Papa pense que tu pourrais faire des films plus importants, lui avait signifié Mandy. Il dit que tu devrais travailler pour lui.

— Tu n'es pas sérieuse? s'était-il écrié, offusqué. Je ne voudrais certainement pas travailler pour ton père! Je fais des petits films indépendants. C'est mon style.

— Parfois, le style ne suffit pas.

— Que veux-tu dire?

— Que si tu travaillais pour papa, tu pourrais faire tout ce que tu veux.

— J'avais l'impression de très bien m'en sortir tout seul, avait-il dit sèchement.

— C'était juste une suggestion, avait répliqué Mandy en tendant la main vers sa braguette.

Elle savait jauger le moment où il fallait cesser d'insister et se concentrer sur autre chose. Après tout, ils étaient de nouveaux mariés et il faudrait sans doute du temps pour faire changer Ryan d'avis.

Mais Ryan n'était pas dupe. Il avait peut-être épousé la fille d'un homme célèbre, mais quand il s'agissait de cinéma, il voulait suivre sa propre trajectoire. Il n'avait pas besoin de l'aide, des conseils, ni des interventions de Hamilton J. Heckerling.

Après un an de mariage, Mandy avait concédé la défaite à contrecœur relativement à la carrière de Ryan. Il faisait les choses à sa façon, et elle ne pouvait rien y changer. Au moins, elle l'avait persuadé d'accepter le cadeau de mariage de son père: une maison de six chambres à Beverly Hills, avec des jardins luxuriants, une piscine et un court de tennis.

Au début, il avait protesté:

— C'est bien trop grand!

— Pas quand on aura des enfants, avait-elle rétorqué, jouant adroitement la carte de la famille. En plus, papa aurait le cœur brisé si on refusait son cadeau.

Après avoir résisté pendant une ou deux semaines, il avait fini par accepter, et ils avaient emménagé dans la maison du boulevard Foothill. Il avait dû admettre que l'idée d'une grande famille lui souriait. Il avait grandi avec trois sœurs et des parents affectueux, et la famille était donc extrêmement importante pour lui. Il avait hâte de fonder la sienne.

Malheureusement, cela ne devait pas arriver. Au cours de leurs sept années de mariage, Mandy était tombée enceinte à trois reprises. Elle avait eu deux fausses couches, et le troisième bébé était mort-né.

C'était déchirant pour tous les deux. Et c'était aussi la principale raison pour laquelle il était resté. Comment aurait-il pu l'abandonner après tout ce qu'elle avait subi ? Ce n'aurait pas été correct, et tout au long de sa vie, Ryan s'était toujours efforcé de bien agir.

* * *

— Bon, je dois partir, déclara Ryan d'un ton impatient.

— S'il le faut, dit-elle d'une voix tendue. Quand rentreras-tu ?

Il détestait se faire interroger, mais Mandy ne pouvait s'en empêcher.

— Autour de dix-sept heures, répondit-il d'un ton vague.

— N'oublie pas notre souper avec Phil et Lucy chez Geoffrey. C'est nous qui invitons. Il faudra partir avant dix-huit heures. On ne sait jamais comment sera la circulation sur la Pacific Coast Highway, et tu sais que je déteste être en retard !

Ironique venant d'une femme qui le faisait toujours attendre.

— Compris, dit-il en se dirigeant vers la porte.

Aller au restaurant Geoffrey avec Phil et Lucy Standard n'était pas une perspective désagréable. Phil était un ami proche et Lucy pouvait être amusante quand elle n'était pas sous l'effet de son mélange favori de Vicodin et Xanax.

Oui, une soirée au restaurant avec les Standard était nettement préférable à une soirée à la maison avec Mandy.

3

Six clients plus tard, Cameron acheva sa journée chez Bounce. Toutefois, elle était loin d'avoir fini. Il lui restait plusieurs visites à domicile à effectuer, ce qui la mènerait bien après 20 h. Quand elle aurait terminé, elle irait chercher ses deux chiens chez monsieur Wasabi, son gentil voisin asiatique. Puis elle se préparerait à souper et se coucherait tôt afin de recommencer à la première heure le lendemain.

La jeune femme savait qu'elle était un bourreau de travail, mais personne n'allait s'en charger à sa place. Elle était déterminée à amasser assez d'argent pour ouvrir son propre centre d'entraînement.

Heureusement, elle était en voie d'atteindre son objectif, ce qui prouvait que tous ses efforts en valaient la peine.

— Où vas-tu maintenant? lui demanda Lynda quand elle passa devant la réception.

— Chez Charlene Lewis, répondit-elle en s'arrêtant un instant. Ta potiche hollywoodienne préférée!

— Oh, elle! dit Lynda en pianotant de ses longs ongles manucurés sur le comptoir. Cette femme est une véritable *puta*! Une femme trophée typique mariée à un vieux type alcoolique.

— Tu crois ? répliqua Cameron d'un ton ironique.

— Allons, insista Lynda. Tout le monde sait qu'elle attend seulement qu'il crève pour hériter de ses millions et s'envoyer en l'air avec des garçons de plage !

Cameron haussa un sourcil amusé.

— Des garçons de plage ?

— Tu sais ce que je veux dire ! dit Lynda avec un gloussement entendu.

— Détestes-tu tous mes clients ?

— Non, juste les mauvais, rétorqua Lynda. Tu as quelques acteurs séduisants avec lesquels j'accepterais bien de passer sous la douche. Et j'adooore Joanna P. ! Elle sait comment s'amuser.

— Comment mes clients peuvent-ils être si mauvais lorsqu'ils me paient le double de mon tarif habituel ? demanda Cameron. Ils nous aident, tu sais.

— Non, contra Lynda. C'est toi qui les aides à redonner du tonus à leur derrière ramolli.

— Si tu le dis.

— Tu travailles trop, ajouta Lynda en plissant son petit nez mutin. En fait, tu n'as aucune vie personnelle. Ce n'est pas sain.

— Ma vie personnelle va très bien, merci ! répliqua Cameron d'un ton sec.

— Tu sais, commença Lynda avec un sourire espiègle, Carlos a un copain...

— Non !

— Quoi ? Je ne me souviens même pas de la dernière fois où tu as eu un rendez-vous !

— Moi, je m'en souviens, et c'était un désastre complet ! dit Cameron en se remémorant un agent trapu et velu avec une moustache en guidon de vélo.

Il n'avait pas arrêté d'insister pour qu'elle fasse du cinéma, une perspective qui ne lui souriait pas du tout. Elle frissonna à ce souvenir.

— Rien que du boulot et pas de sexe ! chantonna Lynda.

— Ça m'endurcit ! l'interrompit Cameron.

— Ouais, une vraie *superwoman* ! la taquina Lynda.

— Vous m'avez appelé ? demanda Dorian d'un air coquin.

Il entra en faisant jouer ses muscles impressionnants.

— Tu peux toujours rêver ! lança Cameron avec un sourire amusé.

— Garce !

— Salope !

— Ah, elle me connaît trop bien ! s'exclama Dorian d'un ton fier.

— Moi et la moitié de West Hollywood, riposta Cameron.

Dorian était un vrai dévergondé, mais elle l'adorait. Il avait grand cœur et elle pouvait toujours compter sur lui en cas de crise.

En souriant, elle se dirigea vers le stationnement arrière où était garée sa Mustang Fastback argent 1969. Cette voiture fantastique lui permettait d'aller où elle voulait et était un véritable plaisir à conduire. Lors de ses rares journées de congé, elle aimait écouter LL Cool et les Black Eyed Peas sur son iPod en roulant vers la plage, ses chiens sur la banquette arrière. C'était sa façon de se détendre, en ne faisant rien de spécial, et surtout pas en allant à des rendez-vous arrangés avec un des amis de Carlos à la recherche d'une baise facile.

D'ailleurs, à l'insu de Lynda et de qui que ce soit, elle avait des relations sexuelles quand cela lui plaisait avec Marlon, un étudiant de dix-neuf ans qu'elle avait rencontré sur la piste de course de l'UCLA[1]. Ils avaient entamé une relation d'amis-amants. Rien de sérieux, du sexe sans complication chaque fois que l'un d'eux en avait envie. Cela leur convenait à tous les deux, même si elle se sentait vaguement coupable que Marlon soit techniquement encore un adolescent. Mais comme son vingtième anniversaire

---

1 Université de Californie à Los Angeles.

approchait, ce n'était donc pas comme si elle couchait avec un enfant. Après tout, elle avait seulement cinq ans de plus que lui.

Personne n'était au courant pour Marlon, et elle avait bien l'intention que ça demeure ainsi. Lynda l'aurait critiquée et Dorian se serait jeté sur Marlon.

Les trois meilleurs amis de Cameron étaient Lynda, Dorian et Cole de Barge, un entraîneur gai, noir et séduisant.

Bien qu'ils soient très proches tous les quatre, elle préférait garder ses secrets pour elle.

En un temps record, elle parvint au complexe sécurisé où vivait Charlene avec son riche mari. Leur résidence luxueuse était perchée au sommet d'une colline et offrait une vue superbe de chacune de ses fenêtres. Pour entrer dans le complexe, les visiteurs devaient franchir les barrières de sécurité et s'identifier auprès des gardiens, qui tenaient un registre détaillé de chaque passage.

En roulant dans les rues méticuleusement entretenues bordées d'énormes demeures privées, elle se dit que ce décor évoquait un ghetto de milliardaires surréaliste. Cette pensée la fit sourire.

Charlene Lewis vivait à Hollywood depuis vingt ans. D'abord mariée à un chanteur renommé de Vegas, puis à un compositeur célèbre, elle en était maintenant à son troisième mari. Aarron Otterly était un milliardaire excentrique deux fois veuf et approchant les quatre-vingts ans.

Charlene savait déceler les partis prometteurs, et en s'apercevant qu'Aarron était libre, elle s'était précipitée sur lui comme une prostituée déterminée à se faire payer pour une fellation. Elle était consciente que ses jours de séduction étaient comptés et que la plupart des milliardaires préfèrent leurs conquêtes dans la vingtaine, ou du moins, asiatiques.

Elle avait harponné Aarron en lui permettant d'essayer tous ses vêtements et de parader vêtu en femme. Il s'était avéré qu'il appréciait particulièrement ses robes de soirée rétro sexy et signées Valentino et Dolce & Gabbana.

La bonne nouvelle, c'est qu'elle n'avait pas à combler ses besoins sexuels ; il préférait se caresser lui-même tout en admirant son reflet de travesti dans un miroir. Du moment qu'elle était présente pour l'observer, il était satisfait.

La mauvaise nouvelle, c'est qu'il avait des enfants adultes qui ne pouvaient la supporter. Ils étaient convaincus qu'elle n'en voulait qu'à son argent.

Cameron se dit que Lynda avait probablement raison : Charlene attendait seulement que son cher mari meure pour pouvoir continuer sa vie sans être importunée par des problèmes financiers. Elle n'avait jamais travaillé et n'avait pas l'intention de commencer.

Un majordome philippin ouvrit à Cameron et l'informa que la maîtresse de maison l'attendait. La jeune femme traversa les pièces luxueuses en direction du gymnase, près de la piscine.

— Vous êtes en retard, la réprimanda Charlene.

Elle était assise sur un vélo stationnaire, vêtue d'un léotard rose vif qui la moulait comme une seconde peau.

Charlene était un véritable hymne aux Botox, Juvena, silicone, collagène et tout autre combleur de rides offert sur le marché. La liposuccion était sa meilleure amie. Elle ne croyait pas au bistouri des chirurgiens plastiques, à part pour ses seins volumineux, mais avait foi en tout le reste. À quarante-six ans, elle était impeccablement conservée, avec des lèvres étrangement gonflées et un visage lisse dépourvu de rides.

— Je ne qualifierais pas cinq minutes de retard, répliqua Cameron.

— Vous savez que je suis exigeante pour la ponctualité, insista Charlene avec irritation. Chaque minute compte. J'aurais pu vouloir faire autre chose.

Quoi donc ? eut envie de demander Cameron. *Prêter ton mascara à ton mari ? Aller acheter d'autres tenues haute couture ? Baiser le garçon de piscine ?*

— Il est temps de s'échauffer. Enlevez votre bague ! dit-elle avec entrain en désignant l'horreur sertie d'un diamant de douze carats qui ornait le majeur de sa cliente.

À contrecœur, Charlene retira son énorme bague. C'était son fonds de pension et elle ne la quittait jamais des yeux. Cameron se dit qu'en la vendant, Charlene obtiendrait assez d'argent pour nourrir une famille de cinq pendant au moins dix ans.

— Allez, on commence ! déclara-t-elle en amorçant une série d'étirements. Il faut souffrir pour garder ce corps de rêve !

— Pourquoi ? demanda Charlene d'un ton sec.

— Si vous voulez conserver votre silhouette, c'est ce qu'il faut faire.

— Un de ces jours, marmonna la femme, je vais m'asseoir sur le canapé et ne rien faire d'autre que me gaver de beignets.

— Mais non, répliqua Cameron en allumant la chaîne stéréo. Vous aurez toujours une allure fantastique. C'est votre destin !

— Vraiment ? se rengorgea Charlene.

— Certainement !

L'énergie positive lui permettait toujours de compléter ses journées. Et la motivation de ses clients était l'un des éléments clés de son succès.

Il était passé vingt et une heures quand elle se dirigea vers sa modeste maison d'une chambre située dans une rue calme, derrière le supermarché Vons, à Santa Monica. Un de ses clients préférés, un décorateur intérieur extravagant, la lui louait. Cette maison minuscule était dotée d'un petit jardin où Yoko et Lennon, ses deux labradors blonds, pouvaient s'étendre et se chauffer au soleil. Yoko et Lennon étaient de bons compagnons ; avec eux, elle ne se sentait jamais seule.

Après s'être préparé un bol de soupe miso, elle écouta les messages sur son répondeur. C'étaient surtout des clients désireux de fixer un rendez-vous ou de modifier une date. Le dernier message provenait de Jill Kohner, une cliente qui était productrice télé. Elle voulait savoir si elle était disponible pour un entraînement à domicile chez Don Verona, l'animateur de télévision. Cameron connaissait son nom, mais n'avait jamais regardé son émission de variétés. Les nouveaux clients étaient toujours les bienvenus. Après avoir terminé son repas, elle rappela donc Jill et nota les coordonnées de Don Verona. Ensuite, elle sortit avec Yoko et Lennon, les fit courir autour du pâté de maisons, puis rentra se coucher.

La journée avait été longue.

4

U ne fois dans sa voiture, Ryan donna un coup de
fil à Don Verona, son meilleur ami, qui l'invita
aussitôt à venir chez lui. Leur amitié remontait à
leurs années d'université, quand ils partageaient un petit
appartement près de l'USC[2]. Ils avaient alors de grandes
ambitions et une série ininterrompue de jolies copines. Ils
avaient tous deux réussi dans leurs carrières respectives et
étaient toujours demeurés proches malgré les nombreuses
petites amies et épouses qui avaient tenté de les séparer. En
effet, certaines femmes se sentent menacées par les amis
de longue date de leur homme, mais Ryan et Don avaient
résisté à toute tentative de briser leur amitié.

Don vivait dans une maison ultramoderne qu'il avait
personnellement dessinée et construite au terme de son
deuxième mariage avec une vedette de cinéma française.
Juchée au sommet de Sunset Plaza Drive, sa demeure
était un paradis pour célibataire avec tous les accessoires
voulus. Une table de billard professionnelle, trois télévi-
seurs à écran plat haute définition avec forfait sport, un
gymnase entièrement équipé, une chaîne haute fidélité

---

2   Université de Caroline du Sud.

dernier cri, une salle de jeux virtuels et une table de poker immaculée. À l'extérieur se trouvaient un terrain de golf miniature, un énorme barbecue en acier inoxydable et un garage à six places abritant son impressionnante collection d'automobiles.

— Salut! lança Ryan en entrant dans le salon et en se laissant tomber sur le canapé.

— Quoi de neuf? demanda Don.

Il avait une allure de vedette de cinéma, avec ses cheveux de jais, ses yeux noirs, ses traits virils et sa barbe typique de deux jours. C'était aussi un animateur d'émission de fin de soirée très populaire. Don Verona était Letterman sans les complexes du Midwest; Leno sans les insultes; Craig Ferguson sans l'accent écossais; et Conan sans les cheveux roux. Don avait son propre style, et ça fonctionnait.

Le plus grand problème de Don était les femmes. Elles l'adoraient et il le leur rendait bien. Mais après deux divorces, il avait du mal à éprouver du désir pour les multiples belles créatures qui se jetaient à son cou. Depuis son dernier divorce avec l'actrice française, il n'arrivait à se détendre au lit qu'en compagnie d'une prostituée. Selon sa psy, c'était causé par l'anxiété liée aux pensions alimentaires. Il est vrai qu'il versait déjà suffisamment d'argent à ses deux ex. Ce raisonnement avait donc une certaine logique.

— Pas grand-chose, répondit Ryan en haussant les épaules. Il fallait que je sorte de la maison. Mandy me rend fou!

— Je te comprends, acquiesça Don. J'ai déjà vécu ça. Les femmes peuvent être casse-pieds et sont convaincues d'être dans leur droit.

Ryan ramassa un exemplaire du magazine *Sports Illustrated* et examina la mannequin en bikini sur la couverture.

— Mandy est tellement collante, ces temps-ci, ajouta-t-il.

— Ça ne m'étonne pas.

— Hein? dit Ryan en lançant le magazine sur la table basse.

— Allons, tu sais que ta femme est une manipulatrice de première classe, lâcha son ami pour lui faire entendre raison. Elle s'amuse à t'emmerder. C'est sa marque de commerce.

— Peut-être...

Ryan voulait se convaincre que Don se trompait, mais au fond, il savait qu'il avait raison. Mandy se plaisait à lui casser les pieds. C'était triste, mais vrai. Et il la laissait faire... parce que c'était plus facile ainsi.

— Je te dis la vérité, mon ami, ajouta Don. D'après ce que je vois, tu n'as pas été heureux depuis longtemps.

— C'est faux, contesta Ryan, refusant toujours de se rendre à l'évidence.

— Tu dois trouver une stratégie pour te sortir de cette situation, dit Don avant d'ouvrir les énormes portes vitrées donnant sur une piscine à débordement.

— Hé! protesta Ryan en se levant pour le rejoindre. Juste parce que tu as eu deux mariages ratés, ça ne veut pas dire que je dois abandonner. Mandy a des bons côtés.

— Lesquels? demanda Don. Chaque fois que je vous vois ensemble, elle est toujours en train de te critiquer et de maugréer.

Butch, son labrador noir, entra dans la maison et s'empressa d'aller renifler Ryan.

— Mandy a traversé des moments difficiles, répliqua Ryan en se penchant distraitement pour caresser le chien.

— Et combien de temps devras-tu payer pour ça? demanda Don. Ce sont des choses qui arrivent. Tu dois passer à autre chose. Ou alors, avoir une aventure.

— Ce n'est pas mon genre.

— Ça devrait l'être, car je parie que tu ne t'envoies pas en l'air très souvent.

— Qu'est-ce qui te fait penser ça?

— Tu es tellement tendu ces temps-ci que c'en est ridicule.

— Je ne suis pas comme toi, riposta Ryan, sur la défensive. Je n'abandonne pas aussi facilement. Et je ne suis pas du genre à tromper ma femme.

— Je ne trompe personne! dit Don en haussant un sourcil. Je suis célibataire, tu te souviens? C'est de toi qu'on parle.

— Fais-moi plaisir et arrête de parler de mon mariage, déclara Ryan. Je suis venu ici pour me détendre.

— Vas-y, détends-toi! dit Don en étouffant un bâillement. J'ai une nouvelle entraîneuse qui s'en vient. Une de mes productrices me l'a recommandée. Apparemment, elle te fait travailler comme un sergent instructeur. J'ai besoin de discipline, car je deviens flasque.

Il tapota son ventre plat.

— Ouais, c'est ça, dit Ryan, sceptique.

— Tu devrais t'entraîner avec nous, proposa Don. Ça te remonterait le moral. Ensuite, on pourrait regarder du football universitaire. Je me sens d'humeur à parier.

— Je vais passer mon tour, répondit Ryan. Je dois aller chez ma sœur et passer à la salle de montage.

— Je pensais que tu avais terminé ton dernier chef-d'œuvre.

Don se dirigea vers sa cuisine ultramoderne en acier et béton, Butch sur les talons. Ryan les suivit.

— Un film n'est jamais fini avant de se retrouver en salle, dit-il. Et même alors...

— Oui, oui, je sais, dit son ami en lançant un biscuit au chien. Quand il s'agit de travail, tu es tellement perfectionniste!

— Tu n'es pas un fainéant, toi non plus! répliqua Ryan. Cinq émissions par semaine, et chacune en tête des cotes d'écoute.

Don secoua la tête en se versant un café.

— La différence, c'est que tu fais ce que tu as toujours voulu faire, alors que je nage dans la médiocrité.

— La médiocrité? Tu veux rire? Animer l'une des émissions de variétés les mieux cotées du pays, c'est loin d'être médiocre. Sans oublier que tu gagnes bien plus d'argent que moi!

— Ah, oui! dit Don. Sauf qu'on sait tous les deux que ce n'est pas une question d'argent, mais de passion. Et tu vis cela dans ton travail, contrairement à moi.

— Ce n'est pas vrai!

— Oui, malheureusement, dit Don avec regret.

— Bon, je dois y aller, annonça Ryan. Pourquoi ne viens-tu pas souper avec nous ce soir?

— Où ça?

— Chez Geoffrey, à dix-neuf heures trente. C'est moi qui invite, et Phil et Lucy seront là. Amène une copine, mais pas quelqu'un que tu paies! Mandy s'en rendrait compte en deux secondes!

Don éclata de rire.

— C'est d'accord. On se retrouve là-bas.

Dès que Ryan fut sorti de la maison, Mandy téléphona à son père à New York. À son grand dam, sa gouvernante acariâtre refusa de le déranger, affirmant qu'il était occupé. Mandy coupa la communication et jeta son téléphone sur le canapé. Elle détestait ceux qu'elle appelait les «protecteurs» de son père. Il employait toute une clique de gouvernantes, assistants, chauffeurs et gardes du corps pour s'assurer que personne ne s'approcherait de lui sans son assentiment.

—Je devrais être l'exception, ne cessait-elle de lui répéter.

— Pourquoi donc? répliquait-il toujours.

— Parce que je suis ta fille! Cela devrait me donner des droits que les autres n'ont pas.

Hamilton gloussait généralement lorsqu'elle tentait d'obtenir des privilèges.

Voilà un autre détail qu'elle détestait à propos de son père : son gloussement. Ce rire n'avait aucune chaleur. C'était un son foncièrement mesquin. Elle préférait son père quand il était sérieux. Malheureusement, chaque fois qu'ils étaient ensemble, elle avait droit au « gloussement ».

— Je veux épouser Ryan Richards, l'avait-elle informé sept ans plus tôt.

Gloussement.

— J'aimerais produire un de tes films avec toi.

Gloussement.

— Puis-je avoir accès plus tôt à mon fonds en fiducie ?

Gloussement.

Il ne la prenait jamais au sérieux.

D'après les rumeurs, son cher papa avait une nouvelle petite amie. Mandy était loin d'être ravie. Son père avait eu cinq femmes, n'était-ce pas assez pour un homme ?

Elle avait entendu parler de la dernière par sa confidente secrète, Lolly Summer, qui travaillait pour un des plus importants sites de potins sur Internet. En échange de détails juteux sur des vedettes, Lolly racontait absolument tout à Mandy.

En voyant qu'elle ne pouvait joindre son père, elle appela Lolly.

— As-tu du nouveau ? lui demanda-t-elle.

— Il organise un souper ce soir, répondit Lolly. Une soirée très importante. Tout le monde y sera, de Rudy à Trump.

— Et l'objectif de ce souper ?

— Je vais me renseigner. Je connais deux personnes sur la liste d'invités.

— Si tu apprends quoi que ce soit, texte-moi. Je serai sortie ce soir, mais j'ai besoin de savoir ce qui se passe.

— Bien sûr, dit Lolly. Au fait, tu m'avais promis des infos pour mon article sur Owen Wilson...

* * *

La sœur de Ryan, Evie, vivait dans une petite maison à Silverlake. Elle avait trois fils âgés de moins de huit ans et son mari travaillait comme cascadeur. C'était également un alcoolique invétéré.

L'alcool et les cascades. Un mélange dangereux. Ryan l'avait embauché pour l'un de ses films, et cette expérience lui avait suffi. Son beau-frère était un tyran déplaisant avec peu d'amis ; Ryan avait hâte au jour où Evie en aurait enfin assez.

À l'heure actuelle, Marty languissait en prison à la suite d'une troisième arrestation pour conduite avec facultés affaiblies. Ryan savait que la situation financière de sa sœur était difficile, car toutes les compagnies de production sérieuses refusaient d'engager Marty. Mais Evie refusait son aide.

Elle accueillit son frère par une étreinte chaleureuse. À sept ans de moins que lui, elle était jolie malgré sa mine épuisée.

Ses trois garçons étaient assis sur le canapé usé, les yeux fixés sur les dessins animés à la télé.

— Vive les samedis matin ! soupira-t-elle. C'est le seul moment où ils sont tranquilles, ces adorables petits chenapans.

— Hé, les gars ! dit Ryan en se penchant pour saluer ses neveux. Quoi de neuf ? Avez-vous des choses à me raconter ?

Les garçons ne bronchèrent pas.

— Ils veulent un chien, dit Evie en ramenant une mèche de cheveux bruns frisés derrière son oreille. Ça me donnerait plus de travail, mais ils sont très insistants. Et comme Marty est si souvent absent...

Elle s'interrompit, comme si la mention de son mari emprisonné était trop douloureuse.

— Je pourrais peut-être leur offrir un chien, proposa Ryan.

— Eh bien..., répondit Evie d'un ton hésitant. Seulement si tu promets que ce ne sera pas un chien de race. Ils m'ont fait promettre d'adopter un chien dans un refuge.

— Quels citoyens responsables, et à un si jeune âge ! dit Ryan en ébouriffant les cheveux du plus jeune.

— Je sais, dit sa sœur. Petey refuse de manger du poulet, ce qui complique la planification des repas !

— Si tu veux, je pourrais aller avec eux manger un hamburger au In'n'Out, dit Ryan, voyant qu'Evie avait besoin d'une pause. Ensuite, on irait au parc jouer au ballon. Qu'en dis-tu ?

— Que je t'aime, répondit-elle, reconnaissante.

— C'est bon à savoir.

Évidemment, la meilleure solution aurait été de les emmener chez lui se baigner dans sa piscine, mais Mandy aurait piqué une crise. Puisqu'ils ne pouvaient pas avoir d'enfants, elle ne supportait pas ceux des autres, surtout pas les petits garçons turbulents d'Evie. C'était un sujet de dispute fréquent entre eux.

— Je peux utiliser ta salle de bain ? demanda-t-il.

Il s'arrêta au passage à la chambre d'Evie, prit une pile de dix et vingt dollars dans sa poche et les distribua soigneusement dans la pièce. Ainsi, cela ne ressemblerait pas à de la charité. Avec un peu de chance, Evie croirait qu'elle avait laissé traîner cet argent.

C'était ridicule qu'elle ne lui permette pas de l'aider. Il vivait dans un château de mille mètres carrés à Beverly Hills et gagnait confortablement sa vie, alors qu'elle était coincée à Silverlake avec son bon à rien de mari incapable de payer les comptes.

Les trois garçons ne se firent pas prier pour dévorer leurs hamburgers, ainsi que des portions de frites graisseuses et une tonne de ketchup. Après les avoir regardés s'empiffrer, Ryan les emmena au parc où ils s'en donnèrent à cœur joie. Sur le chemin du retour, il s'arrêta chez Best

Buy pour leur acheter chacun une PSP[3] de Sony. Ils étaient aux anges.

Quand il les ramena chez Evie, il avait l'impression d'avoir couru huit kilomètres.

— Tes gars m'ont épuisé, se plaignit-il. Je ne sais pas comment tu fais.

— Tu n'es plus tout jeune, dit-elle avec une franchise fraternelle. Rends-toi à l'évidence, grand frère, tu vieillis !

— J'ai juste trente-neuf ans ! protesta-t-il.

— Bientôt quarante, fit-elle remarquer.

Doux Jésus ! Était-ce vrai ? Était-il sur le point d'atteindre ce chiffre fatidique ? Merde ! Lui, Ryan Richards, ne serait plus le jeune producteur à la mode à Hollywood et entrerait dans la quarantaine. Il avait du mal à le croire.

Il repensa à sa conversation avec Don. Au fond, il savait que son ami avait raison. Il n'était pas vraiment heureux avec Mandy. Elle était toujours en train de lui reprocher un truc ou un autre, le harcelait constamment. Et durant la dernière année, depuis la mort de leur bébé, leur vie sexuelle avait été pratiquement inexistante. Chaque fois qu'il tentait une avance, Mandy s'éloignait en prétextant une autre excuse bancale. Et cela venant d'une femme qui s'était déjà vantée de pouvoir administrer la plus incroyable des pipes.

Ils seraient peut-être tous les deux plus heureux s'ils n'étaient plus ensemble. Le mot « divorce » s'infiltra soudain dans son esprit.

Non. Impossible. Sa mère serait tellement déçue si son mariage était un échec. Avant le décès de son père, ses parents avaient connu quarante-cinq années de bonheur ensemble. Le divorce n'était pas une situation que sa mère prendrait à la légère. Quant à Hamilton J. Heckerling – sapristi ! le vieux s'arrangerait probablement pour le faire tuer.

---

3   PlayStation Portable.

Ryan eut un sourire désabusé. Il s'imagina dans les rues de L.A., soupçonnant chaque passant d'être un assassin potentiel et vérifiant sous sa voiture pour voir si une bombe y avait été cachée.

Tu as trop d'imagination, se dit-il avant d'embrasser sa sœur pour lui dire au revoir.

— Prends soin de toi, dit Evie en lui serrant le bras.

— Non, toi, prends soin de toi. Quand Marty va-t-il sortir ?

— Cette semaine.

— Ira-t-il chez les A. A.[4] ?

— Il dit qu'il n'en a pas besoin.

— Evie...

— Je sais, je sais, dit-elle, refusant de le regarder dans les yeux. Ne me fais pas la morale, s'il te plaît. Tout va bien aller.

Mais ils savaient tous les deux que c'était faux.

Elle lui toucha de nouveau le bras.

— Tout va bien avec Mandy ? demanda-t-elle en l'accompagnant vers la porte.

Sa sœur avait un excellent instinct pour tout ce qui le concernait, mais il n'avait pas envie d'aborder ce sujet.

— Mais oui, tout va bien, répondit-il d'un ton désinvolte. Pourquoi ?

— Je ne sais pas. Tu as l'air fatigué.

Hum... Lui rappeler son prochain anniversaire ne suffisait pas, maintenant, il avait l'air fatigué ! Super !

Ce n'était vraiment pas sa journée.

---

4   Alcooliques anonymes.

ANYA

La vie dans la ville de Magas était dure. Avec l'arrivée de plus de deux cent cinquante mille réfugiés, la nourriture et les abris se faisaient rares. Anya fut bientôt séparée de la mère et des enfants avec qui elle avait voyagé. Elle se retrouva seule, munie uniquement des vêtements qu'elle avait sur le dos et d'un quignon de pain rassis qu'une généreuse vieille lui avait donné. Pas d'argent. Pas d'identité. Mais personne ne pouvait lui enlever sa beauté.

Le camp de réfugiés était plein à craquer. Anya n'avait nulle part où aller, nulle part où s'installer. La jeune fille resta donc en bordure du camp, à moitié affamée, incapable de parler, son corps maigre agité de tremblements, à se remémorer les horreurs dont elle avait été témoin.

C'est ainsi que Sergei la trouva. Ce résident de Magas s'était fait confier une tâche par son patron, Boris Pinski, un vieux mastodonte surnommé Avide Boris. Ce dernier touchait à tout. Il vendait des armes et des marchandises sur le marché noir. Il faisait aussi le trafic de femmes. Son homme de main, Sergei, avait été envoyé au camp de réfugiés afin d'en ramener des filles abandonnées pour le bordel clandestin qu'Avide Boris dirigeait en ville.

Sergei conduisait une familiale américaine poussiéreuse que son patron avait gagnée dans une partie de cartes. Quand il passa devant Anya, la voiture était déjà remplie par deux sœurs, une fille efflanquée aux cheveux roux ternes et une petite femme grassouillette qu'Avide Boris rejetterait sûrement. Mais que pouvait faire Sergei? La sélection n'était pas exactement abondante.

Il faillit ne pas s'arrêter pour Anya. Elle était si maigre et beaucoup trop jeune. Puis il aperçut son visage, et pendant un instant, se perdit dans ses yeux bleu clair. Des yeux expressifs, remplis de douleur. Il freina brusquement.

— Monte! ordonna-t-il avec un mouvement du pouce.

Elle obtempéra et monta à l'arrière de la familiale. Les autres femmes l'ignorèrent; elles avaient leurs propres problèmes. Sergei conduisit ses passagères jusqu'au centre de la ville. Il les remit à Avide Boris, à l'exception d'Anya, qu'il cacha à l'arrière de la voiture.

— Ne fais pas de bruit, l'avertit-il. Si tu ne me causes pas de problèmes, tu auras de la nourriture et un endroit où dormir.

Elle resta tranquille. Elle avait quatorze ans et n'osa pas réagir autrement.

Au début, Sergei décida de la garder quelques jours et de s'amuser un peu avec elle, avant de la remettre dans les mains d'Avide Boris. Mais ce n'est pas ce qui se produisit. Le jeune homme de vingt ans, qui avait passé la majorité de sa vie dans les rues à survivre par ses propres moyens, tomba amoureux de cette enfant.

Il l'emmena à la chambre qu'il louait dans une maison délabrée, lui servit un thé fort et des rôties brûlées, tartinées de boudin noir. Ensuite, après l'avoir lavée dans la salle de bain commune, il lui céda son lit et s'installa dans son vieux fauteuil aux ressorts cassés et à la housse déchirée.

Il se trouvait insensé d'agir ainsi, mais il y avait quelque chose chez Anya qu'il n'arrivait pas à identifier. Elle refusait d'émettre le moindre mot; elle se contentait de le fixer de ses grands yeux bleus tristes, et c'était suffisant. Il devina qu'elle avait dû être violée. En la lavant, il avait découvert du sang séché sur ses cuisses. Il était évident que la jeune fille avait subi une terrible épreuve.

Oui, il aurait pu la laisser à Avide Boris, mais pourquoi aurait-il agi ainsi? Elle le regardait avec des yeux si pleins d'envie et de nostalgie, un tel besoin de trouver sa place, d'être près de quelqu'un.

Il s'obligea à ne pas la toucher sexuellement. Il le voulait, mais sentait que cela aurait été mal. D'une certaine façon, il avait peur. C'était étrange, car Sergei n'avait jamais eu peur de rien.

Chaque jour, il tentait de la persuader de parler. Elle refusait fermement.

Quand il dut sortir travailler et la laisser seule dans la chambre, il lui ordonna de n'ouvrir la porte à personne, en aucune circonstance.

Pour toute réponse, elle hocha la tête.

— Un de ces jours, tu me diras quelque chose, hein ? lui demanda-t-il dans leur langue commune, le russe.

Elle hocha de nouveau la tête.

— Je peux être patient, lui dit-il.

Il pensa à toutes les prostituées qu'il avait baisées, à toutes les femmes qu'il avait croisées. Il songea à sa belle-mère, qui l'avait forcé à coucher avec elle quand il avait douze ans. La meilleure amie de sa belle-mère avait aussi abusé de lui. S'en étaient suivies une foule de femmes de tous âges, formes et tailles. Les femmes dont il avait profité pour son propre plaisir.

Sergei s'était forgé une carapace. Il n'avait pas eu le choix. Après deux nuits passées dans le fauteuil, il se dit qu'il pouvait s'étendre dans le lit à côté d'elle.

Elle s'écarta aussitôt, ses yeux tristes remplis d'effroi.

— Je ne te toucherai pas, promit-il. N'aie pas peur.

Il lui tourna le dos et sombra dans un sommeil agité.

Le lendemain matin, elle se pencha vers lui et lui chuchota à l'oreille :

— Je m'appelle Anya.

— Oh ! dit-il, surpris. Tu peux parler.

— Merci, murmura-t-elle. Merci de ta gentillesse.

Cette fille le remerciait. Personne ne l'avait jamais remercié. C'était une sensation étrange.

À présent, il ne pouvait plus la remettre à Avide Boris. Ça n'aurait pas été bien.

Entre-temps, Avide Boris s'acharnait sur lui.

— C'est tout ce que tu m'apportes? avait crié le gros homme en roulant des yeux furibonds et en agitant ses bras dodus dans les airs. Deux sœurs qui ne valent pas grand-chose et une fille miteuse aux dents cariées? Retourne au camp de réfugiés et trouve-moi d'autres filles. Il doit y en avoir plein, là-bas! Vas-y et ramène-les ici.

La clientèle d'Avide Boris n'était pas du plus haut calibre. La plupart étaient des travailleurs mariés qui passaient à toute heure du jour, restaient cinq ou dix minutes, puis poursuivaient leur chemin. Avide Boris était exigeant envers ses filles; parfois, elles devaient s'enfiler quinze ou seize clients dans une journée.

Sergei ne voulait pas qu'Anya subisse ce sort. Son Anya. Son petit oiseau. Car dans son cœur, il savait qu'ils étaient destinés à être ensemble.

Un jour, il décida de partir avec elle, de quitter cette ville ravagée par la guerre. Ils devaient s'éloigner d'Avide Boris et de tout ce qu'il représentait.

Il était temps pour eux de s'enfuir.

5

— **B**onjour, dit Cameron quand Don Verona lui ouvrit la porte. Je suis Cameron Paradise. Jill Kohner a fixé ce rendez-vous. Vous devez être Don Verona.

— Oh ! s'exclama-t-il en l'observant des pieds à la tête.

Il avait devant lui une grande blonde naturelle en survêtement blanc, aux longues jambes et aux yeux verts fascinants.

— Jill m'avait dit que vous étiez ravissante, mais je ne m'attendais pas à une telle perfection !

— Non seulement il est célèbre, mais il s'exprime par clichés, murmura Cameron avec une expression ironique.

Pendant que Don lui jetait un regard interrogateur, Butch arriva en courant, tout excité. Le chien fourra son museau dans l'entrejambe de la jeune femme et se mit à renifler.

— Non, Butch ! lança Don en tirant sur le collier de Butch. Je suis désolé !

Cameron se pencha pour gratter le cou du chien.

— Ne vous en faites pas. J'ai moi-même des labradors. Ils sont un peu trop affectueux, mais ça ne me dérange pas.

— Vous avez des labradors ?

— Deux, précisa-t-elle pendant que Butch lui léchait la main. Ce sont des chiens très fidèles.

— C'est vrai, dit-il en reculant d'un pas. Alors..., entrez, madame Paradise.

Elle franchit la porte de sa maison immaculée.

— Paradise, c'est tout un nom, remarqua-t-il. Où avez-vous pêché ça?

— En fait, c'est le nom de jeune fille de ma mère, répliqua-t-elle en regardant autour d'elle. Jill m'a dit que vous aviez votre propre gym. Où est-il?

— Vous allez droit au but, hein?

— C'est pour ça que je suis ici, dit-elle, peu impressionnée par son charme.

Les beaux hommes célèbres étaient monnaie courante dans cette ville, surtout quand on travaillait dans un club sportif huppé. Elle avait reçu les avances de nombreux grands noms de Hollywood. Ce n'était pas inhabituel.

— Vous avez d'excellentes références, déclara-t-il. Selon Jill, vous êtes la meilleure.

Il se dirigea vers l'escalier circulaire en verre qu'il avait conçu lui-même.

— Je travaille fort pour garder ma réputation, riposta-t-elle froidement. Je m'attends à ce que mes clients fassent de même pour leur corps.

Don n'était pas habitué à ce que les gens – surtout les femmes – ne soient pas en admiration devant lui. Après tout, comme Ryan l'avait souligné un peu plus tôt, il animait une émission extraordinairement populaire et gagnait une fortune. Malgré l'attitude acerbe de cette femme, il s'aperçut qu'elle lui plaisait. Non seulement elle était magnifique, mais elle avait un côté incisif stimulant.

— Pour dire la vérité, je travaille plutôt avec des entraîneurs masculins, lança-t-il par-dessus son épaule en montant l'escalier. Moins de distractions, si vous voyez ce que je veux dire...

— Voulez-vous que je m'en aille ? riposta-t-elle, se disant qu'il était plutôt imbu de sa personne.

Il s'arrêta sur une marche et elle faillit percuter son dos.

— Seulement si c'est ce que vous souhaitez.

— C'est vous le client, dit-elle. Si vous préférez un entraîneur masculin, je peux vous en trouver un.

— Ah bon ?

— Absolument. J'ai deux collègues masculins. Ils sont gais... Est-ce que ce serait un problème ?

— Pas pour moi, répondit-il suavement, avec un sourire en coin. Mais pour le moment, je crois que je vais continuer avec vous.

— On verra.

— On verra ? répéta-t-il en haussant un sourcil.

— Nous allons faire un essai. Je ne travaille qu'avec des clients que je peux aider.

— Eh bien, faites-moi savoir quand vous aurez pris votre décision.

— Certainement, assura-t-elle.

* * *

À midi, Cameron était de retour chez Bounce.

— Tu étais chez qui ? demanda Lynda après avoir écouté ses explications.

— Je viens de te le dire, Don Verona, répéta Cameron.

— Dis donc ! s'exclama Lynda en écarquillant les yeux. Tu aurais pu me le dire plus tôt. Je serais venue avec toi !

— Pour faire quoi, au juste ?

— Admirer la vue ! répondit Lynda avec un soupir sensuel. Regarder et rêver ! Cet homme est si séduisant !

— Qui ça ? demanda Dorian, qui avait toujours le don d'arriver au bon moment.

— Mademoiselle est allée chez Don Verona pour faire travailler son beau petit cul. Il est tellement sexy ! Je craque pour ce type !

— Moi aussi ! renchérit Dorian. Je m'endors avec lui tous les soirs ! Ses monologues sont géniaux !

— Allez, raconte ! supplia Lynda en se penchant par-dessus le comptoir. Comment est-il ? Je veux tout savoir, dans les moindres détails.

— Oui, ajouta Dorian. On veut tous les petits détails juteux. Est-il bien membré ? As-tu remarqué s'il porte à gauche ou à droite ?

— Arrêtez, tous les deux ! les réprimanda Cameron en secouant la tête d'un air exaspéré. Il m'a semblé plutôt gentil. Un peu lubrique, mais ils le sont tous, non ?

— Oh oui ! répondirent ses deux amis en chœur.

— Je n'ai jamais regardé son émission, ajouta-t-elle. Est-ce si bien que ça ?

— Tu ne l'as jamais regardée ? répéta Lynda en ouvrant de grands yeux incrédules. Tu ne couches avec personne, alors que fais-tu à onze heures du soir ?

— Je dors, répondit Cameron en pensant qu'ils auraient tout un choc s'ils apprenaient l'existence de Marlon.

— Tu dors ? s'écrièrent Lynda et Dorian à l'unisson.

Ses deux amis devraient former un groupe musical, puisque leurs voix étaient si bien accordées.

— Oui, je dors pour avoir la force de faire mon travail chaque jour et gagner assez d'argent pour partir d'ici.

— Tu es tellement disciplinée, dit Dorian comme si c'était un défaut. De mon côté, j'aime bien faire la fête.

— Pas vrai ! s'exclama Cameron, feignant l'étonnement. Qui l'aurait cru ?

— Don Verona, dit Lynda d'un ton rêveur. Pourrais-tu le convaincre de venir s'entraîner ici ?

— Pourquoi je ferais ça ? Il a son propre gym parfaitement équipé. En plus, je ne veux pas qu'un autre entraîneur mette la main sur lui. Je suis en train de monter notre liste de clients privés pour qu'on parte sans se faire accuser de voler les clients de Bounce.

— Quand ? voulut savoir Dorian.

— Bientôt. On est sur la bonne voie. Je vais visiter quelques emplacements la semaine prochaine.

Le prochain client de Dorian arriva sur ces entrefaites. C'était un acteur de feuilleton musclé qui refusait d'avouer son homosexualité. Avec un sourire révélant ses nouvelles couronnes, il fit un clin d'œil à Lynda.

— Salut, Roger! lança Dorian en donnant un coup de poing viril sur le bras de son client. Prêt à étirer ces beaux muscles?

Roger fit un autre clin d'œil, cette fois en direction de Cameron.

— Allons-y, Dorian. Je suis plus que prêt!

Il s'éloigna avec son entraîneur.

— Pourquoi agit-il comme ça? se plaignit Lynda.

— Comment?

— En gars hétéro et sexy. On sait tous qu'il est encore plus gai que Dorian.

— C'est un acteur, répondit sagement Cameron. C'est une question d'image.

— Je suppose, dit Lynda en replaçant les bouteilles d'huile et de lotion alignées sur le bureau. Que fais-tu ce soir?

— Pas grand-chose.

Cameron s'abstint de mentionner que Don Verona l'avait invitée à souper et qu'elle avait refusé. Lynda piquerait une crise si elle l'apprenait.

— C'est que... Un cousin de Carlos est en ville. Il vient de Mexico. Apparemment, il est *mucho* baraqué. Je ne l'ai jamais rencontré, mais si mon Carlos dit qu'il est bien, alors...

— Non! répondit Cameron en secouant vigoureusement la tête. Combien de fois dois-je te le répéter?

— Me répéter quoi? demanda innocemment Lynda.

— Non, non et non!

— Ce n'est pas un rendez-vous arrangé! insista Lynda. Juste un repas amical chez Houston. Tu adores leurs côtes levées, non? Et tu rendrais un grand service à Carlos.

— Elle ne veut rendre service à personne, intervint Dorian, revenu chercher des serviettes blanches propres. Tu ne comprends pas que pour notre Cameron, il n'y a que le boulot qui compte?

— Ne parlez pas de moi comme si je n'étais pas là. En fait, Katie est en ville. On va voir jouer son copain au Roxy. J'y vais avec Cole.

— Cole? s'exclama Dorian, sur le point de retourner vers son client. Pourquoi ne m'as-tu pas invité?

— Parce que j'ai invité Cole, répondit brusquement Cameron. La prochaine fois, c'est toi que j'inviterai.

— Merci bien, répliqua Dorian d'un ton boudeur. Juste parce qu'il est le plus bel homme noir de la terre...

— Non, c'est Blair Underwood, le coupa Lynda, et j'aime que mes hommes soient grands.

— Carlos mesure un mètre soixante-dix-sept, fit remarquer Dorian. Il est loin d'être un géant!

— Ouais, eh bien, je peux te dire qu'il est un géant là où ça compte vraiment, riposta Lynda avec une lueur de colère dans les yeux.

— Ça suffit, vous deux, intervint Cameron. Arrêtez de vous chamailler. Et Dorian, je ne savais pas que tu aimais les concerts rock. C'est bruyant, brutal et rempli d'amateurs en sueur.

— Ça me paraît très sexy, ronronna Dorian. Emmène-moi! Emmène-moi!

— Tout te paraît sexy, dit Lynda d'un ton sec.

Cameron devait voir trois autres clients avant de terminer sa journée. Elle avait hâte de retrouver Katie, qu'elle n'avait pas vue depuis deux ans. Katie et Jinx étaient les seules personnes au courant pour Gregg et ce qui s'était passé entre eux. Aucun autre de ses amis ne savait qu'elle était mariée.

Oh, mon Dieu! C'était déprimant de penser qu'elle était encore mariée. Il fallait qu'elle fasse quelque chose. Et elle le ferait. Elle finirait bien par aller voir un avocat pour discuter de ses options.

En travaillant avec sa dernière cliente, une femme grassouillette qui se mariait dans quatre semaines et devait perdre dix kilos, elle repensa à sa matinée avec Don Verona. Elle devait admettre que c'était un bel homme. Il avait beaucoup de charme et flirtait avec aisance. Cependant, son invitation à souper l'avait prise par surprise.

— Hé, avait-il dit en se concentrant pour faire travailler ses abdominaux déjà fort impressionnants. Je soupe ce soir avec des gens intéressants. Aimeriez-vous m'accompagner?

Elle avait secoué la tête et refusé catégoriquement.

Deux minutes après son refus, il avait saisi son iPhone pour appeler quelqu'un d'autre, une femme qui avait apparemment accepté sa proposition.

— Vous ne perdez pas de temps, hein? avait-elle fait remarquer.

— À quoi bon? avait-il répliqué avec un clin d'œil insouciant.

Elle avait ajouté, se disant qu'il était préférable de mettre les choses au clair:

— En passant, ce n'est rien de personnel, mais je dois vous prévenir. Je ne mélange jamais travail et plaisir. Alors, si nous devons travailler ensemble...

— Je vais m'en souvenir.

Il lui avait adressé le célèbre sourire ironique de Don Verona.

Attention à ce type, avait-elle pensé. *Il pourrait me créer des problèmes, et je n'ai vraiment pas besoin de distractions.*

Cole de Barge avait une personnalité qui avait toujours plu à Cameron. En plus d'être un très bel homme, avec sa peau chocolat au lait, ses traits bien dessinés et son corps directement issu de la couverture de *Men's Health,* c'était un type bien, pas du tout calculateur. Et il était intelligent. Tellement qu'elle songeait à lui offrir un partenariat, au risque de déplaire à Lynda et Dorian, qui seraient déçus de ne pas avoir été choisis. La vérité, c'est que Lynda n'avait pas les qualités d'une partenaire d'affaires. Elle était trop pressée d'épouser Carlos, de fonder une famille et d'élever une kyrielle d'enfants. Les instincts maternels de Lynda étaient complètement débridés. Quant à Dorian... Eh bien, Dorian était Dorian. Un excellent entraîneur, un charmeur incorrigible, qu'il ne fallait pas trop prendre au sérieux.

Par contre, Cole avait un côté très réfléchi. Il n'était pas étonnant que tous les gais notoires de la ville aient éprouvé du désir pour lui. Du désir, puis de l'amour.

Cole avait eu plusieurs relations amoureuses avec de gros noms de Hollywood. Cependant, il devenait rapidement mal à l'aise quand ses amants se pavanaient avec lui comme s'il était un morceau de viande. Il méritait le respect, et cela ne se produisait jamais quand on était le petit ami d'une grosse légume. Tout comme Cameron, il était déterminé à réussir par lui-même.

Ils s'étaient rencontrés lorsqu'elle venait d'arriver à L. A. et cherchait du boulot. Elle était assise à une table du Starbucks à l'intersection de Robertson et Beverly, feuilletant le magazine *Fitness,* quand Cole s'était approché.

— Puis-je avoir ce magazine quand vous aurez terminé ? avait-il demandé. Il y a un article que je voudrais lire.

Elle lui avait jeté un coup d'œil appréciateur.

— Seulement si vous me dites quel est le meilleur club sportif en ville.

— Vous cherchez un entraîneur personnel ?

— Non, je cherche un emploi, avait-elle répondu.

C'était ainsi qu'ils s'étaient connus et qu'elle avait commencé à travailler chez Bounce, où Cole était l'un des entraîneurs les plus courus.

Au début, elle avait hésité à accepter, surtout lorsque Cole lui avait expliqué les conditions de travail.

— Tu veux dire que je dois leur payer un loyer et une commission ? Je ne peux pas me le permettre. J'ai besoin d'un emploi qui me paie !

— Fais-moi confiance. Tu feras plus d'argent en contrôlant tes propres clients. Je t'ai même fixé des rendez-vous avec certains des miens pour t'aider à démarrer.

Cole avait raison. Il avait tenu sa promesse et lui avait refilé trois de ses clients, avec lesquels elle travaillait toujours. Il s'était avéré un ami fidèle et précieux.

— Comment est cette Katie ? lui demanda-t-il quand ils sortirent de Bounce et se dirigèrent vers le stationnement.

— C'est une fille super, répondit Cameron. Très jolie dans un style rockeur.

— Vous êtes de vieilles amies ?

— Oui. On a vécu plein de choses ensemble, dit la jeune femme en ouvrant la portière de la voiture. Mais je te garantis que tu préféreras son copain. C'est un Britannique svelte, aux mouvements rock'n'roll très sexy.

— On s'en fiche ! dit Cole en se dirigeant vers sa moto. Après mon dernier échec amoureux, j'ai décidé d'emprunter la voie du célibat !

— C'est bon à savoir, car il n'est pas gai.

— Ma chérie, ils le sont tous, dans certaines circonstances, lança Cole avec un clin d'œil entendu. Tu peux parier là-dessus.

— Tu es tellement cynique, soupira Cameron avant de monter dans sa voiture.

— J'ai tellement raison ! riposta Cole en enfourchant sa moto.

Ils retrouvèrent Katie dans un café sur Sunset. C'était une petite femme avec un halo de cheveux roux frisés et une profusion de taches de rousseur. Cameron fut heureuse de voir que Cole et elle s'entendaient bien. Katie était quelqu'un de spécial, et Cole était un gars merveilleux.

Ils discutèrent un moment, puis se dirigèrent vers le club voisin, où jouait le petit ami de Katie.

— C'est une soirée spéciale, confia Katie d'un ton excité pendant qu'ils prenaient place sur une banquette. Il y aura des représentants de deux grosses compagnies de disques. Jinx est tout énervé. Cela pourrait peut-être mener à un contrat.

— Super, dit Cole en commandant une bière.

— J'espère que ça va fonctionner, renchérit Cameron.

Elle se décida pour une boisson énergisante.

Katie poussa un soupir rêveur.

— Moi aussi. Parce que tout va très bien entre nous, et si Jinx signe un contrat, qui sait...

Elle s'interrompit.

— Quoi donc ? demanda Cameron, curieuse.

— On pourrait même se marier ! répondit Katie avec un petit rire.

— C'est ce que tu souhaites ? dit Cameron, étonnée que quiconque soit prêt à s'engager dans une relation à long terme.

— On en a parlé.

Jinx arriva sur la scène comme un jeune Mick Jagger, avec des gestes sinueux des hanches, son corps mince en perpétuel mouvement. Son groupe, Satisfy, était énergique et bruyant.

Cameron était impressionnée, même si ce n'était pas son style de musique. Trop rock pour elle. Les adolescentes dans la salle étaient en pâmoison. Il était évident que Jinx possédait une qualité de vedette rock excentrique.

Cole trouva Jinx séduisant. Et corruptible.

— Tu te trompes, chuchota Cameron.

— Je parie qu'il ne refuserait pas une pipe par une soirée glaciale, rétorqua Cole avec un sourire entendu.

— De la part d'une fille, insista son amie.

— Tu es tellement innocente, la taquina Cole.

Katie se pencha vers eux et dit d'un ton enthousiaste :

— Il est fantastique, non ?

— Tout à fait, confirma Cameron.

Plus tard, après un verre avec le groupe en coulisse, Cole s'éclipsa. Katie et Cameron eurent l'occasion de bavarder en tête à tête.

— Tu es magnifique ! dit Katie. Comment vas-tu ?

— Les choses avancent pour mon projet. Je travaille fort. Tout va bien.

— Et Hawaï...

— Ce n'est qu'un vieux souvenir, l'interrompit Cameron. Je ne pense jamais à Gregg. C'est du passé.

— Plus de mauvais souvenirs ? s'enquit Katie avec compassion.

— Je te le dis, tout est oublié.

— Qui aurait cru que Gregg se révélerait un tel salaud ? Je déteste que...

— Peut-on changer de sujet ? la coupa Cameron. Je veux en savoir plus sur Jinx et toi, sur vos projets de mariage.

Katie ne se fit pas prier pour tout lui raconter.

En quittant le club, Cameron resta debout sur le trottoir et sortit son téléphone pour appeler Marlon. Elle lui demanda si elle pouvait passer.

— La voie est libre, répondit-il. Tu peux venir.

Il faisait référence au fait que sa petite amie actuelle n'était pas dans les parages.

Cameron se rendit donc chez lui, et comme d'habitude, il fut ravi de la voir. Marlon était toujours heureux de la voir. Elle savait qu'il étudiait à l'université et souhaitait devenir scénariste. Elle ne connaissait rien d'autre sur sa vie, à part le fait qu'il venait du Tennessee, était grand et mince, avait des cheveux blonds décolorés par le soleil, des yeux noisette, un corps de rêve... et qu'il était toujours disponible.

Aussitôt qu'elle entra dans sa cabane sur la plage, elle commença à déboutonner son pantalon. Peu de paroles furent échangées. Ils savaient tous deux ce qui allait se passer.

Marlon portait un jean sans rien dessous.

— Salut, dit-il en se hâtant de l'enlever.

— Salut, répondit-elle en arrachant son t-shirt.

Il la prit dans ses bras et se mit à l'embrasser longuement et passionnément, sa langue entrant et sortant tour à tour de la bouche de la jeune femme. Il était indéniable que Marlon embrassait bien, avec beaucoup d'enthousiasme. Malheureusement, sa technique en matière de préliminaires laissait à désirer. Mais Cameron n'était pas là pour le lui enseigner. Elle était là pour le sexe, pour sentir son membre en elle, pour qu'il la remplisse de sa puissante virilité.

Le sexe était réconfortant. Le sexe était réel. Elle n'avait pas besoin des complications d'une relation de couple. Ce qu'elle vivait avec Marlon lui convenait tout à fait.

Ils baisèrent longtemps, jusqu'à ce qu'ils jouissent tous les deux. Quelques minutes après leur orgasme, elle était de retour dans sa voiture et se dirigeait vers sa maison.

Ce n'était pas parfait, mais c'était beaucoup mieux que d'être coincée avec un des amis en rut de Carlos.

6

La plupart des gens éviteraient de mélanger le Vicodin et le Xanax, mais Lucy Standard, autrefois Lucy Lyons, vedette de cinéma, adorait cette combinaison. Malheureusement, il lui arrivait de s'assoupir à table, ce qui poussait son mari à faire des blagues sur sa femme la droguée.

Leurs amis n'en étaient pas amusés, mais Phil jurait à tout le monde que Lucy savait ce qu'elle faisait.

— C'est à cause de son dos, expliquait-il. Elle éprouve une douleur insoutenable à la suite d'une cascade qu'elle a exécutée elle-même dans le film d'action avec notre gouverneur, le soi-disant acteur. Il aurait dû l'en empêcher, mais il était trop occupé à se préoccuper de ses gros plans !

Lucy et Phil vivaient dans un énorme ranch à Brentwood, avec leurs deux enfants et toute une ménagerie, dont trois chiens, un cochon noir et un perroquet qui criait : « Va te faire foutre ! » à quiconque s'approchait à cinquante centimètres de son perchoir.

Phil, un grand costaud ayant plusieurs Oscars sur la tablette de sa cheminée, était un homme affable, bien en chair et barbu, aux cheveux roux et au grand rire franc. C'était aussi un coureur de jupons notoire.

— Les chattes, c'est mon passe-temps, avait-il l'habitude de se vanter auprès de ses comparses masculins. Les chattes et les seins! C'est ça qui fait tourner le monde!

Lucy, qui devait sûrement être au courant que son mari couchait avec tout ce qui bougeait, choisissait de l'ignorer. Tout le monde savait que Phil avait un sérieux problème de braguette.

Lucy avait quarante ans, un âge difficile pour une actrice à Hollywood. Bien qu'elle ait déjà connu un énorme succès, elle n'avait pas travaillé depuis plusieurs années. Comme Phil était un scénariste très en demande, elle faisait semblant que cela ne la dérangeait pas, mais c'était faux, bien sûr. N'ayant pas l'intention d'incarner la mère de quiconque à l'écran, elle prenait son mal en patience, attendant le bon moment pour faire un retour fracassant. Outre son talent d'actrice, Lucy était toujours très belle, avec des cheveux noirs à la taille et une silhouette ravageuse.

Phil gagnait beaucoup d'argent et était très généreux. Lucy était donc occupée par ses achats, ses repas coûteux au restaurant et ses soins de beauté dernier cri. Entretenir sa beauté demandait des efforts, et même si elle ne travaillait pas, elle était tout de même pourchassée par les paparazzis partout où elle allait. Ils étaient tous en quête d'un cliché où elle aurait l'air lamentable, un plaisir qu'elle refusait de leur accorder.

Lucy avait un plan. Elle projetait un grand retour dans un film à succès. Tous ceux qui avaient décrété la fin de sa carrière pourraient aller se faire foutre! Ryan Richards faisait partie de son plan, même s'il ne le savait pas encore. Il allait produire le film qui referait d'elle une star du cinéma. Et son mari, Phil, lui écrirait le rôle de sa vie – mais il ne le savait pas non plus.

Lorsqu'elle n'était pas complètement défoncée, Lucy savait exactement comment elle manipulerait les deux hommes pour obtenir ce qu'elle voulait. Et Mandy l'aiderait, car elle était son amie.

Évidemment, Mandy n'était pas au courant, elle non plus. Lucy avait l'intention de lui parler de son projet très bientôt.

* * *

— Qui a décidé d'aller chez Geoffrey? demanda Ryan à Mandy.

Ils étaient dans sa Lexus, coincés dans un énorme bouchon de circulation sur la Pacific Coast Highway[5].

— Lucy, répondit Mandy en abaissant le pare-soleil pour observer son reflet dans le miroir. C'est nous qui invitons.

— Dans ce cas, pourquoi est-ce elle qui a choisi? insista-t-il.

— Tu connais Lucy..., répondit vaguement Mandy.

— En passant, ajouta Ryan d'un ton désinvolte, j'ai invité Don et une amie à se joindre à nous.

— Quoi?

Elle se raidit comme un piquet dans son siège, un signe évident qu'elle était furieuse.

— Puisque c'est nous qui invitons, ce n'est pas un problème, n'est-ce pas? demanda-t-il calmement.

— Tu aurais dû m'en parler, répliqua-t-elle sèchement.

— J'ai oublié. N'en fais pas tout un plat!

— Tu sais que je n'aime pas les surprises.

— Je l'ai invité parce qu'il n'avait rien d'autre à faire. Je pensais que ça te ferait plaisir. Tu aimes bien Don, non?

— Parfois, répondit-elle, sur ses gardes.

Oui, elle aimait Don. Et elle l'aurait aimé encore plus s'il lui avait prêté attention. Il était toujours si dédaigneux à son égard, ce qui la mettait en colère. Elle était la fille de Hamilton J. Heckerling, pour l'amour du ciel! La plupart des gens se mettaient au garde-à-vous. Ça n'avait jamais été le cas de Don.

— Avec qui vient-il?

— Je suis certain que ce sera quelqu'un de bien.

---

5   Ou PCH.

— Quelqu'un de bien! pouffa Mandy. Don ne reconnaîtrait pas ça même s'il l'avait en pleine figure! Il aime les prostituées, tout le monde le sait.

— Ce n'est pas vrai.

— C'est toi qui me l'as dit! répliqua-t-elle d'un ton accusateur.

Merde! Il l'avait mentionné une seule fois. Il n'aurait pas dû.

— As-tu changé la réservation, au moins? demanda-t-elle.

— C'est fait.

— Tu aurais vraiment dû me le dire plus tôt.

— Je ne savais pas que je devais te demander la permission.

Mandy pinça les lèvres et tourna la tête vers la fenêtre. Il s'était douté qu'elle réagirait ainsi. Elle était contrôlante comme son père et voulait que tout soit soumis à son approbation. Les seules occasions où il échappait à son contrôle absolu avaient lieu durant la production d'un film. Les premiers mois de son mariage, elle avait tenté de s'immiscer dans cet aspect de sa vie. Pas pour longtemps, car il s'y était aussitôt opposé. Faire des films, c'était son domaine. Elle avait appris, bien qu'à contrecœur, à ne pas s'en mêler.

Immobilisé dans la circulation, il repensa aux débuts de leur vie de couple, avant leur mariage. Leur vie sexuelle était agréable, très agréable. Un soir, alors qu'ils rentraient d'un souper en voiture et atteignaient Beverly Hills, elle s'était penchée, avait ouvert sa fermeture éclair et lui avait fait une pipe fantastique pendant qu'il conduisait. C'était l'une de ses expériences les plus mémorables.

Ils riaient souvent ensemble, à l'époque.

À présent, sept ans plus tard, il n'y avait plus d'éclats de rire, et sa vie avançait à une vitesse terrifiante. La quarantaine approchait, et s'il était honnête avec lui-même, il devait admettre qu'il était coincé dans un mariage avec une femme qu'il n'appréciait plus. Il était temps de faire quelque chose. N'importe quoi.

— J'ai réfléchi, dit-il en pianotant sur le volant, pendant que la voiture avançait au ralenti sur la route.

— Tant mieux pour toi, riposta-t-elle, clairement d'une humeur massacrante.

— Sérieusement, Mandy, persévéra-t-il. Je me suis dit que ça nous aiderait peut-être de suivre une thérapie de couple.

— Quoi ? s'exclama-t-elle, horrifiée. Une thérapie de couple ? Je ne veux pas qu'on me voie en train de faire un truc pareil ! De quoi j'aurais l'air ?

— Une thérapie de couple, c'est deux personnes qui consultent un professionnel en privé, expliqua-t-il. Et qui, dois-je le préciser, paient très cher pour ses services.

— Pourquoi songes-tu même à une thérapie ? demanda Mandy d'un ton accusateur.

— Tu as sûrement constaté qu'on s'éloigne de plus en plus chaque jour.

Voilà. Il l'avait dit. Il avait ouvert la porte, et il en était heureux.

— Mais non, dit-elle obstinément. Pourquoi dis-tu ça ?

— Parce que c'est vrai.

Il aurait voulu que la voiture avance plus vite. Il hésita un instant, puis se dit qu'il était aussi bien de se lancer. Pourquoi ne pas profiter de l'occasion ?

— Depuis quand n'a-t-on pas fait l'amour ? demanda-t-il.

— Ah ! Voilà le fond de l'histoire. Le sexe ! J'aurais dû m'en douter.

— Tu ne peux pas nier la vérité, Mandy. On n'a pas fait l'amour depuis des mois.

— Tu ne penses qu'à *ça*, hein ?

— Merde ! Ouvre-toi les yeux ! Quand un couple marié arrête de...

— Tu sais, je devrais écouter mon père plus souvent, l'interrompit Mandy, déterminée à ne pas entendre ce qu'il avait à dire. Il m'a appris que la plupart des hommes n'ont que ça en tête.

— Ton père t'a appris bien des choses, marmonna Ryan, mais rien de valable.

— Es-tu en train de critiquer papa ? s'écria-t-elle, offusquée.

— Est-ce que j'oserais faire ça ?

— Oui ! répondit-elle fébrilement. Tu détestes papa. Tu l'as toujours détesté !

— Je ne le déteste pas.

— Alors, pourquoi ne travailles-tu pas pour lui ?

Cette conversation revenait sans cesse dans leur mariage. Impossible de parler de ce qui le préoccupait vraiment.

— Combien de fois dois-je le répéter ? dit-il en s'efforçant de rester calme. Je produis des films indépendants, pas des mégaproductions médiocres visant juste à amasser de l'argent !

— Je n'en reviens pas que tu dises ça ! s'exclama-t-elle, le visage rouge. Comment oses-tu ?

— Pour l'amour, arrête ça, Mandy ! dit-il, à bout de patience.

— Ne me dis pas quoi faire !

À leur arrivée au restaurant, ils ne s'adressaient plus la parole.

* * *

— Pourquoi diable doit-on rouler jusque chez Geoffrey ? demanda Phil.

Lucy et lui prenaient place dans sa Range Rover, au milieu d'un énorme bouchon de circulation sur la PCH.

— C'était l'idée de Mandy.

— Évidemment, grommela Phil. Mandy fait une suggestion, et les gens obéissent comme des petits moutons. Cette femme est incroyable.

— Ce sont eux qui invitent, expliqua Lucy. Ils peuvent bien choisir le resto.

— Le problème de Mandy, c'est qu'elle se prend pour son père. Ne comprend-elle pas que c'est Hamilton qui a les couilles et le pouvoir ? Mandy ferait mieux de se réveiller et de s'apercevoir qu'elle est seulement sa fille.

— Allons, Phil, le réprimanda Lucy. Juste parce que tu n'as jamais pu la sauter...

— De quoi parles-tu ? s'écria-t-il, indigné. Je ne voudrais jamais coucher avec Mandy ! Pour commencer, elle est trop petite. J'aime les grandes femmes.

— Tu aimes les femmes de toutes les tailles et de toutes les formes, répliqua sèchement Lucy. Elles pourraient être des naines que ça ne te dérangerait pas.

— Où vas-tu chercher de telles inepties ? dit Phil, refusant de reconnaître la vérité.

— Voyons, Phil, tu sais bien que ta réputation te précède.

— Merde ! rugit-il en klaxonnant furieusement. Que diable attendent ces idiots pour avancer ?

— Que cet embouteillage se résorbe, dit patiemment Lucy.

Elle abaissa le pare-soleil pour inspecter son teint parfait dans le miroir illuminé. Le Botox était la meilleure invention de tous les temps. Sa peau de porcelaine n'avait pas une seule ride. Et elle était plus jeune que la plupart des actrices qui effectuaient un retour à l'écran. Demi Moore avait plus de quarante ans quand elle était revenue pour son rôle dans *Charlie's Angels*. Michelle Pfeiffer avait plus de cinquante ans et avait joué dans de récents films à succès. Et Sharon Stone avait presque cinquante ans quand elle avait tourné *Basic Instinct 2*. Sans oublier Madonna et une foule d'actrices plus âgées qui poursuivaient leur carrière.

Lucy décida qu'elle était une jeunesse en comparaison de ces femmes.

Oui, se dit-elle, *ce soir, je vais mettre les choses en branle. Ce soir, je vais ressusciter ma carrière.*

Ce repas avec Ryan et Mandy était l'occasion idéale.

* * *

Don conduisait comme un fou, une main sur le volant de sa Ferrari noire (choisie parmi ses six voitures pour la soirée), l'autre cherchant une cigarette, une pastille ou son iPhone. Don était toujours en mouvement.

Son invitée, une vedette de la télé du style « fille naturelle et sympa », s'agrippa à son siège, paniquée. C'était leur premier rendez-vous et elle ne voulait rien gâcher en le priant de ralentir.

Ignorant l'embouteillage sur la PCH, Don s'engagea à toute vitesse sur la voie du centre, ce qui était totalement interdit.

— Qui d'autre sera là ? demanda la jeune femme.

Elle cherchait désespérément à oublier cette façon de conduire téméraire. Elle s'appelait Mary Ellen Evans et avait récemment subi un divorce public humiliant lorsque son mari, un célèbre acteur de cinéma, s'était enfui avec son affriolante covedette. Le public prenait sans aucun doute le parti de Mary Ellen et serait sûrement ravi de la voir sortir avec Don Verona. Ce dernier, depuis son dernier divorce, était considéré comme un aussi beau parti que George Clooney, et tout aussi séduisant.

— Des amis, répondit-il d'un air désinvolte. Ils vous plairont.

Il avait rencontré Mary Ellen lors de son passage à son émission la semaine précédente. Animer une émission de fin de soirée était une occasion en or de rencontrer des femmes. De nombreuses actrices superbes passaient dans son studio et il avait l'embarras du choix. Même si certaines n'étaient pas libres, la plupart étaient enchantées qu'il les invite à sortir.

— Est-ce que je les connais ? demanda-t-elle, reprenant confiance.

Elle en avait assez que les revues la décrivent comme une femme seule et misérable. Il était temps qu'elle sorte et rencontre des gens.

— Peut-être. Mais je voulais vous faire la surprise.

— D'accord.

Mary Ellen se demanda s'ils allaient croiser Tom et Katie, ou encore les célèbres Beckham. Don Verona connaissait tout le monde.

Don lui jeta un regard interrogateur, détournant ses yeux de la route. Cela la terrifia encore plus.

— Vous aimez les surprises, j'espère ?

— Bien sûr, répondit-elle, rejetant en arrière ses cheveux blonds lisses coupés au carré.

Elle se demanda s'ils coucheraient ensemble à la fin de la soirée. Elle était prête. Une baise de revanche était en plein ce qu'il lui fallait après la façon dont son mari l'avait humiliée publiquement. Don Verona était le choix idéal.

— En fait, dit Don, il s'agit de Phil et Lucy Standard, ainsi que de Mandy et Ryan Richards.

— Oh, j'ai joué dans un des films de Ryan.

— Ah bon ? Avez-vous aimé cette expérience ?

— Je trouve qu'il est génial, dit-elle, se remémorant le gros béguin qu'elle avait éprouvé à son égard. C'était mon premier film, un tout petit rôle. Ryan a été si prévenant et serviable. Tout le monde l'adorait sur le plateau. Je ne l'ai pas revu depuis. C'est excitant !

— Ça devrait être une soirée amusante.

— J'admire aussi le travail de Phil Standard, ajouta-t-elle, heureuse de la tournure que prenaient les choses. C'est l'un des plus talentueux scénaristes en ville.

— Phil est tout un personnage, répliqua Don. Il va probablement essayer de vous caresser sous la table. Je vous aurai avertie !

— Vraiment ? s'exclama Mary Ellen, les yeux écarquillés.

— Gardez simplement les genoux serrés et tout ira bien.

Elle haussa un sourcil et répondit :

— Merci du conseil.

— Pas de problème, répliqua-t-il en prenant une cigarette.

Zut, il fume, pensa Mary Ellen. *Qui fume encore à L. A. ? C'est tellement mauvais pour la santé ! Et si je couche avec lui,*

mes cheveux sentiront la fumée, tout comme mes vêtements. Merde !
Merde ! Merde !

— La fumée ne vous dérange pas, j'espère ? demanda-t-il.

— Pas du tout.

Don Verona était un célibataire très recherché. Elle n'avait pas l'intention de gâcher la soirée.

7

Hamilton J. Heckerling était grand et exubérant. Fort en gueule et autoritaire. Marié cinq fois. Un mécène des arts et, de l'avis de tous, un véritable salaud.

Quand Hamilton entrait dans une pièce, tout le monde le savait, surtout Ryan, qui s'efforçait de l'éviter dans la mesure du possible. Ce n'est pas qu'il était intimidé par son beau-père, mais il ne l'aimait pas beaucoup. Une foule de gens avaient la même opinion, ce qui ne dérangeait pas Hamilton. Cet homme suivait sa propre trajectoire avec confiance, et quant à ceux qui ne l'aimaient pas, sa philosophie était de les envoyer promener. Il s'en fichait totalement.

Hamilton inspecta les six tables rondes dressées dans sa demeure de New York. C'était un appartement de luxe avec terrasse, situé au dernier étage du plus prestigieux immeuble de Donald Trump. Hamilton était pointilleux lorsqu'il était question de recevoir. Tout devait être impeccable. Il avait appris l'art d'organiser des réceptions parfaites auprès de sa deuxième épouse, Marlee, la mère de Mandy. Cette femme mondaine vivait à présent en banlieue de Cape Town avec un garde-chasse noir qu'elle avait rencontré au cours d'un safari en Afrique du Sud. Mandy avait deux ans à l'époque, et Hamilton avait dit à sa fille que sa mère était morte. Il avait versé une fortune à Marlee pour qu'elle ne remette jamais les pieds en Amérique. C'était plus simple ainsi.

Marlee était son petit secret. Et c'est ce qu'elle resterait.

— Florence ! cria Hamilton.

Sa gouvernante arriva en courant. Il l'informa sévèrement qu'il y avait une tache sur le bord d'un des verres à vin.

Florence ne vit rien, mais nettoya tout de même le verre en question. Tout ce que Hamilton J. Heckerling voulait, il l'obtenait.

Le patron attendit qu'elle replace le verre sur la table avant de se déclarer satisfait.

Cette soirée était une occasion spéciale. Il allait annoncer ses fiançailles avec la sixième future madame Heckerling.

Il arpenta la pièce une dernière fois, puis se retira dans sa chambre pour se préparer en vue de la soirée. Hamilton était d'une coquetterie méticuleuse, et son valet l'attendait avec tout l'attirail nécessaire à un homme bien mis.

Hamilton était conscient que lors de l'ébruitement de ses fiançailles le lendemain, Mandy serait blessée de ne pas avoir été invitée. Elle tenterait de le réprimander au téléphone, des appels qu'il refuserait de prendre. Elle essaierait de le bombarder de courriels, qu'il ne lirait pas.

Ah, Mandy... Parfois, elle se comportait davantage comme une épouse geignarde que comme sa fille unique. Elle était gâtée et capricieuse, mais il l'aimait quand même, à sa façon. Si seulement elle cessait de se mêler de sa vie personnelle, les choses seraient tellement plus faciles entre eux ! Qui il fréquentait, baisait ou épousait ne concernait que lui, et personne d'autre. Quand Mandy finirait par le comprendre, leur relation en serait grandement améliorée.

Il se demanda comment sa fille réagirait face à Pola, sa future femme. À vingt ans et des poussières, Pola était beaucoup plus jeune que sa fille. Quand Mandy le découvrirait, cette information ne passerait pas très bien, il le savait.

Mais qui était-elle pour critiquer ? Elle avait eu le choix entre tous les hommes de Hollywood, et qui avait-elle épousé ? Un minable producteur de films indépendants qui préférait rester en marge de l'industrie, refusait de travailler pour lui et insistait pour créer des films profonds au lieu de gagner des tonnes d'argent.

Ryan Richards. Il n'était même pas parvenu à faire un enfant viable à Mandy. Des spermatozoïdes faibles, voilà quel était son problème. Pas de petits-enfants pour Hamilton J. Heckerling.

Hamilton souhaitait ardemment que Mandy prenne la bonne décision et divorce de ce raté.

Heureusement qu'il avait pris soin de faire rédiger un contrat de mariage par l'avocat le plus controversé en ville. Ces ententes prénuptiales étaient un don du ciel pour les gens riches. Seuls les idiots se mariaient sans en signer.

Selon l'expérience de Hamilton, les femmes acceptaient toujours de signer, même si elles protestaient au début. Il suffisait de leur promettre suffisamment d'avantages financiers, de leur permettre de garder tous les cadeaux qu'il leur offrirait, et ces petites cupides signaient de bon cœur. Les hommes aussi, sauf que lors de la signature, Ryan n'avait rien demandé. Il n'avait même pas fait vérifier le contrat par son propre avocat, ce qui prouvait à quel point il était stupide.

Hamilton songea un instant à ses cinq ex-femmes. Cinq femmes magnifiques qui avaient fini par l'ennuyer au plus haut point.

Pola serait peut-être différente.

Elle serait peut-être celle qui durerait.

Un homme pouvait toujours rêver, non ?

* * *

Mandy en était à son deuxième martini lorsqu'elle reçut un message texte de Lolly. Elle se leva aussitôt de table.

— Je dois aller au petit coin, dit-elle en espérant que les deux autres femmes ne l'accompagneraient pas.

Elle n'était pas d'humeur à écouter Lucy, qui semblait dans un état particulièrement agressif. Quant à Mary Ellen, c'était une actrice. Mandy ne pouvait supporter les actrices; elles étaient tellement ennuyeuses! Les pauvres chéries ne pensaient qu'à elles-mêmes, à leurs cours d'art dramatique, leurs leçons de Pilates, leurs régimes, leur yoga, leur entraînement, leurs voyantes, leurs petits corps parfaits, leurs robes haute couture et leurs bijoux prêtés pour les soirées de gala. Des bijoux prêtés! Quel manque de classe! De plus, Mary Ellen était une pauvre fille pathétique abandonnée par son mari. Depuis quand Don s'intéressait-il aux restants d'un autre homme?

Heureusement, ni Lucy ni Mary Ellen ne semblaient vouloir la suivre. Mandy s'éloigna donc seule.

Elle s'enferma aussitôt dans une cabine et lut le texto.

« Souper en cours. Ton père a annoncé ses fiançailles! Pauvre toi! Apparemment, c'est une enfant. »

Mandy dut relire le message à deux reprises avant d'absorber l'impact réel de cette information. *Merde!* pensa-t-elle. *Ce vieil idiot se fiance avec une femme qu'il ne fréquente que depuis un mois ou deux. C'est complètement ridicule. Il est incontrôlable.*

Une fois de plus, elle tenta de le joindre sur son cellulaire. Et une fois de plus, elle tomba sur sa boîte vocale.

L'évitait-il?

Probablement. Ça lui ressemblerait bien d'avoir peur d'entendre la vérité. Et elle était la seule personne qui pouvait se permettre de la lui dire. Tous ceux qui l'entouraient avaient bien trop peur de lui.

Il fallait absolument qu'elle lui parle. Mon Dieu, elle aurait de la chance s'il restait de l'argent pour elle quand il aurait fini d'épouser toutes ces femmes. Celle-ci serait la sixième !

Bien sûr, elle avait son fonds en fiducie, auquel elle avait eu accès en grande partie à l'âge de trente-cinq ans. Elle avait donc déjà hérité d'une bonne somme, qu'elle avait allégrement dépensée pour elle-même. Et pourquoi pas ? Elle y avait bien droit !

Pendant un instant, elle repensa à Ryan et à leur conversation dans la voiture. De quoi se plaignait-il donc ? La pensée lui vint de dépenser un peu d'argent pour lui, de lui offrir quelque chose de coûteux. Son anniversaire approchait. Ce serait peut-être une bonne idée de planifier une fête pour cette occasion.

Oui, c'est ce qu'elle ferait. Elle lui organiserait une réception surprise. Ensuite, il oublierait ces idioties à propos de thérapie de couple, car il n'était pas question qu'elle se lance dans cette démarche. En ce qui la concernait, leur mariage allait très bien. Si Ryan pensait autrement, c'était son problème.

Il lui avait paru nerveux dans la voiture, surtout lorsqu'il avait abordé le sujet de leur vie sexuelle, ou plutôt de son absence. Elle avait décidé que s'il avait vraiment de la chance, elle lui ferait une pipe sur le chemin du retour. Le sexe oral réussissait toujours à le faire taire. Puis elle songea à ce qui se passerait s'ils se faisaient arrêter par la police. Elle imagina les gros titres dans *Variety* :

« La fille de Hamilton J. Heckerling en flagrant délit de fellation dans la voiture d'un producteur indépendant. »

Ah ! Pas une si bonne idée que ça.

Elle relut le texto de Lolly avant de revenir à la table. Don finissait de raconter une longue histoire compliquée au sujet de Drew Barrymore, qui lui avait montré ses seins lors de sa visite à son émission, une semaine après s'être exhibée devant David Letterman.

— Je ne suis pas du genre à me contenter de restes, conclut-il.

Ha! pensa Mandy. *Que fais-tu avec Mary Ellen Evans, alors ?*

Tout le monde éclata de rire. Mary Ellen gloussa poliment même si elle ne trouvait pas cette histoire très drôle. Avait-il parlé d'elle ainsi après son passage à son émission ? Elle essayait toujours de faire de son mieux en entrevue, se montrait enjôleuse et amusante, portait des tenues aguichantes... Du moins, aguichantes pour une fille « naturelle ». Elle détestait cette étiquette presque autant qu'elle détestait faire des entrevues à la télé. Il est vrai que cela lui avait donné accès à Don, qui était un homme convoité. Célibataire, beau et hétéro. Avec une carrière éblouissante. Quelle meilleure façon de se venger de son ex ?

— J'ai une annonce à faire, déclara Lucy pour attirer l'attention de tous les convives.

— Quelque chose que je ne sais pas ? demanda Phil, qui sirotait son troisième scotch.

— Tu ne sais pas tout à mon sujet, mon chéri, répliqua Lucy avec un clin d'œil. Même si tu le crois.

— Oh là là ! grogna Phil. Les femmes !

— Quelqu'un a envie de m'écouter ? dit Lucy d'une voix légèrement traînante.

— Moi ! dit Mary Ellen.

Elle était impressionnée par la magnifique Lucy, qu'elle avait admirée dans de nombreux films en grandissant. Mais elle n'oserait jamais le lui dire, car les actrices n'aiment pas se faire rappeler leur âge.

— Dans ce cas, je me lance ! reprit Lucy. Devinez quoi, tout le monde !

Elle fit une pause dramatique.

— Je croyais que tu voulais faire une annonce, grommela Phil. Crache le morceau, ce n'est pas un jeu de devinettes !

— J'ai décidé de faire un retour ! dit pompeusement Lucy en ignorant son commentaire.

— Un retour à quoi ? pouffa Phil.

— Un retour au grand écran, répondit Lucy en le foudroyant du regard.

— Oh, fit Mandy, étonnée que Lucy ne lui en ait pas parlé. C'est intéressant, n'est-ce pas, Ryan ?

Ce dernier marmonna quelque chose d'inintelligible. Il avait à peine pris la parole de toute la soirée. Il savait que cela irritait Mandy, mais peu lui importait.

— As-tu un projet en tête ? demanda Mandy.

— Oui ! répondit Lucy avec enthousiasme. J'ai une idée originale pour un film, et j'ai même un synopsis.

Elle s'interrompit et se tourna vers Ryan.

— Je suis certaine que ça va t'intéresser. Toi aussi, Phil. Tu vas adorer ça.

Son mari fit la grimace comme s'il n'arrivait pas à croire que sa femme raconte de telles sottises.

— Donc, poursuivit-elle, je suggère qu'on se réunisse tous les trois dès que les horaires de chacun le permettront.

— Tu n'es pas sérieuse ? s'écria Phil en haussant ses sourcils broussailleux.

Lucy plissa les yeux et rétorqua d'un air hautain :

— Je vais signer avec un nouvel agent. Il va me représenter. Je te donne la priorité pour ce projet excitant.

— Tu sais, dit Phil avec un coup d'œil au reste de la tablée, j'ai parfois l'impression d'avoir épousé une fille issue d'un trou perdu, qui ne comprend rien à la dynamique de cette ville, au lieu d'une ancienne vedette de cinéma.

— Une ancienne vedette de cinéma, ça n'existe pas ! décréta Lucy. On est une vedette ou on ne l'est pas. Que je travaille ou non, je suis toujours au centre de l'attention. Et mes admirateurs m'adorent.

— Sapristi ! Je n'en reviens pas ! marmonna Phil. Pourquoi m'embarrasse-t-elle ainsi ?

— Je pense que ce serait formidable de vous revoir au grand écran, intervint Mary Ellen avant qu'une dispute n'éclate.

— Merci, ma chère, répondit Lucy.

En son for intérieur, elle aurait souhaité que la petite vedette de la télé ne s'en mêle pas. Mary Ellen était trop jeune et jolie, et elle savait sûrement que Don préférait les putes.

— Mon père vient de se fiancer encore une fois, annonça Mandy.

Cela eut pour effet de détourner la conversation, au grand dam de Lucy, mécontente de ne plus avoir tous les regards braqués sur elle.

— Avec qui, cette fois? demanda Don.

Mandy haussa les épaules comme si elle s'en fichait, même si au fond, elle bouillait de colère.

— Une femme qu'il fréquente depuis environ cinq minutes.

— Sans blague? s'exclama Don, intéressé. Ça lui fait combien de femmes?

— Trop, dit Mandy avec une expression lugubre.

— Ce n'est jamais trop pour moi, gloussa Phil.

Lucy lui jeta un autre regard glacial. Comment osait-il passer à un autre sujet sans tenir compte de sa nouvelle? C'était important pour elle, mais il ne la prenait pas au sérieux. C'était inacceptable.

Le reste du repas se déroula rapidement, car tous les gens présents avaient des raisons de ne pas vouloir s'attarder.

Après le café et le dessert, les trois femmes s'éclipsèrent aux toilettes, et Ryan se sentit enfin capable de se détendre.

— Avez-vous entendu ma femme? s'écria Phil. Elle a perdu la tête!

— Pourquoi ne t'en a-t-elle pas parlé avant? demanda Don.

— Je pensais qu'elle avait oublié ces ridicules projets de cinéma, grogna Phil.

— On dirait bien que non, commenta Ryan. Mais si c'est quelque chose qui lui tient à cœur...

— Ce n'est pas logique! se plaignit Phil. Je lui donne tout ce qu'elle veut, et maintenant, elle sort cette idée saugrenue de nulle part! Elle se trompe si elle pense que je vais y participer.

Ryan haussa les épaules.

— Elles sont toutes pénibles. En venant ici, j'ai essayé de convaincre Mandy de suivre une thérapie de couple.

— Une thérapie de couple? s'esclaffa Phil en tirant sur sa barbe. Elle, toi et Hamilton, car elle ne fera rien sans son papa!

— Elle ne le fera pas, un point, c'est tout, répliqua Ryan d'un air sombre.

— J'ai rencontré quelqu'un, intervint Don, qui pensait toujours à Cameron.

— On a vu ça, dit Phil. Cette fille est jolie, à sa façon peu sexy. Mais elle a de beaux seins. L'as-tu déjà baisée?

— Je ne parle pas de Mary Ellen, mais de quelqu'un d'autre, rétorqua Don avec irritation.

— Et qui est la chanceuse? demanda Phil en vidant son verre. Pas une de tes filles de joie, j'espère?

— Pourquoi ai-je cette réputation? s'exclama Don, exaspéré. Ça m'est arrivé trois fois d'appeler une escorte. Trois petites fois. Ce n'est pas la fin du monde, merde!

— Je ne te critique pas, protesta Phil. Si j'étais célibataire, je ferais la même chose.

— Mais non, tu es trop avare! lança Ryan à la blague.

— Revenons à mon histoire, dit Don. La femme que j'ai rencontrée est une entraîneuse personnelle et elle est superbe.

— Superbe *et* sexy? demanda Phil. Car dernièrement, ton goût en matière de femmes semble avoir pris une autre direction...

— Celle-là a de la classe. Je l'ai invitée à souper avec nous ce soir, mais elle a refusé.

— Voilà ce que j'appelle avoir de la classe, lança Ryan, pince-sans-rire.

— Quel est votre problème, les gars? se plaignit Don en secouant la tête. Vous ne prenez jamais rien au sérieux!

— Je vais te dire ce que je prends au sérieux, gémit Ryan. Mon anniversaire arrive à grands pas ! Je vais avoir quarante ans. Je sens que la crise de la quarantaine va me frapper en plein dans les couilles !

— Il ne baise pas, expliqua Don. Mandy a fermé boutique.

— Il ne baise pas ? rugit Phil. C'est tragique !

— Crie donc un peu plus fort, dit Ryan. La table du fond n'a pas entendu.

— Ryan Richards ne baise pas ! cria Phil.

— Doux Jésus ! soupira Ryan en demandant l'addition. Il est temps qu'on sorte d'ici.

ANYA

Sergei vola une montre en or, de l'argent et diverses drogues dans le coffre-fort d'Avide Boris. Avant que le vieil homme ne s'en aperçoive, Anya et lui avaient quitté la ville. La fille de quatorze ans et le petit délinquant de vingt ans étaient alors devenus amants. Anya avait fini par se rendre compte que tout ce qui lui restait, c'était son pouvoir sexuel. Elle s'en servait avec Sergei afin qu'il la protège et prenne soin d'elle.

Il était différent des hommes qui l'avaient violée et avaient abusé d'elle. En vivant dans sa chambre, elle s'était habituée à partager ses repas et son lit. Quand il avait couché avec elle la première fois, elle avait serré les dents et s'était dit que c'était quand même mieux que d'être seule dans les rues pleines de violence et de danger. Sergei n'était pas si mal. Musclé et maigre comme un piquet, avec des traits pointus, deux dents manquantes et un tic facial, il avait au moins le mérite d'être jeune comme elle. Après un certain temps, ils s'étaient raconté leurs histoires d'horreur respectives, ce qui les avait rapprochés et avait favorisé une plus grande intimité.

Sergei savait qu'il était privilégié, car Anya était une véritable beauté avec sa peau de porcelaine, ses cheveux blonds et ses yeux bleu clair exceptionnels. Elle devenait davantage une femme de jour en jour.

Leur fuite d'Ingouchie fut ardue et risquée. Ils suivirent une route dangereuse dans les montagnes, montèrent à bord d'innombrables camions poussiéreux, passèrent deux jours dans un train déglingué et dormirent plusieurs nuits à la belle étoile, partageant une unique couverture élimée.

Le but de Sergei était d'atteindre la Pologne, mais il eut du mal à trouver un moyen de traverser la frontière. Cependant, il était dégourdi et déterminé, et avait des drogues à vendre. Il s'en servit donc comme monnaie d'échange. Il finit par soudoyer un fermier qui les cacha à l'arrière de son camion avec le bétail. C'est ainsi qu'ils entrèrent en Pologne, où Sergei avait un cousin nommé Igor.

Ce dernier, sans être exactement ravi de les voir, les accueillit tout de même. La famille était la famille, après tout, et Anya était un morceau de choix.

Sergei remarqua rapidement les regards lubriques que son cousin lançait à Anya. Cela l'inquiéta, et il mentit donc en affirmant qu'Anya était sa femme.

— Ta femme ? se moqua Igor. Quel homme est assez fou pour se marier ?

Tout comme Sergei, Igor était un souteneur de bas étage. Et lui aussi, il avait une patronne, quoique plus raffinée qu'Avide Boris. Comme Sergei avait besoin d'un emploi, Igor l'emmena la voir.

Olga Gutuski était une Polonaise corpulente au visage impassible, surnommée l'Impératrice. Elle vivait dans une maison de sept chambres et gérait son écurie de filles d'une main de fer. Personne ne s'opposait à Olga Gutuski. Elle avait des contacts partout où cela comptait. Instinctivement, Sergei comprit que si elle apercevait Anya, elle voudrait aussitôt mettre la main dessus. Alors, après qu'Olga eut accepté de l'embaucher à l'essai, il s'assura de garder Anya loin de sa vue.

Igor pensait qu'il était fou et le poussait à se servir d'Anya.

— Elle te fera gagner beaucoup d'argent, lui dit-il d'un air sournois qui lui rappela Avide Boris. Elle nous rendra riches si on la fait travailler à l'insu d'Olga. Elle sera notre pute.

Sergei refusa catégoriquement. Dans son esprit, Anya était sa femme. Elle lavait et repassait ses vêtements, faisait la cuisine et était toujours prête à le satisfaire sexuellement. Elle ne parlait pas beaucoup, mais c'était compréhensible.

Puis un jour, en l'absence de Sergei, Igor se mit à tripoter Anya. Elle recula, terrifiée. Mais la peur de la jeune fille sembla l'exciter davantage. Devant sa résistance, il la viola brutalement, puis la sortit de force de la maison.

Sergei revint au crépuscule pour s'apercevoir qu'Anya et son cousin avaient disparu, ainsi que toutes les possessions d'Igor.

Soupçonnant ce qui s'était passé, Sergei entra dans une colère terrible et se précipita à la maison d'Olga, dont on lui refusa l'entrée.

— Tu ne travailles plus ici, l'informa le garde du corps à la porte. Va-t'en et ne reviens plus.

Ils avaient volé son Anya. Sergei était fou de colère et de peine. Il n'accepterait pas ce qu'ils avaient fait. Oh, non! Sergei n'allait pas partir sans protester.

Il acheta une arme à feu sur le marché noir. Plus tard ce soir-là, il revint chez Olga. Lorsque le garde voulut l'empêcher d'entrer, il lui tira une balle dans l'épaule et entra de force. Sergei avait un seul objectif: reprendre Anya.

En entendant le coup de feu, Olga saisit le fusil de chasse qu'elle gardait toujours à portée de la main et se dirigea vers le vestibule, où elle fit face à Sergei.

— Où est mon Anya? cria-t-il, le regard affolé. Rendez-la-moi, sinon je vous tue tous!

— Tu arrives trop tard, dit calmement Olga. Elle est partie.

— Ne me mentez pas! hurla Sergei en agitant son arme. Je ne vous crois pas.

Olga leva son arme et la pointa sur lui.

— Pars, ordonna-t-elle. Pars avant que je te tue. Ça ne vaut pas la peine de mourir pour une sale petite pute.

Avec un cri de frustration, Sergei se jeta sur elle. Fidèle à sa parole, la femme lui tira une balle dans le ventre, qui le coupa pratiquement en deux.

Penchée au-dessus de la balustrade avec les autres filles, Anya eut une exclamation horrifiée.

Une fois de plus, elle venait de comprendre qu'elle était seule au monde.

8

Iris Smith, une agente d'immeubles que connaissait Cameron, avait deux propriétés à lui montrer. La première s'avéra décevante. Déprimée, Cameron appela Cole et lui demanda de la rencontrer au deuxième emplacement. Elle appréciait son opinion et se dit que ce serait l'occasion parfaite pour lui proposer un partenariat.

Cole arriva à l'heure dite.

— Qu'en penses-tu ? demanda-t-elle en observant le sous-sol exigu et sombre sur Melrose.

Il s'avança pour examiner l'espace vide.

— Beaucoup trop lugubre, déclara-t-il. Et bien trop petit ! Pas de fenêtres, pas de lumière du jour... Ça ne fonctionne pas pour moi.

— Vous pourriez éclairer l'espace en le décorant, suggéra Iris pour les encourager. Un peu de peinture blanche, quelques pots de fleurs...

— Vous voulez rire ? dit Cole en poussant du pied une planche déclouée. Aucune couche de peinture ne parviendra à égayer cet endroit.

Cameron était d'accord. Cole avait un excellent instinct et avait parfaitement raison.

— Eh bien, commença Iris d'une voix hésitante. Je pourrais vous montrer une autre propriété... Mais je dois vous prévenir que le loyer est plus élevé.

— De combien? s'enquit Cameron, certaine de ne pas avoir le budget nécessaire.

— Beaucoup plus.

— Bon..., dit Cameron sans conviction. Je suppose que ça ne ferait pas de tort d'aller la visiter.

Situé sur Wilshire, le lieu en question s'avéra idéal. C'était un énorme penthouse à aires ouvertes, avec de hauts plafonds et une vaste terrasse.

— Oh! s'exclama Cameron. C'est tout à fait ce qu'il nous faut!

— En effet, acquiesça Cole.

— Bon, je suis prête pour la mauvaise nouvelle, dit-elle à Iris. Combien par mois?

— Je suis désolée, mais c'est bien plus que les deux autres propriétés, répondit Iris à regret.

Après avoir appris le montant exigé, Cameron se tourna vers Cole.

— Je ne peux pas me permettre ça, dit-elle tristement.

— J'ai peut-être une idée, répondit-il. Il faut qu'on discute.

— De quoi? répliqua-t-elle en haussant les épaules. Je ne peux pas me lancer en affaires et aussitôt faire faillite parce que je ne peux pas payer le loyer! En plus, ils veulent un dépôt de deux mois d'avance, sans oublier les autres frais comme le téléphone, l'électricité et le reste.

— Tu devras tenir compte de ces frais n'importe où, non?

— Je suppose, dit-elle d'une voix hésitante. C'est tellement décevant. Ce qu'il me faudrait, c'est un papa gâteau, un vieux type plein de pognon à ne plus savoir qu'en faire.

— Je devrais peut-être me trouver une maman gâteau! suggéra Cole en riant. À nous deux, on pourrait réussir.

— Tu ferais ça pour moi? Tu changerais d'orientation?

— Pour toi, n'importe quoi, répondit-il galamment.

— Tu sais, Cole, tu es un bon ami, dit-elle en lui serrant le bras avec affection.

— J'essaie.

— Et tu réussis.

C'était vrai. Il réussissait. Avec Katie à San Francisco, Cole était son meilleur ami. Cependant, même s'ils étaient proches, elle ne lui avait jamais parlé de Gregg. Elle n'arrivait pas à se décider. D'une certaine manière, elle avait honte de s'être retrouvée dans cette situation avec Gregg. Quand les choses s'étaient mises à empirer, pourquoi ne l'avait-elle pas quitté ? Était-elle complice des abus qu'elle avait subis ? Pire encore, était-elle responsable de ce qui lui était arrivé ?

— Allons boire un café, déclara Cole avec un coup d'œil à sa montre. Mon premier client est seulement à midi.

— Une dose de caféine, c'est exactement ce dont j'ai besoin !

Elle se tourna vers Iris, qui attendait leur réaction.

— Je vais réfléchir. Pouvez-vous nous le garder en attendant ?

— Seulement quelques heures, proposa Iris en rassemblant ses papiers. Donnez-moi vite votre réponse, car c'est un emplacement de choix qui se vendra très rapidement.

Cameron hocha la tête.

— Je comprends.

Cole et elle sortirent de l'immeuble, s'éloignèrent dans la rue et entrèrent dans un Coffee Bean.

— J'aimerais te faire une proposition, déclara-t-elle sérieusement en écartant une mèche blonde de ses yeux.

— Je t'écoute.

— Je me demandais..., aimerais-tu être mon partenaire ?

— J'ai quelques économies, répondit-il d'un ton songeur. Mais je pensais à autre chose. Je vais en parler à ma sœur, Natalie. Elle veut investir son argent et ça pourrait peut-être l'intéresser.

— Vraiment ?

— Pourquoi pas ? Ma grande sœur gagne beaucoup d'argent avec son émission de télé. Ça pourrait lui convenir. Je vais organiser une rencontre.

— Super ! Dépêche-toi. Tu as entendu ce qu'a dit Iris. Cette propriété ne sera pas disponible très longtemps. Et c'est un endroit parfait !

— Ne t'inquiète pas, je m'en occupe.

— Une fois que notre affaire sera lancée, je sais qu'elle aura du succès, dit Cameron en hochant la tête comme pour se rassurer. Avec nos listes de clients, il ne peut en être autrement.

— Absolument.

— Et je me disais que l'accès pourrait être réservé exclusivement aux membres. Un studio privé.

— D'accord, mais as-tu pensé au détournement de clientèle ? demanda Cole.

— Je n'ai jamais rien signé avec Bounce. Et toi ?

— Moi non plus.

— De toute façon, ce ne serait pas du vol. Si nos clients veulent nous suivre, ils sont libres, non ? Je ne sais pas de ton côté, mais j'ai plus de recommandations qu'il ne m'en faut.

— Lynda vient aussi, n'est-ce pas ?

— Oui, elle a très hâte.

— Dorian voudra aussi nous accompagner. Et il nous faudra un ou deux autres entraîneurs pour commencer.

— Est-ce que ça signifie que tu es mon partenaire ? demanda-t-elle avec espoir.

— Tu as tout compris, ma chérie, répondit-il en souriant.

— Ce sera extraordinaire ! Je t'adore !

— Moi aussi, mais je dois partir ! dit-il en se levant d'un bond. Mon client m'attend. Je vais parler à Natalie sans délai.

Cameron le regarda s'éloigner. Le grand et beau Cole était son meilleur ami. Comment avait-elle pu être aussi stupide ? Au lieu de se concentrer sur l'argent à économiser, elle aurait pu lui faire part de son plan plus tôt. À présent, elle avait son aide pour concrétiser son projet. Que Natalie accepte d'investir ou non, c'était déjà un avantage indéniable.

Plus tard, alors qu'elle se dirigeait vers Bounce, son téléphone sonna.

— Oui ? répondit-elle, espérant que c'était Cole avec une bonne nouvelle.

— Vous souvenez-vous de moi ? fit une voix suave. Don Verona, votre client de samedi. Celui à qui vous avez refusé un rendez-vous...

— Ce n'était pas un rendez-vous, dit-elle en se demandant ce qu'il lui voulait.

— Ça aurait pu l'être, répliqua-t-il d'une voix amusée. Je vous ai invitée à souper, et vous m'avez informé que vous ne mélangiez jamais travail et plaisir.

— J'ai dit ça, hein ?

Cet appel lui faisait étonnamment plaisir.

— Écoutez, voilà ce que j'ai décidé, poursuivit-il. J'aimerais vous embaucher sur une base régulière.

— Ah bon ?

— Oui. Pourriez-vous me faire une place dans votre horaire, qui doit sûrement être très chargé ?

— Eh bien..., dit-elle en hésitant un instant. D'accord, si nous trouvons un moment qui nous convienne à tous les deux.

— Savez-vous ce que j'aime chez vous ? demanda-t-il d'un ton encore plus amusé.

— Allez-y !

— Votre enthousiasme débridé.

— Je réserve mon enthousiasme pour mon travail, riposta-t-elle en réprimant un sourire.

— Heureux de l'entendre.

— Je suis certaine que vous travaillez avec enthousiasme, vous aussi.

— En effet. Je me disais que le matin serait parfait. Comme je me lève tôt, que diriez-vous de sept heures, cinq jours par semaine ?

— Vous êtes prêt à vous entraîner cinq jours consécutifs ? demanda-t-elle, étonnée.

Généralement, les grandes vedettes n'étaient pas aussi motivées, à moins de se préparer pour un rôle au cinéma, auquel cas elles mettaient le paquet.

— Je vais animer une émission de remise de prix très bientôt. Je veux me remettre en forme.

— Vous êtes déjà en forme, répliqua-t-elle en repensant à ses abdominaux bien découpés.

— Merci, dit-il avec modestie. Je ne pensais pas que vous aviez remarqué.

— Sept heures me convient, mais ce sera un tarif plus élevé parce que c'est tôt.

— Essayez-vous de me ruiner ? la taquina-t-il.

— Non, je vous dis simplement ce qui en est, répondit-elle sérieusement. Quand aimeriez-vous commencer ?

— Demain. Ça vous va ?

— Je serai à sept heures chez vous.

— Je vous attendrai.

Elle raccrocha, excitée malgré elle.

Pas de liaison, l'avertit sa voix intérieure.

Pourquoi pas ? C'est un homme séduisant.

Oui, avec beaucoup de charme et un énorme ego. En plus, une liaison te distrairait de ton projet. En ce moment, toute ton énergie doit être concentrée sur ton avenir.

Oui. Son avenir. La concrétisation de son rêve.

Et si la sœur de Cole acceptait, la situation était prometteuse.

Tout mettre en place allait demander beaucoup d'efforts, mais elle pouvait y arriver, surtout avec l'aide de Cole.

Instinctivement, elle savait que sa voix intérieure avait raison. Pas de liaison amoureuse. Pas de distractions. Pas de relation qui accaparerait tout son temps. Un point c'est tout.

Gregg lui avait causé assez de mauvais souvenirs pour durer toute une vie.

9

Le repas du midi au Grill était un rituel hebdomadaire. Ryan et Don étaient là, mais Phil n'avait pu se libérer. Il avait trop de difficultés à convaincre sa femme de ne pas reprendre sa carrière d'actrice condamnée à l'avance.

— Comment a été votre retour à la maison hier soir? demanda Don en commandant une bouteille d'eau. Les choses semblaient plutôt houleuses entre vous au souper.

— On a réglé quelques problèmes, répondit prudemment Ryan.

Il n'allait pas lui révéler ce qui s'était passé dans la voiture sur le chemin du retour. Mandy avait soudainement repris ses anciennes habitudes et avait voulu lui administrer une fellation sur la PCH. Autrefois, il en aurait été ravi, mais cette fois, il l'avait repoussée brusquement. Ce n'était ni le bon moment, ni le bon endroit. De plus, une pipe de Mandy lui paraissait louche. Il avait eu l'horrible impression qu'elle se serait arrêtée au beau milieu pour se plaindre d'un truc quelconque. Mandy était vraiment devenue une enquiquineuse de première classe.

La vérité, c'est que le sexe avec sa femme ne lui disait plus rien. Plus rien de ce qu'elle faisait ne l'excitait.

— Tu sais ce que je pense de ta situation, ajouta Don, les yeux baissés sur le menu.

— Tout va bien, mentit Ryan pour ne pas entrer dans les détails. Mandy était furieuse que Hamilton veuille se remarier, c'est tout.

— Elle est sûrement habituée à ses conneries, maintenant?

— On dirait bien que non.

— En passant, sa dernière conquête a fait la une du *New York Post*. Elle semble avoir douze ans!

— C'est la preuve qu'on devient vieux, dit Ryan d'un air sombre.

— Quoi donc?

— Quand on pense que tout le monde a l'air d'avoir douze ans!

— C'est toi qui vas avoir une crise de la quarantaine, pas moi! répliqua Don en prenant un bâtonnet de pain. Il me reste six mois avant la date fatidique. Et tu sais quoi? Je m'en fiche totalement!

— Pas étonnant! Tu as réussi! Tu as construit ta propre maison, tu as une tonne d'argent, une excellente carrière, la santé, la liberté et la célébrité! Sans oublier la beauté! Merde! Qui ne serait pas heureux à ta place?

Don fit signe au serveur.

— J'ai appelé la fille dont je t'ai parlé. Tu sais, l'entraîneuse personnelle? Je vais m'exercer avec elle chaque matin à sept heures, à partir de demain.

— Une entraîneuse, hein?

— Oui, pour faire du sport, idiot! dit Don en souriant. Il faut que je fasse fonctionner la machine!

— Je pensais qu'elle te plaisait.

— Oui. Comme ça, je vais pouvoir faire sa connaissance sur un terrain neutre. Sans les complications des rendez-vous.

— Donc, tu la paies?

— Bien sûr que oui.

— N'est-ce pas la même chose que d'avoir une prostituée à domicile, mais sans le sexe?

— Tu es malade ! dit Don sans pouvoir réprimer un sourire.

— Penses-y, insista son ami. Tu paies cette fille pour qu'elle passe du temps avec toi. Sans engagement.

— Fais-moi plaisir et règle donc tes propres problèmes avant de critiquer ma vie.

— J'essaie de t'aider, Don.

— Tu es aussi utile qu'un sac à merde.

— Merci bien !

— Qu'est-ce qui te tracasse, au fait ? demanda Don. Je pensais que tout allait bien entre Mandy et toi.

— Il n'y a jamais rien de parfait.

— Alors, fais quelque chose pour régler ce problème, dit Don, déterminé à pousser son ami à agir. Il n'y a pas de honte à divorcer, tu sais. C'est même un rite de passage, surtout dans cette ville ! Je l'ai fait deux fois. Ça m'a coûté cher, mais ça valait la peine !

— Dans ma famille, le divorce est l'équivalent d'un échec, dit Ryan en pensant à la déception qu'éprouverait sa mère s'il mentionnait le mot « divorce ». Mes parents ont été ensemble toute leur vie.

— Allons, Ryan, ce n'est pas comme si vous aviez des enfants. Tu sens bien que c'est fini. Tu te dois à toi-même de sortir de là.

— Je ne sais pas...

— Il est temps que tu te décides à aller voir ma psy, déclara Don. Elle va te remettre les idées en place. Je peux vérifier si elle fait des thérapies de couple, si tu veux.

— Mandy n'acceptera jamais.

— Dommage qu'elle te tienne par les couilles ! Je me souviens quand...

— Peut-on changer de sujet ? l'interrompit Ryan. Ce n'est pas facile, tu sais.

— Bon, bon, j'ai compris, dit Don en voyant leur serveur approcher. Je vais commander un gros steak juteux et une tonne de frites. Il faut que je prenne des forces pour ma nouvelle copine.

— Copine ?

— Elle pourrait le devenir.

— Elle te plaît vraiment, celle-là, hein ?

— Je lui fais faire un essai. On verra.

* * *

— Tu es jaloux, voilà pourquoi tu refuses de m'aider ! cria Lucy. Mais crois-moi, Phil, je vais faire un grand retour, avec ou sans ton aide !

— Qu'est-ce que tu veux que je ne te donne pas ? s'écria Phil. Tu as tout ce que tu pourrais souhaiter. Je ne te comprends pas, sapristi !

— Ça ne m'étonne pas. Tu es trop occupé à sauter toutes les filles qui croisent ton chemin.

— Oh, pour l'amour du ciel, ça suffit !

— Que ferais-tu si j'agissais comme toi ? répliqua-t-elle, déterminée à lui faire comprendre son point de vue.

— Je te briserais le cou.

— Va te faire foutre, Phil.

— Va te faire foutre, Phil, répéta le perroquet en sautillant dans sa cage.

— Je vais tuer ce satané oiseau ! rugit Phil.

— Attention de ne pas le sauter avant ! lança Lucy en sortant de la cuisine d'un pas furieux.

Elle allait effectuer un retour, et personne ne l'en empêcherait.

* * *

Mandy passa la matinée à essayer de joindre son père et à lire tous les articles de journaux et sites Web portant sur ses fiançailles. Elle était particulièrement outrée par le *New York Post*. Non seulement la photo de la nouvelle petite amie figurait à la une, mais il y avait un article cinglant en page six soulignant la différence d'âge entre Hamilton et sa fiancée, ainsi que le nombre d'épouses à son actif. Heureusement, le nom de Mandy n'était pas mentionné, même s'il aurait dû l'être. Elle était bien plus importante que n'importe laquelle de ses satanées femmes, puisqu'elle était l'héritière de la fortune Heckerling. Mandy Heckerling, princesse de Hollywood. Ils devraient tous être à ses pieds.

Elle était également furieuse que Ryan ait refusé ses avances la veille. Difficile de comprendre pourquoi. Oui, elle devait admettre que leurs activités sexuelles étaient au ralenti depuis deux ans. Mais quand elle avait offert de le sucer dans la voiture, il l'avait repoussée au lieu d'être fou d'enthousiasme. Comment expliquer cette réaction?

La pensée lui vint qu'il avait peut-être une petite amie.

Puis elle se dit que c'était impossible. Une chose était certaine: Ryan n'était pas du genre infidèle.

N'est-ce pas?

Des doutes commencèrent à s'infiltrer dans son esprit.

Selon son père, tous les hommes trompaient leur femme. C'était la vie telle que la voyait Hamilton J. Heckerling.

Les hommes sont infidèles.

On ne peut pas faire confiance aux femmes.

La plupart des gens sont des crétins.

Elle appela encore une fois Lolly pour savoir s'il y avait du nouveau, mais tomba sur sa boîte vocale. Frustrée, elle décida d'aller au salon de beauté pour une manucure-pédicure et un traitement facial.

Quelques heures de soins de beauté lui changeraient les idées. Temporairement.

10

L a rencontre entre Cameron, Cole et sa sœur eut lieu au bar de l'hôtel Beverly Regent. Les têtes se tournèrent et les conversations s'interrompirent à l'entrée de Natalie de Barge. Vêtue d'un chandail de cachemire noir et d'un pantalon blanc, un feutre gris sur la tête, cette femme noire dynamique à la beauté frappante attirait tous les regards. Natalie était une journaliste en arts et spectacles qui coanimait une émission quotidienne du calibre d'*E.T.* et d'*Extra*.

Après quinze minutes de bavardage, Cameron lui présenta son plan d'affaires. Natalie sirotait un Cosmopolitain en l'écoutant attentivement et en posant des questions au besoin.

Lorsque Cameron eut terminé, elle pianota de ses ongles luisants sur la table et déclara :

— Bon, voilà ce que j'aimerais. Si je dois investir mon argent durement acquis dans cette entreprise, mon petit frère doit être un partenaire à parts égales. Je vais avancer cinquante pour cent du versement initial. Mais que ce soit clair : Cole est un partenaire à part entière. Cinquante cinquante. Ce n'est pas négociable.

— Ce ne sera pas un problème, Natalie, dit Cameron en essayant de garder son calme, malgré son excitation à la pensée que son rêve allait se réaliser. Cole et moi nous entendons à merveille. Crois-moi, ce sera un soulagement de me lancer en affaires avec un associé, quelqu'un en qui je peux absolument avoir confiance.

— Oui, acquiesça Cole en riant. Quelqu'un avec qui tu n'auras pas besoin de coucher !

— Tu veux dire que tu ne l'as pas converti ? riposta Natalie. Une belle fille comme toi ?

— Pas encore, répliqua Cameron en entrant dans le jeu. Mais je vais poursuivre mes efforts, c'est promis. Je peux être très convaincante.

— Dans ce cas, j'embarque sans hésiter ! dit Natalie avec un grand sourire.

— Vraiment ? demanda Cameron, ses yeux verts brillant d'excitation.

— Oui ! Vous finaliserez les détails avec ma gestionnaire, Laura Lizer. Elle est dure en affaires, alors ne songez même pas à me rouler.

— S'il te plaît ! intervint Cole. Comme si c'était une possibilité !

— Bon, les enfants, c'est réglé, déclara Natalie.

— Fantastique ! s'exclama Cameron en se tournant vers Cole. Ça veut dire qu'on peut louer le local qu'on a visité et commencer à acheter le matériel.

— Merci, sœurette, tu ne le regretteras pas.

Natalie se leva pour étreindre son frère.

— J'espère que non, dit-elle. Et je compte bien utiliser gratuitement vos installations avec mes amis quand l'envie nous prendra de nous mettre en forme !

— Pour toi, ce sera gratuit, répondit Cole. Mais tes amis devront payer.

— Tu es dur, dit Natalie d'un ton faussement boudeur.

— J'ai appris auprès de la meilleure : toi !

— Espèce de flatteur! soupira sa sœur avant de prendre son sac à main Fendi. Amusez-vous bien, les jeunes. On se reparlera demain. En ce moment, j'ai rendez-vous avec Brad et Angelina.

— J'ai du mal à y croire! dit Cameron pendant que Natalie s'éloignait. On se lance en affaires! Est-ce qu'on devrait l'annoncer à Lynda?

— Dis-le à qui tu voudras, répliqua Cole. Je savais que Natalie ne nous laisserait pas tomber.

— Hum... On devrait peut-être attendre que tout soit réglé. Ensuite, on pourra sortir pour célébrer.

— Tu as raison.

Il était heureux que sa sœur ait accepté. Cela prouvait qu'elle croyait en lui, et il en était agréablement surpris.

— À notre partenariat! déclara-t-il en serrant Cameron dans ses bras. On va réussir, ma belle. On va ouvrir le meilleur club sportif en ville!

— Tout à fait! À présent, je ferais mieux d'appeler Iris pour lui dire qu'on est prêts à signer.

— Vas-y!

Cameron sortit son cellulaire et composa le numéro de l'agente d'immeubles.

Iris répondit à la deuxième sonnerie.

— Oh, non! dit-elle, mal à l'aise. J'ai bien peur que cette propriété ne soit plus disponible.

— Je vous avais demandé de la garder pour nous, dit sèchement Cameron. On l'a visitée en premier, et maintenant, on est prêts à la louer.

— Je sais, mais vous aviez promis de me rappeler rapidement, se justifia Iris.

— C'est ce que je fais! protesta Cameron. Allons, il ne s'est même pas écoulé vingt-quatre heures!

Elle grimaça en direction de Cole en se disant qu'elle deviendrait folle si elle perdait ce local.

— Je vais voir ce que je peux faire, dit la femme.

— Ce n'est pas suffisant. Rédigez une offre, ce local est à nous! ordonna Cameron avant de couper la communication.

— Personne ne va te mettre de bâtons dans les roues! blagua Cole. Tu ne te laisses pas faire!

— Elle va se raviser. C'est dans son intérêt!

Après avoir quitté l'hôtel, Cameron était trop agitée pour rentrer chez elle, et pas d'humeur à aller chez Marlon. De son côté, Cole avait un rendez-vous galant. Elle décida donc impulsivement de passer chez monsieur Wasabi chercher ses chiens, qu'elle fit monter à l'arrière de sa Mustang avant de se diriger vers la plage.

Elle roula à toute vitesse sur Sunset jusqu'à Paradise Cove, qu'elle atteignit en moins d'une heure. Après avoir garé la Mustang, elle laissa Yoko et Lennon courir sur la plage. C'était une belle soirée, avec une forte brise et de hautes vagues. En regardant les chiens s'amuser dans le sable, elle eut l'impression de pouvoir voler. Quelle journée! Elle avait parcouru tellement de chemin depuis son départ d'Hawaï deux ans plus tôt, battue et meurtrie, avec uniquement ses mauvais souvenirs et un bras cassé.

Parfois, elle se demandait pourquoi Gregg n'était jamais parti à sa recherche. Elle avait fini par conclure qu'il avait probablement trop honte pour lui faire face. Il devait être mal à l'aise et désolé. Du moins, elle l'espérait.

Peu lui importait. Il s'était révélé un monstre, et elle priait pour ne plus jamais le revoir.

Yoko et Lennon couraient sur la rive, jouaient dans les vagues, aboyaient et se roulaient dans le sable, savourant leur liberté.

Après un moment, elle se dit qu'il valait mieux les rappeler et rentrer pour planifier les prochaines étapes. Pourvu qu'Iris accède à leur demande! Cet endroit était tellement parfait. Et à présent, elle avait un partenaire. Un de ses meilleurs amis. Que pouvait-elle souhaiter de plus?

Quand elle revint chez elle, il n'était pas loin de minuit. Elle avait presque oublié son rendez-vous chez Don Verona à sept heures le lendemain. Zut! C'était beaucoup trop tôt!

Elle régla son réveil pour six heures et eut un sommeil agité. L'alarme se révéla inutile, car elle se leva à cinq heures, trop nerveuse pour dormir.

Après avoir promené les chiens et pris un déjeuner de rôties de blé entier et de blancs d'œufs brouillés, elle enfila un survêtement et ses Puma préférés, puis partit chez Don.

À son arrivée, elle dut sonner à plusieurs reprises avant que Don ne lui ouvre. Il était évident qu'il venait de sortir du lit. Le regard vitreux, les pieds nus et les cheveux ébouriffés, il arborait un pantalon de pyjama ample et un sourire engageant.

Elle tapota sa montre d'un air sévère.

— Vous n'êtes pas prêt. Il est sept heures.

— Ah, zut! dit-il en réprimant un bâillement. Je me suis laissé distraire, et j'ai fini par me coucher tard.

— Quand on veut s'entraîner à sept heures du matin, on ne doit pas se coucher tard, dit-elle d'un ton ferme en entrant dans la maison.

— Peut-on reporter ça? demanda-t-il avec un autre bâillement.

— Pas de problème, mais vous devrez quand même me payer.

— Envoyez-moi une facture, dit-il en se grattant la tête.

Elle faillit se retourner pour partir, puis se ravisa.

— Puis-je vous demander quelque chose? dit-elle avec un regard direct.

— Allez-y, répondit-il, séduit par sa beauté rafraîchissante.

Elle était littéralement... resplendissante.

— Je me trompe peut-être, mais je croyais que vous vouliez vous entraîner.

Elle s'interrompit pour lui laisser le temps d'absorber ses paroles, puis reprit:

— N'était-ce pas vous qui étiez tout feu tout flamme à l'idée de vous remettre en forme?

— N'était-ce pas vous qui disiez que j'étais déjà en forme? rétorqua-t-il du tac au tac.

Il était incapable de détourner les yeux de ses lèvres, qui semblaient faites pour être embrassées.

— Plus ou moins. Mais ça ne veut pas dire que vous n'avez pas besoin d'améliorer votre tonus musculaire.

Il imagina ces lèvres sur les siennes, se la représenta nue, étendue dans son lit. Il souhaitait qu'elle se taise et vienne dans la chambre avec lui.

— Vous croyez? répliqua-t-il.

— Oui, répondit-elle en l'examinant à son tour.

Elle devait admettre que son corps était plutôt impressionnant. Des abdominaux solides, des bras fermes, un torse musclé... Elle se demanda ce qui était arrivé à son ancien entraîneur, car il était évident qu'il avait l'habitude de faire de la musculation.

— Bon, si on doit travailler ensemble, on devrait se tutoyer, déclara-t-il. Sois gentille et va dans la cuisine préparer du café pendant que je m'habille.

— C'est une blague? dit-elle, incrédule.

— Quoi? J'ai dit quelque chose de mal?

— Si tu veux du café, fais-le toi-même!

— Hein? marmonna-t-il, perplexe.

— Tu as sûrement une gouvernante?

Elle était furieuse qu'il s'attende à ce qu'elle soit à son service.

— Je ne veux pas avoir quelqu'un ici sur une base permanente.

— Donc, je suppose qu'une épouse est hors de question? répliqua-t-elle d'un ton sarcastique.

— Pourquoi, le poste t'intéresse? demanda-t-il en souriant.

— Tout un poste, oui, murmura-t-elle avec une expression dédaigneuse.

— Ma parole, tu es difficile!

— Non. Je suis tout simplement professionnelle, et tu devrais l'être aussi.

— Bon, bon, dit-il en levant la main. Arrête de me faire la morale. Je vais préparer le café, puis j'enfilerai des vêtements et on travaillera quinze minutes.

Elle secoua la tête avec incrédulité.

— Quinze minutes? Tu me paies pour une heure!

— Tu penses beaucoup à l'argent, ma chère. J'ai dit que je te paierais. Ai-je l'air de quelqu'un qui ne tient pas ses promesses?

— Je déteste gaspiller mon temps et ton argent.

— Elle est attentionnée en plus! la taquina-t-il.

— J'essaie de l'être.

Ils échangèrent un long regard.

— Que dirais-tu d'aller au resto ce soir? demanda-t-il, las de perdre du temps.

— Pardon?

— Resto. Ce soir, répéta-t-il patiemment. Deux personnes assises à une table pour manger de la nourriture. C'est une coutume locale. Très populaire.

— Non.

— Non, quoi?

— Non, merci.

Il lui jeta un regard interrogateur.

— Es-tu lesbienne?

— Quoi? répliqua-t-elle, outrée.

— Préfères-tu les femmes?

— Oh, je vois. Comme je ne veux pas sortir avec toi, tu présumes automatiquement que je suis lesbienne.

— Il n'y aurait pas de mal à ça... je veux dire, si tu *étais* lesbienne, dit-il en examinant son beau visage. Sauf que selon moi, ce serait une terrible perte. Par contre...

— Je ne suis pas lesbienne, dit-elle fermement. Même si cela ne te concerne pas.

— Mariée? Fiancée?

— Qu'est-ce que c'est? Une inquisition?

— Plus ou moins. J'aimerais t'inviter à sortir, et tu ne cesses de refuser. Il doit bien y avoir une raison.

— Peut-être que tu n'es pas mon genre.

— Tu veux rire ?

— Je ne sors pas avec les acteurs.

— Je ne suis pas un acteur.

— Tu es à la télé. C'est la même chose.

— J'anime ma propre émission de variétés. C'est complètement différent.

— Je ne sors pas avec les célébrités.

— Avec qui sors-tu ?

Elle décida de mettre fin à cette conversation qui devenait trop personnelle et n'allait nulle part.

— Finalement, je vais préparer le café. Va t'habiller et on fera une demi-heure de musculation.

— Haha ! Tu changes de sujet !

— Allez ! ordonna-t-elle.

— Oui, madame !

Il lui fit un salut ironique, puis se dirigea vers sa chambre en souriant pour enfiler un pantalon de survêtement et un t-shirt. Cette femme était tellement différente de celles qu'il avait l'habitude de côtoyer. Elle était belle, mais elles l'étaient toutes. Elle avait un corps superbe, les autres aussi. Mais Cameron avait quelque chose de plus : outre sa beauté frappante, il voyait en elle une femme honnête et sûre d'elle, peu impressionnée par sa célébrité. C'était très stimulant. Et surtout, elle ne semblait pas prête à succomber à ses charmes considérables, ce qui était vraiment inhabituel.

Elle ne voulait pas sortir avec lui, et il tenait à découvrir pourquoi. C'était dans sa nature d'aller au fond des choses. Après tout, il n'était pas un pervers dangereux rencontré sur Internet ou dans un bar. Il était Don Verona, et la plupart des femmes mouillaient à la pensée de tout contact avec lui.

Quel était donc son problème ?

Quand il revint dans la cuisine, le café gargouillait et Cameron coupait des fruits.

— Que fais-tu ? demanda-t-il.

— Tu ne peux pas t'entraîner le ventre vide. Ce n'est pas une bonne façon de commencer la journée.

— Je ne mange jamais le matin.

— À partir de maintenant, oui, déclara-t-elle en repoussant une mèche blonde qui retombait sur ses magnifiques yeux verts. Cela te donnera plus d'énergie.

Il prit un quartier de mangue et répliqua :

— Es-tu toujours aussi autoritaire ?

— Seulement quand c'est nécessaire.

— Comme en ce moment ?

— Apparemment, dit-elle en lui tendant une tranche de banane.

— Qui es-tu donc ?

Il se demanda un instant si un de ses amis l'avait envoyée pour lui jouer un tour. Ce serait bien leur genre d'humour. Pas drôle du tout.

— Je suis ta nouvelle entraîneuse. Je ne sais pas quelles excuses tu donnais à ton ancien entraîneur, mais avec moi, ça va changer !

— Vraiment ?

— Oh, oui.

Une fois de plus, leurs regards se croisèrent. Cameron se répéta qu'il valait mieux être prudente. Cet homme était un tombeur, et elle n'allait pas succomber aussi facilement. Non. Elle avait des choses plus importantes en tête, et Don Verona pourrait se révéler une distraction inopportune.

Ne l'oublie pas, se prévint-elle. *Pas de liaison. Le travail avant tout.*

Pourtant... Gregg n'était qu'un lointain souvenir, et elle n'avait personne avec qui partager son quotidien. Personne pour la prendre dans ses bras le soir. Marlon ne comptait pas. Et...

Non ! Non ! Non ! cria une voix sévère dans sa tête. *Il ne se passera rien. Pas question. Non ! Non ! Non !*

Le sujet était clos.

ANYA

Anya s'aperçut bientôt que sans Sergei, elle ne pouvait plus compter que sur elle-même. Sergei l'avait traitée avec gentillesse, mais apparemment, la gentillesse ne payait pas. Sergei était mort, et grâce à ses contacts, Olga ne serait jamais accusée de ce crime.

Le lendemain de l'assassinat, Olga demanda à Igor d'amener Anya à la chambre qu'elle occupait au dernier étage de la maison. La jeune fille avait passé la nuit blottie dans un placard verrouillé, où Igor l'avait enfermée après la mort de Sergei. Elle avait à peine dormi, et quand Igor vint la chercher, elle était horriblement consciente de sa propre odeur, de ses cheveux emmêlés et de ses vêtements souillés.

— Comment t'appelles-tu ? aboya Olga.

— Anya, répliqua la jeune fille, étonnée par le luxe de la chambre d'Olga.

Il y avait un énorme lit, de longues tentures de satin aux fenêtres et une carpette blanche à poils longs sur le sol. Anya n'avait jamais vu de décor aussi luxueux.

— Quel âge as-tu ?

La femme se frotta les mains à la pensée de l'argent que ce beau brin de fille allait lui rapporter.

— Quinze ans, chuchota Anya.

— Quinze ans, pas vierge..., marmonna Olga. Mais tu peux faire semblant, non ?

Anya hocha la tête, sans trop comprendre à quoi la femme faisait allusion.

— Enlève tes vêtements, ordonna Olga.

Anya se raidit.

— Ne sois pas timide. Tu n'as rien que je n'aie déjà vu.

Mal à l'aise, Anya retira sa robe. Sergei n'avait jamais pensé à lui acheter des sous-vêtements. Elle se tint donc debout, nue et frissonnante, devant cette femme intimidante et Igor, qui rôdait près de la porte. Un sentiment de désespoir la submergea.

— Pas mal, décréta Olga en tendant la main vers une tasse de porcelaine remplie de thé noir sucré. Rien qui ne puisse s'arranger avec un bain et un épouillage.

À ce moment précis, Anya se promit qu'un jour, elle serait traitée comme un être humain, et non comme un morceau de viande. Un jour, elle prendrait sa revanche sur tous ces gens.

Au fond d'elle-même, elle savait que ce jour viendrait.

11

J'ai décidé d'organiser une réception surprise pour l'anniversaire de Ryan, dit Mandy à Lucy, sur la terrasse du restaurant Ivy.

— Et moi, je songe à divorcer, répliqua Lucy.

Elle ajusta ses lunettes de soleil Dolce & Gabbana, se demandant si elle était observée par les paparazzis cachés dans le VUS noir de l'autre côté de la rue.

— Oh, mon Dieu! Qu'a-t-il fait encore? s'exclama Mandy.

Elle aurait aussi bien pu demander qui il se faisait encore, car les activités sexuelles de Phil Standard étaient connues de tous. C'était un vilain garçon, mais il était tout de même adorable.

— Il refuse de coopérer pour mon retour au cinéma, expliqua son amie avec irritation. Phil peut être très jaloux quand ça fait son affaire. Au fond, il n'aime pas l'idée que je puisse attirer encore plus l'attention que maintenant.

— Phil, jaloux? répéta Mandy, incrédule.

À ses yeux, Phil avait toujours été plutôt accommodant.

— Oh, oui! dit Lucy, outrée par cette injustice. Si Phil avait son mot à dire, je serais constamment enceinte et coincée dans la cuisine à lui préparer trois repas par jour. Il ne comprend pas que je suis une vedette de cinéma!

— Je suis certaine qu'il est très fier de toi, souffla son amie.

Lucy ne l'écoutait pas et était sur sa lancée :

— J'ai pris une pause pour mettre ses enfants au monde, et maintenant que je souhaite reprendre ma carrière, ce sale égoïste a décidé d'être aussi utile qu'un furoncle sur son gland ! Le fumier !

Mandy n'était pas vraiment intéressée, car elle avait ses propres problèmes. Elle émit tout de même quelques murmures compatissants.

Une fois que Lucy eut fini de se plaindre, elle répéta son intention de célébrer l'anniversaire de Ryan.

— Chez Chow, en haut, précisa-t-elle. Seulement vingt personnes. Ne le dis pas à Phil, car il en parlera à Ryan et lui gâchera la surprise.

— Comment suis-je censée l'amener là-bas si je ne peux pas le lui dire ? demanda son amie en prenant une bouchée de croquette au crabe.

— Dis-lui que c'est un souper avec Don. Je vais appeler Don pour le prévenir. Il est capable de garder un secret, lui.

— Il couche avec son assistante, tu sais, révéla Lucy.

— Qui ça ? Don ? dit Mandy, étonnée.

— Non, Phil. Baiser à droite et à gauche, c'est dans ses gènes. Du moins, c'est ce qu'il me dit. Comme si ça pouvait tout excuser !

Elle s'interrompit un instant et plissa les yeux avec un air de mépris.

— Si j'agissais comme lui, il serait fou de rage. Voilà pourquoi il ne veut pas que je recommence à travailler. Il pense que je serais exposée à toutes sortes de tentations.

— C'est ridicule, déclara Mandy, en repoussant ses légumes grillés avec sa fourchette.

— Je sais. Ce n'est pas comme si j'allais entrer sur un plateau de tournage et me taper George Clooney !

Après une pause, elle ajouta en souriant :

— Quoique...

Elles pouffèrent toutes deux à cette idée.

— As-tu déjà trompé Phil ? demanda Mandy, curieuse.

Lucy ne répondit pas tout de suite. Mandy était une potineuse notoire et ce qu'elle lui dirait serait répété dans toute la ville. Même si elle était fâchée contre Phil, elle ne voulait pas le castrer en parlant à Mandy du pro de tennis et de la masseuse avec lesquels elle avait entretenu des liaisons brèves mais satisfaisantes. Elle était parvenue à garder ses frasques secrètes, et elle tenait à ce qu'elles le restent.

— Non, finit-elle par dire. Et toi, as-tu déjà trompé Ryan ?

— Bien sûr que non ! s'écria Mandy en rougissant. Je ne lui ferais jamais ça.

— Penses-tu qu'il te trompe ?

Mandy éclata de rire.

— Ryan ? Il n'oserait pas ! Je lui couperais les couilles et m'en servirais comme boucles d'oreilles !

— C'est un homme séduisant. Tu sais comment sont les femmes dans cette ville... surtout lorsqu'elles sont en chasse. Des salopes sans scrupules.

— Je sais. Mais Ryan n'est pas du genre à être infidèle.

— Tu serais étonnée si je te disais les noms des femmes qui ont jeté leur dévolu sur Phil ! Heureusement, il se contente de les baiser et de passer à autre chose. Quel porc !

— Je veux des noms ! insista Mandy, les yeux brillant de curiosité. Ça restera entre nous.

Son amie pinça les lèvres.

— Je ne peux pas.

— Je ne sais pas comment tu as pu endurer cela toutes ces années, dit Mandy, vaguement froissée qu'elle ne lui révèle rien de plus. Tu as dû parfois avoir envie de le tuer !

— Dix ans de mariage, et probablement cinq cents femmes..., soupira Lucy en rejetant ses longs cheveux noirs en arrière. Que veux-tu, je suppose que j'aime ce salaud ! Que puis-je y faire ?

— Tu peux divorcer, comme tu l'as déjà dit.

— J'ai dit que j'y réfléchissais.

Lucy fronça les sourcils. Se confier à Mandy Heckerling était une erreur. Cette femme ne vivait que pour les potins croustillants qu'elle pouvait raconter à son groupe de soi-disant amies.

Parfois, Lucy se demandait pourquoi elle cultivait son amitié. Mais quand on vivait à Los Angeles, Mandy était une nécessité sociale. Cette femme était impliquée dans tout. Il n'était donc pas conseillé de susciter son antipathie.

C'était curieux que tout le monde l'appelle Mandy Heckerling et non Mandy Richards. Elle tenait à ce que personne n'oublie qu'elle était la fille de Hamilton J. Heckerling. Et personne ne l'oubliait.

Ryan méritait mieux. Il était tellement adorable. De tous les hommes de ce milieu, il était assurément le plus gentil, et pas d'une façon ennuyante. Ryan était beau, intelligent, amusant et sexy – même s'il ne semblait pas s'en rendre compte, contrairement à Don Verona. Sans compter qu'il était un producteur de cinéma extrêmement talentueux. Lucy aurait donné n'importe quoi pour travailler avec lui. Elle avait espéré que ce soit réciproque. Mais à en juger par sa réaction tiède à la nouvelle de son retour à l'écran, ce n'était pas le cas. Toutefois, elle n'était pas prête à abandonner. Elle était déterminée à faire lire son synopsis à Ryan. Peut-être qu'il aimerait tellement son histoire qu'il voudrait la produire.

— Eh bien, réfléchir, c'est le premier pas, dit sagement Mandy. Si tu décides d'aller de l'avant, quel avocat choisiras-tu ?

— Je n'étais pas sérieuse, rétorqua Lucy.

Elle réussit à détourner la conversation et à ramener la fête de Ryan sur le tapis.

La vérité, c'est qu'elle n'avait aucunement l'intention de quitter son mari infidèle. Elle avait investi dix années dans ce mariage, et un de ces jours, elle comptait bien récolter les fruits de ses efforts.

* * *

Chaque matin, dans son bureau du studio, Don rencontrait son équipe de production et ses principaux scripteurs. Ils disséquaient l'émission de la veille avant de passer à la préparation de la suivante. Don avait son mot à dire concernant les invités. Il gardait une liste de ses vedettes préférées, qui pouvaient se présenter à son émission au moment de leur choix. Des invités brillants, qui savaient exactement ce qu'on attendait d'eux. Don comptait aussi parmi ses chouchous des commentateurs politiques caustiques, des auteurs et des humoristes mordants. Cependant, ses producteurs et recherchistes insistaient toujours sur la présence de vedettes de cinéma et de jolies actrices ou mannequins.

Généralement, ils parvenaient à un compromis, et l'émission finissait par compter un mélange intéressant d'invités. En tant qu'animateur, Don se lassait rapidement, et son comportement froissait parfois les agents, convaincus que leurs importants clients avaient été insultés.

Don s'en fichait. Il faisait son travail, et son public enthousiaste raffolait de son sens de l'humour ironique. Les jeunes acteurs et actrices imbus d'eux-mêmes étaient les invités qui l'irritaient le plus. Surtout lorsque la célébrité féminine de la soirée se croyait irrésistible et se lançait dans une offensive de séduction en règle. Certaines femmes s'exhibaient à outrance : petites robes noires au dos nu, jupes ultra courtes, absence de sous-vêtements, hauts transparents, mamelons durcis... Il y était si habitué que cela n'avait plus aucun effet sur lui. Mary Ellen était la première qu'il avait invitée à sortir depuis longtemps.

Un seul rendez-vous avait suffi pour lui faire comprendre que Mary Ellen était trop désespérée pour lui. Après leur repas chez Geoffrey, il l'avait ramenée chez elle et avait refusé d'entrer boire un verre, résolu à ne plus la rappeler. Elle avait attendu une semaine avant de lui envoyer un texto l'invitant à la première d'un film à petit budget où elle tenait un rôle. La prenant en pitié, il avait dit oui. La première avait lieu ce soir, et il regrettait sa décision. Pourquoi avait-il accepté ?

Si l'invitation était venue de Cameron, il aurait été impatient d'aller à ce rendez-vous.

Mais non, la belle et réservée Cameron jouait les insaisissables. Elle se présentait chez lui à sept heures chaque matin, en pleine forme, et le forçait à transpirer en exécutant une série d'exercices vigoureux. Et refusait chaque fois qu'il l'invitait à sortir.

Don n'était pas habitué aux refus. Cameron Paradise était la première femme à le rejeter, et cela ne lui plaisait pas.

Quoique... c'était un défi. Et Don savait relever les défis avec brio.

Cameron Paradise finirait bien par se laisser conquérir, comme toutes les autres.

* * *

Mandy appela Don sur son cellulaire et le mit au courant de la réception qu'elle planifiait.

Don se demanda comment réagir. D'après lui, la dernière chose que souhaitait Ryan, c'était une fête surprise. Mais ce n'était pas à lui d'en informer Mandy, et il répondit qu'il serait présent.

— Qui vas-tu amener ? voulut-elle savoir.

— Ça dépend.

— De quoi ?

— De comment je me sentirai ce soir-là, Mandy, répondit-il, irrité.

Elle était tellement insistante !

— Tu pourrais venir seul. Ce n'est pas toujours nécessaire de te présenter avec une de tes copines éphémères.

Quelle garce !

— Mon assistante te tiendra au courant, répliqua-t-il en coupant brusquement la communication.

Pour qui se prenait-elle donc, à lui parler sur ce ton ? Copines éphémères !

Plus vite Ryan se déciderait à la quitter, mieux ce serait.

* * *

Mary Ellen portait une robe rose décolletée et des talons aiguilles extrêmement hauts. Malgré ses belles jambes et son corps admirable, Don ne la trouvait pas sexy.

Il passa la prendre à sa maison de Brentwood dans sa Lamborghini argent, puis ils se rendirent à l'Academy Theater sur Wilshire, où avait lieu la première du film. C'était le premier rôle important de la jeune actrice dans un film, et elle était très excitée. À la télé, elle était une vedette, mais le cinéma était une autre paire de manches. Elle souhaitait désespérément faire le saut du petit au grand écran.

Les photographes autorisés et les paparazzis se déchaînèrent quand elle arriva avec Don. Ils formaient un couple de rêve. Les flashs crépitèrent, et Don serra les dents en rêvant de se trouver à des kilomètres de là. Ces soirées sur le tapis rouge ne lui avaient jamais plu. Cela lui rappelait sa deuxième épouse, Sacha, une séduisante actrice française qui adorait se retrouver sous les projecteurs. Après le divorce, elle était retournée à Paris, où elle vivait maintenant avec un artiste raté. La pension alimentaire n'était pas près de prendre fin.

— Je vais à l'intérieur, chuchota-t-il à Mary Ellen. Je vais t'attendre dans l'entrée.

— Non, s'il te plaît, murmura-t-elle en s'accrochant à son bras d'un air paniqué. Je ne peux pas m'en tirer toute seule !

Il fut donc contraint d'endurer les flashs, les microphones brandis à sa figure et les questions incessantes.

« *Êtes-vous un couple ?* »

« Depuis combien de temps sortez-vous ensemble ? »

« Allez-vous vous fiancer ? »

« Parlez-vous de mariage ? »

« Mary Ellen est-elle enceinte ? »

« À quand le divorce ? »

Personne n'avait véritablement prononcé le mot « divorce », mais Don savait que cette question leur brûlait les lèvres.

Merde ! Dans quelle galère s'était-il embarqué ?

Soudain, une main agrippa son épaule. C'était Ryan, qui sourit en voyant son embarras.

— Suivez-moi, dit son ami en venant à la rescousse. Allons nous asseoir pour ne pas rater le début du film.

— Dieu merci ! s'exclama Don en montant l'escalier. J'avais oublié quel cauchemar peut être ce genre d'événement. Que fais-tu ici, au fait ?

— Le réalisateur est un ami. En passant, Mary Ellen, il est enchanté de ta prestation. Il dit que tu as une qualité exceptionnelle.

— Merci, dit-elle modestement, ravie de toute cette attention.

— Où est Mandy ? demanda Don en prenant son siège.

— À une soirée de bienfaisance. On se retrouve chez Spago plus tard. Voulez-vous venir avec nous ?

— Avec plaisir, dit Don, soulagé.

Il avait passé assez de temps seul avec Mary Ellen. Elle n'était tout simplement pas son genre. Pas qu'il ait un genre de femme particulier, mais peu importe ce qu'il recherchait, ce n'était pas elle.

* * *

Le lendemain, les journaux, les sites à potins et les blogues ne parlaient que de la nouvelle idylle entre Don Verona et Mary Ellen Evans. Le séduisant animateur et la « fille sympa » abandonnée par son célèbre mari acteur de cinéma.

Les animatrices de l'émission *The View* décidèrent qu'ils formaient un couple idéal. Jillian, Steve et Dorothy parlèrent d'eux à *Good Day L. A.* Même Regis et Kelly accordèrent quelques minutes au soi-disant nouveau couple de l'heure.

Don était agacé, mais ne pouvait s'en prendre qu'à lui. C'était sa propre faute. Il aurait dû s'abstenir d'assister à la première d'un film avec une vedette de la télé aussi populaire.

Mandy l'appela tôt dans la matinée.

— Je suppose que tu vas venir à la fête avec Mary Ellen ? J'ai commandé des cartons de convives très coûteux, à la calligraphie dorée, alors je préfère vérifier.

— Je te l'ai dit hier, je ne sais pas qui m'accompagnera, répondit-il patiemment.

— Mais je croyais...

— S'il te plaît, ne saute pas aux conclusions.

— Mais hier soir...

Comment Ryan pouvait-il vivre avec cette femme ? Même sa voix lui portait sur les nerfs. Et la simple pensée de la baiser...

Elle continua de radoter à propos de la belle soirée chez Spago la veille, en répétant que Mary Ellen et lui allaient bien ensemble.

— Vous formez un beau couple, conclut-elle.

— Eh bien, ce n'est pas le cas, avait-il rétorqué avant de raccrocher.

Si Mandy n'était pas mariée avec son meilleur ami, il ne perdrait sûrement pas son temps à lui parler.

Mais elle était sa femme, et il devait donc la supporter. Il n'avait pas le choix.

12

Cameron et Cole rencontrèrent Laura Lizer, qui s'occupait des affaires de Natalie, et apposèrent leur signature sur tous les papiers requis. Puis Iris leur obtint la propriété sur Wilshire, et ils signèrent le bail. Les choses semblaient sur la bonne voie.

Dès que tout fut réglé, Cole organisa un repas de célébration chez O-Bar, un bar-restaurant sympathique de Santa Monica.

Cameron et lui arrivèrent ensemble ; Lynda amena son copain, le très macho Carlos ; Dorian était accompagné du jeune assistant d'une chanteuse connue ; Natalie se présenta avec son compagnon, un promoteur en construction prospère, ainsi qu'avec un de ses meilleurs amis, Ty Morris, un photographe noir talentueux spécialisé dans les nus artistiques.

Après un seul regard à Cole et à Cameron, Ty passa la majeure partie de la soirée à essayer de les convaincre de poser pour lui, au grand désespoir de Natalie. Quant au jeune assistant, il tomba sous le charme de Cole, froissant Dorian qui partit en colère. Pendant ce temps, Carlos se pavanait comme si tout le monde devait se sentir flatté par sa présence.

— Quel cauchemar ! chuchota Cameron à Cole au milieu de la soirée. On n'aurait pas dû inviter les conjoints. C'était une erreur.

— Tu as raison, acquiesça Cole même s'il savourait l'admiration dont il faisait l'objet.

— J'ai hâte de sortir d'ici, marmonna sa partenaire, avant d'informer Ty pour la quatrième fois qu'elle n'avait pas l'intention de poser nue.

Entre-temps, il leur fallait un nom pour leur nouvelle entreprise, et tout le monde y alla de sa suggestion. Dorian trouvait que *Flow* sonnait très bien ; Natalie préférait *Énergie;* Ty proposa *Strip*. Puis Cole trouva la formule gagnante :

— On va l'appeler *Paradise*. C'est exactement le ton recherché.

« Paradise » fut donc le nom retenu.

* * *

Outre la location de l'équipement et son installation, Cameron s'aperçut rapidement qu'il restait énormément de préparatifs à boucler. Cole ou elle devaient absolument être sur place pour s'assurer que tout se déroulait comme prévu. Cela signifiait qu'ils devaient délaisser certains de leurs clients. Puis Cameron dut informer le propriétaire de Bounce qu'elle cesserait d'y travailler, ce qui causa plus de vagues que prévu.

Cet homme était un Iranien d'une cinquantaine d'années, surnommé à son insu monsieur Autobronzant. Il se pavanait sur les lieux une ou deux fois par semaine, généralement accompagné d'une blonde interchangeable. Il privilégiait les filles aux seins volumineux, qu'il appelait ses assistantes.

Comme Cameron louait son espace et lui versait une commission pour chacun de ses clients qui utilisaient les installations, elle ne s'était pas sentie obligée de lui donner un préavis. Mais quand elle l'informa de son départ, il piqua une crise.

— Comment peux-tu me faire ça? Je t'ai donné un emploi, je me suis occupé de toi! Comment peux-tu être aussi ingrate?

Ingrate? Il avait reçu une foule de commissions au cours des deux ans qu'elle avait passés chez Bounce. De quoi se plaignait-il donc?

— Où vas-tu? hurla monsieur Autobronzant. Personne ne te traitera aussi bien que moi!

Sa réaction terrifia Lynda, qui était une employée salariée.

Cole, au contraire, une fois que le patron fut sorti, ne se laissa pas troubler:

— Ne lui dis pas qu'on ouvre notre propre gym. Parce qu'il va vraiment péter les plombs!

Cameron mentit donc et dit qu'elle avait l'intention de travailler avec des clients privés dans leur propre maison. Cela lui coupa le sifflet.

— Il va le découvrir, vous savez, leur dit Lynda.

— Et il ne pourra rien faire, la rassura Cole. Tu devrais remettre ta démission au plus vite.

— Que vais-je lui dire? gémit la jeune femme.

— Dis-lui que tu vas te marier.

— J'aimerais bien!

Entre-temps, Cameron se demandait si elle avait accepté trop de responsabilités. Rêver d'avoir sa propre entreprise était une chose, mais concrétiser son projet en était une autre. L'argent disparaissait à un rythme inquiétant. Son argent. L'argent de Cole. L'investissement de Natalie. L'argent était littéralement englouti dans cette entreprise. Malgré leur inquiétude, Cole et elle étaient convaincus qu'ils pourraient y arriver. Ils n'avaient pas le choix.

* * *

Chaque matin, Cameron se rendait chez Don Verona à sept heures. Ensuite, elle s'occupait de deux autres clients. À dix heures trente, elle était au nouveau local pour superviser le travail des peintres, installateurs, plombiers et électriciens. Cole prenait la relève à seize heures, ce qui lui permettait de passer le reste de la journée avec ses clients.

C'était un horaire épuisant, mais comme les travaux progressaient, cela en valait la peine.

Don insistait toujours pour qu'elle aille au restaurant avec lui. Elle refusait chacune de ses invitations, mais il semblait déterminé à ne pas abandonner. Elle ne voulait pas se sentir flattée, et savait qu'il persistait uniquement parce qu'il n'avait pas l'habitude de se faire dire non.

— Tu as l'air fatiguée, lui avait-il dit un matin, pendant qu'il courait sur le tapis roulant.

Elle était à côté de l'appareil, chronomètre en main.

— Je dors cinq heures par nuit, avait-elle répliqué avec regret. Le manque de sommeil finit par me rattraper.

— Je sais que tu détestes te faire poser des questions, mais que diable fais-tu donc toute la soirée ?

Elle ne lui avait pas parlé de son nouveau projet. Elle pensait le lui annoncer au moment de l'ouverture, qui était loin d'être imminente puisqu'aucun des ouvriers ne semblait pouvoir terminer dans les délais prévus. Et leur soi-disant entrepreneur en bâtiment était inefficace. Les salles de bain n'étaient pas prêtes, les téléphones, pas installés, l'éclairage, loin d'être finalisé... En outre, seulement la moitié des appareils d'exercices avaient été livrés. C'était frustrant, et de plus en plus coûteux. Chaque jour qui passait, Cameron craignait de manquer d'argent avant même d'avoir commencé.

— Je démarre ma propre entreprise, dit-elle à Don en regardant le chronomètre. Dans cinq minutes, tu passeras aux poids.

— Quel genre d'entreprise ? demanda-t-il sans cesser de courir.

— Un centre d'entraînement.

— Tu en seras propriétaire ?

— N'aie pas l'air si surpris !

— Je suis surpris que tu ne l'aies pas mentionné plus tôt, expliqua-t-il en se demandant pourquoi elle était toujours aussi discrète.

— Je n'ai pas l'intention d'être une entraîneuse personnelle toute ma vie. Ce gym est un rêve que je réalise.

— Félicitations, dit-il, légèrement essoufflé. Et comment ça se passe ?

— Ça avance lentement, soupira-t-elle. C'est une suite ininterrompue de travaux en retard. Je suis donc coincée là-bas de façon permanente, à tout superviser. Quand je n'y suis pas, mon partenaire s'en occupe.

— Ton partenaire ? demanda-t-il aussitôt, sur le qui-vive.

Est-ce pour cette raison qu'il n'arrivait à rien avec elle ? Elle avait un foutu partenaire ! Vivait-elle avec lui ? Baisaient-ils ensemble ? Merde !

— Oui, j'ai un partenaire, répondit-elle froidement. Cole de Barge. Il est aussi entraîneur personnel.

— Tu ne m'avais pas dit que tu étais en couple, dit Don en fronçant les sourcils.

— En couple ?

— Avec un partenaire.

— Oh ! pouffa-t-elle. Cole est mon partenaire d'affaires. Je ne suis pas son genre !

— Tu es le genre de tout le monde, voyons !

— Cole est gai.

Pourquoi était-il si soulagé ?

— Sans blague ? répliqua-t-il d'un ton détaché.

— C'est un gars super. Sa sœur Natalie est notre investisseuse.

— Vous avez des investisseurs ? s'enquit-il en ralentissant la vitesse du tapis roulant.

— Une seule : Natalie de Barge.

— Je crois que je la connais. Elle participe à l'émission d'arts et spectacles en début de soirée, n'est-ce pas ?

Il descendit du tapis roulant et Cameron lui tendit une serviette.

— En effet, répondit-elle.

— C'est une femme très bien, dit-il, la serviette autour du cou.

— Je l'espère, car on commence à manquer d'argent. Zut! Pourquoi avait-elle dit cela? Trop d'informations.

— Ah bon? demanda-t-il, soudain intéressé.

— Je serai peut-être obligée d'augmenter mes tarifs, s'empressa-t-elle de dire pour alléger l'atmosphère. Penses-tu que tu auras les moyens de me payer?

— Tu pourrais peut-être faire appel à d'autres investisseurs, suggéra-t-il. Je pourrais...

— Non, merci.

Doux Jésus! Elle ne voulait surtout pas que Don Verona pense qu'elle avait besoin de son argent, car ce n'était pas le cas. Ils allaient se débrouiller. Il le fallait.

— Quand a lieu l'ouverture?

— Dans deux ou trois semaines, si possible. Aimerais-tu venir?

Ils se dirigèrent vers les poids et haltères.

— Ah, dit-il d'un air entendu. Tu as besoin de moi pour la publicité.

Elle n'y avait pas pensé avant, mais la présence de célébrités lors de l'ouverture ne pourrait pas nuire.

— Puis-je compter sur toi?

Il prit place sur le banc, saisit une paire de poids et répliqua:

— Je te propose un marché.

— Oh, oh, dit-elle, méfiante. Tu me fais peur.

— Je vais venir à l'ouverture si tu m'accompagnes à la fête d'anniversaire d'un ami dimanche soir.

— Tu sais que je ne...

— Oui, oui, je sais, tu ne mélanges jamais travail et plaisir. Mais pense à la publicité que vous aurez si je suis présent quand vous ouvrirez vos portes au public en délire. Les gens m'aiment, tu sais. J'ai de nombreux admirateurs loyaux.

— C'est du chantage, dit-elle fermement.

— Je n'ai jamais dit le contraire.

Elle ne put s'empêcher de sourire.

— Tu es vraiment incroyable.

— Et pas toi? répliqua-t-il avec un regard interrogateur.

— Bon, entendu.

Elle se dit que Lynda serait ravie de faire enfin sa connaissance.

— Tu es certaine? Tu ne vas pas te défiler à la dernière minute?

— Je ne ferais jamais ça! Et de ton côté, amène donc certains de tes amis célèbres.

Aussi bien rendre cette ouverture aussi prestigieuse que possible. Après tout, on était à L. A., et promouvoir le club grâce à des relations publiques positives était une excellente idée.

— Je n'ai pas d'amis célèbres, dit-il tout en exécutant des flexions de biceps. Seulement des connaissances.

— Alors, viens avec ta petite amie.

— Je n'en ai pas.

— Ce n'est pas ce qu'on raconte dans la presse.

— Ah bon? Et de qui s'agit-il?

— Mary Ellen Evans.

— Ah, zut! grogna-t-il en déposant les poids. Il ne faut pas croire tout ce que tu lis.

— Cette nouvelle est partout sur Internet.

— Vraiment?

— Je ne passe pas mon temps sur Internet, mais je te le confirme.

— Serais-tu jalouse? demanda-t-il pour la taquiner.

— Oh, oui! J'en perds même le sommeil.

— Ah, c'est pour cette raison que tu ne dors que cinq heures par nuit! Tu es déçue de ne pas m'avoir mis le grappin dessus avant elle.

— Je ne crois pas, non.

— Ah non?

— Non.

— Alors, que puis-je faire pour t'empêcher de dormir ?
— Absolument rien.
— Tu es certaine ?
— Tout à fait.
— On verra.
— Oh là là ! Quel gros ego !
— Tu n'as encore rien vu !
— Bon, bon, ça suffit, s'empressa-t-elle de dire. Trop d'informations. Je n'ai pas besoin d'en entendre davantage.

Don lui adressa un de ses fameux sourires. Elle se laissait fléchir. Son charme était toujours efficace.

Bientôt, la délectable Cameron Paradise et lui formeraient un couple.

13

En arrivant au deuxième étage du restaurant Chow pour la fête d'anniversaire, Cameron comprit deux choses. Premièrement, elle était la plus jeune. Deuxièmement, les autres femmes ne semblaient pas ravies d'accueillir une inconnue parmi elles – particulièrement une inconnue qui n'était pas une aspirante actrice ou mannequin aux seins refaits, aux lèvres gonflées et au front lissé par le Botox. Et surtout, qui accompagnait Don Verona.

Il devint bientôt évident que même si elles étaient mariées, les femmes présentes estimaient toutes avoir des droits sur Don. Il était leur célibataire hétéro et célèbre préféré. Si elles en avaient eu l'occasion, elles n'auraient pas hésité à sauter dans son lit.

Les invités étaient majoritairement des couples, et les femmes se jetèrent sur Don comme sur un steak saignant lors d'un barbecue. Mandy menait l'offensive, scintillante dans une robe de cocktail à paillettes argentées de Valentino, couverte de diamants et les cheveux relevés dans un chignon très chic – bien qu'elle soit trop petite pour arborer ce style.

— Bonjour, dit Mandy en inspectant Cameron de la tête aux pieds. Et vous êtes…?

Elle n'était pas vraiment intéressée par sa réponse. Elle avait espéré que Don viendrait avec cette fille de la télé, Mary Ellen. Celle que son mari avait plaquée, faisant d'elle la reine des magazines, la pauvre. Au moins, elle était célèbre à sa façon.

— Mon assistante t'a donné son nom, rétorqua Don avec bonne humeur, en prenant un rouleau printanier que lui offrait un serveur. C'est Cameron Paradise. Comment peux-tu oublier un nom pareil, Mandy?

— Enchantée, dit Cameron, mal à l'aise de porter un tailleur-pantalon blanc très simple et de n'arborer aucun diamant.

— Bienvenue, ma chère, répliqua Mandy avant de se détourner pour accueillir d'autres invités.

— Mandy est la femme de celui dont on célèbre l'anniversaire, expliqua Don. Si tu l'attires à ton gym, toutes les épouses de Hollywood suivront son exemple. Mandy se vante de découvrir de nouveaux endroits.

— Je ne suis pas certaine que les épouses de Hollywood soient le genre de clientèle que je recherche, répondit froidement Cameron.

— Tu veux gagner de l'argent, non? demanda Don en prenant un autre rouleau printanier. Crois-moi, entrer dans les bonnes grâces de Mandy est la première étape.

Il s'interrompit un moment et haussa un sourcil.

— Tu sais qui elle est, n'est-ce pas?

— Tu viens de me le dire, la femme de l'homme qu'on fête ce soir.

— Et la fille de Hamilton J. Heckerling, le méga-producteur si puissant qu'il tient tout le monde par les couilles.

Cameron réprima un petit rire. Elle sentait que Don était un peu nerveux de l'amener ici. Il ne semblait pas aussi désinvolte et en contrôle que d'habitude, ce qui l'amusait beaucoup.

— Allons trouver Ryan, se contenta-t-il de dire.

— L'homme de la soirée ?

— Exactement. Il est probablement en train de piquer une crise dans un coin.

— Pourquoi ?

— Parce que c'est son quarantième anniversaire et qu'il panique comme si c'était le début de la fin.

— Que fait-il dans la vie ? demanda-t-elle en s'efforçant de prendre un air intéressé.

— Producteur de films indépendants. On était ensemble à l'université. Ryan est probablement mon meilleur ami.

Trois femmes aux tenues exagérément élégantes s'approchèrent de Don, l'enveloppant d'un nuage de parfums *Angel et Sapphire* et *Something Very Exclusive*. Elles se mirent à parler à qui mieux mieux, et même s'il tenta de leur présenter Cameron, leur manque d'intérêt était évident.

— Je reviens tout de suite, chuchota-t-elle avant de se diriger discrètement vers la porte.

Elle avait l'intention de se réfugier dans les toilettes pour dames, mais les lieux étaient envahis par des femmes qui bavardaient. Soudain prise de claustrophobie, elle descendit et sortit du restaurant. Un groupe de paparazzis se tournèrent vers elle, mais décidèrent de l'ignorer en constatant qu'elle n'était personne d'important.

Elle s'éloigna de quelques pas et prit une grande inspiration. Ah, un peu d'air frais... même si de la fumée flottait autour des quelques fumeurs déterminés qui traînaient à l'extérieur pour s'adonner à leur vice.

C'était une erreur d'avoir accompagné Don ce soir. Elle n'était pas à sa place dans ce monde rempli d'hommes puissants et de femmes fortunées, dont plusieurs étaient des célébrités. Pour elle, une soirée divertissante consistait à aller au cinéma avant de se rendre dans un petit restaurant de quartier. Don ne ferait pas ce genre de chose, car il était une vedette. Il n'était pas libre d'agir à sa guise.

Donc, plus de sorties avec Don Verona, décida-t-elle. Il ne ferait plus partie de l'équation.

Un homme faisait les cent pas devant elle en grommelant. Il ne ressemblait pas au genre d'homme qui passe son temps à marmonner des jurons dans sa barbe. Il portait un complet bien coupé, une chemise bleue et une cravate de soie bleu foncé. Quand la lumière du lampadaire tomba sur son visage, elle remarqua ses yeux, les plus bleus qu'elle ait jamais vus. Bleus et intenses, dans un visage anguleux aux lèvres généreuses et au nez légèrement crochu. Pendant un instant, elle ne put s'empêcher de le fixer. Il n'avait pas la beauté remarquable de Don, mais elle le trouvait extraordinairement attirant.

Lorsqu'il passa devant elle pour la troisième fois, elle n'y tint plus. Elle s'avança d'un pas hésitant et demanda :

— Heu... ça va ?

Il s'immobilisa brusquement. C'était à son tour de la regarder fixement.

— Oui, finit-il par répondre. J'essaie de me défouler pour ne pas exploser.

— Exploser ne serait pas une bonne idée, remarqua-t-elle en se demandant pourquoi son cœur s'était mis à battre la chamade.

— Ne m'en parlez pas !

Oh, j'aimerais t'en parler, pensa-t-elle. *J'aimerais t'emmener dans mon lit et te parler de plein de trucs.*

Qu'est-ce qui se passait ? Elle était en train de craquer pour un parfait inconnu. Un homme qui marmonnait tout seul et avait des yeux bleus envoûtants. Elle ne s'était pas sentie ainsi depuis sa première rencontre avec Gregg. Une attirance immédiate.

Comment faire pour le retenir ? Pourtant, il ne semblait pas vouloir s'éloigner.

— Heu... mangez-vous chez Chow ? demanda-t-elle, certaine d'avoir l'air complètement ridicule.

— Plus ou moins.

Soudain, leurs regards se croisèrent, tellement chargés de tension sexuelle qu'aucun des deux ne semblait désireux de rompre le contact.

— Oh, te voilà ! dit Don en surgissant de nulle part.

Les paparazzis se lancèrent à sa poursuite en prenant cliché sur cliché.

Cameron arracha son regard de l'inconnu aux yeux bleus et tenta de se ressaisir.

— Et toi ! dit Don à l'inconnu, sans se soucier des flashs qui éclataient devant son visage. Tu ferais mieux d'entrer à l'intérieur avant que ta femme ne pique une crise. Crois-moi, ça ne saurait tarder !

Il ajouta en leur souriant à tous les deux :

— Je vois que vous avez fait connaissance. Ryan, je t'avais dit qu'elle était spéciale, hein ? J'avais raison ou pas ?

Sidéré, Ryan hocha la tête. Ainsi, cette femme, cette créature exquise, était la nouvelle passion de son meilleur ami. Que pouvait-il faire ?

Rien. Parce qu'il était marié, et que même s'il avait voulu changer quelque chose, c'était impossible. Complètement impossible.

— Vous devez être l'homme de la soirée, murmura Cameron.

— C'est bien moi, répondit-il en plongeant une fois de plus son regard dans le sien.

* * *

Cameron passa le reste de la soirée dans un état second. Don la présenta à une foule d'invités, qui la laissèrent indifférente. Elle était incapable de détourner son regard de Ryan Richards, qui ne semblait pas vraiment s'amuser. Plus tard, Don l'informa que Ryan était furieux contre sa femme. Même si Mandy avait organisé une fête pour lui, elle avait négligé d'inviter les membres de sa famille, de qui il était très proche.

Un homme qui aimait sa famille, en plus de tout le reste. Quel changement agréable !

L'air de ne pas y toucher, elle demanda à Don si les Richards avaient des enfants. Il lui parla des fausses couches et du bébé mort-né.

La jeune femme eut la gorge serrée en imaginant la déception et la peine que Ryan avait dû éprouver.

Dans la voiture, sur le chemin du retour, elle voulut savoir si Mandy et Ryan étaient heureux ensemble.

— Dis donc, tu es bien intéressée par les Richards, remarqua Don.

Il conduisait avec une main sur le volant et l'autre sur l'épaule de Cameron.

— C'était leur réception. C'est normal que je m'intéresse à eux.

— T'es-tu amusée ? répliqua-t-il sans répondre à sa question.

— Eh bien... La nourriture était excellente.

— Ce n'est pas une réponse.

— Ces gens-là... ne sont pas vraiment mon genre.

— Et quel est ton genre ?

Il commença à lui masser l'épaule en s'engageant sur Sunset.

Oh non ! se dit-elle. *Il s'attend à ce que je l'accompagne chez lui. Je n'ai vraiment pas besoin de ça.*

— Quelque chose de plus... décontracté, murmura-t-elle. Et je tiens à préciser que tu vas dans la mauvaise direction.

— Ah bon ?

— Oui.

— J'ai pensé que puisque mon entraînement est à sept heures et qu'il est tard, ce serait plus pratique pour nous deux si tu passais la nuit chez moi.

— Plus pratique ? dit-elle en haussant un sourcil. C'est la première fois que je l'entends, celle-là.

— J'ai une chambre d'amis. Aucune obligation.

— Et moi, j'ai deux chiens qui vont détruire ma maison si je ne rentre pas ce soir.

— Donc, je dois rebrousser chemin et te ramener chez toi ? dit-il avec un sourire ironique.

— Exactement.

— Tu es dure.

— Non, je travaille dur, le corrigea-t-elle.

Il la déposa sans plus de protestations. Au moins, il savait bien se conduire.

— On se voit demain matin !

Il la salua avant de s'éloigner.

Elle alla chercher Yoko et Lennon chez le voisin et s'empressa de rentrer chez elle.

Ryan Richards.

La tête lui tournait. Elle ne s'était pas sentie ainsi depuis bien longtemps.

ANYA

— De quoi avez-vous envie?

Anya utilisait ces mots chaque jour. C'était son mantra. Elle avait appris à les dire dans plusieurs langues. Elle avait aussi compris que, pour survivre, elle ne devait pas être timide et réservée. Il fallait être agressive, ne pas accepter tout ce qui lui arrivait sans mot dire. Velma, une Polonaise de vingt ans, la prostituée la plus populaire chez Olga, le lui avait enseigné.

Anya avait passé les deux premiers mois à trembler devant les hommes qu'elle était censée satisfaire. Des hommes de tous âges, formes et tailles. Ils venaient à la chambre qu'on lui avait attribuée, ouvraient leur braguette et se servaient d'elle comme bon leur semblait.

La jeune fille était submergée par l'horreur et la honte. Personne ne la protégeait. Elle était une prisonnière qui n'avait d'autre choix que de s'étendre devant une série d'hommes successifs qui utilisaient son corps pour assouvir leurs désirs sexuels.

Deux fois par jour, elle avait le droit de descendre à la cuisine pour prendre un maigre repas, généralement de la soupe et du pain. C'est là qu'elle avait rencontré Velma pour la première fois. C'était une grande fille aux seins énormes, aux cheveux noirs coiffés en hauteur, aux yeux fortement soulignés de noir et aux lèvres rouge vif.

Au début, Velma avait ignoré cette gamine à l'expression terrifiée. Puis elle avait décidé que même si la nouvelle avait un joli visage, elle ne constituait pas une menace. Après un certain temps, elle s'était radoucie et avait commencé à lui parler, prodiguant ce qu'elle considérait comme des conseils pleins de sagesse.

«Aucun homme ne voudra de toi si tu restes couchée là comme un chat mort.»

«As-tu du maquillage? Tu es plus pâle qu'un verre de lait.»

«Propose-lui de sucer sa queue d'abord. Comme ça, tu t'en sortiras plus facilement.»

Parfois, Velma venait dans la chambre d'Anya durant la nuit et s'étendait dans son lit. Lorsqu'elle la touchait, c'était avec beaucoup plus de douceur que les hommes qu'on la forçait à satisfaire – y compris Igor, qui estimait avoir le droit d'abuser d'elle à sa guise puisque c'était lui qui l'avait amenée là.

— Dis à ce salaud que les passes gratuites sont terminées, lui conseilla Velma. Et s'il n'écoute pas, plains-toi à Olga. Elle va lui dire d'arrêter. Olga veut que tout le monde paie pour utiliser ses filles.

— Depuis combien de temps es-tu ici? lui demanda Anya.

— Trop longtemps, répondit Velma en allumant une cigarette. Mais Olga me donne de l'argent, maintenant. Quand j'en aurai mis assez de côté, je partirai.

— Où iras-tu?

— Qui sait? dit la jeune femme en haussant les épaules. Peut-être aux Pays-Bas. Apparemment, une fille peut gagner beaucoup d'argent à Amsterdam.

— Pourrais-je venir avec toi?

Les yeux d'Anya se mirent à briller à la pensée de fuir cette existence qu'on l'avait forcée à mener.

— Peut-être. J'ai aussi entendu dire que deux filles ensemble peuvent être très populaires.

À partir de ce jour, l'idée se mit à germer, et Velma commença à planifier leur fuite.

14

Au volant de sa voiture, qu'il conduisait sans se préoccuper de la sécurité de quiconque, Ryan était furieux. De plus, il avait beaucoup trop bu. Mais il n'avait pas l'intention de ménager sa femme.

— Tu es une foutue garce mesquine, et je veux un divorce ! jeta-t-il en ralentissant à peine à un signal d'arrêt.

Ses paroles dures secouèrent Mandy, qui garda un silence interloqué. Un divorce ? Avait-il perdu la tête ? Une déclaration pareille n'était pas le genre de son mari. Force était de comprendre qu'elle était allée trop loin en n'invitant pas sa maudite famille à la fête. Elle aurait dû savoir que cela équivaudrait à une provocation. Idiote ! Idiote ! Idiote !

— Tu ne comprends pas..., dit-elle, prête à lui présenter une dizaine d'excuses.

— Oh, je comprends très bien. Tu détestes les membres de ma famille, tu les as toujours détestés. Ils ne sont pas à la hauteur, hein, Mandy ? Ils ne sont pas assez riches pour toi. Ils ne possèdent pas de grandes entreprises ni de studios de cinéma. Ce ne sont ni des célébrités, ni des acteurs réputés. Alors, pourquoi perdrais-tu ton temps à les fréquenter ?

— Tu es injuste.

— Je vais te dire ce qui est injuste ! Tu organises une fête surprise pour mes quarante ans et tu n'invites même pas ma mère et mes sœurs !

— C'est parce que ta famille est trop nombreuse, balbutia-t-elle. Je pensais qu'on célébrerait en privé plus tard cette semaine. Une soirée en famille à la maison. Après tout, ils ne connaissent pas nos amis et ne se seraient pas amusés ce soir. Ils ne se seraient pas sentis à leur place.

— Va te faire foutre, Mandy ! Tu racontes n'importe quoi ! lança-t-il en s'engageant dans leur rue.

— Écoute, dit-elle, exaspérée. Si j'avais invité ta mère, tes sœurs et leurs maris, il y aurait eu sept invités de plus. Où les aurais-je mis ?

— Pour l'amour du ciel, épargne-moi tes excuses ridicules, marmonna-t-il en se garant dans l'allée.

— Ce ne sont pas des excuses.

— Sors de la voiture, ordonna-t-il.

— Pardon ?

— Sors de la foutue voiture. Je ne rentre pas.

— Où vas-tu ?

— Ça ne te regarde pas !

Elle ne l'avait jamais vu aussi furieux et grossier. Il allait le regretter le lendemain, lorsqu'il serait dessoûlé. En attendant, comment était-elle censée réagir ?

— Sors ! répéta-t-il avec impatience. Tout de suite !

À contrecœur, elle sortit de la voiture. Avant qu'elle puisse ajouter un mot, il démarra en trombe.

Elle entra d'un pas lourd dans la maison. Ce n'était pas ainsi qu'elle avait prévu terminer la soirée. Le comportement de Ryan était inexcusable. Comment osait-il lui manquer à ce point de respect ? Si son père l'apprenait, il serait fou de rage.

Mais son père n'était pas dans les parages, n'est-ce pas ? Il était à bord d'un yacht luxueux et se baladait en France et en Italie avec une femme qu'elle n'avait jamais rencontrée.

Probablement une autre croqueuse de diamants qui avait les mains plongées dans les poches de son papa.

Maudit Ryan Richards ! Il n'appréciait rien de ce qu'elle faisait pour lui. Elle n'avait pas ménagé ses efforts pour lui organiser une fête fantastique, et voilà comment il la remerciait.

Elle espérait qu'il se ferait arrêter pour conduite avec facultés affaiblies, comme son stupide beau-frère. Ça lui apprendrait !

Sur cette pensée, elle monta à l'étage, enleva sa robe griffée, avala deux somnifères et se coucha.

* * *

Ryan était quand même assez sobre pour se douter qu'il n'avait pas les idées claires et n'aurait pas dû conduire. Sapristi ! Après tous les sermons qu'il avait faits à Evie à propos de son mari alcoolique au volant ! Et voilà qu'il était en train d'agir exactement de la même manière.

Il éprouvait un mélange d'émotions. De la colère, en raison de l'attitude de Mandy envers sa famille. De la culpabilité, parce qu'il venait de rencontrer la dernière conquête de son meilleur ami et avait ressenti une attirance irrépressible. Et de la tristesse, parce qu'il ne pouvait pas donner libre cours à ses sentiments.

Pourquoi ?

D'abord, il était marié. Ensuite, elle était avec son meilleur ami.

L'était-elle vraiment ? Selon Don, il ne se passait rien entre eux. Elle refusait de sortir avec lui, et encore plus de céder à ses avances.

Et pourtant... Elle était en compagnie de Don ce soir. Peut-être qu'en ce moment même, pendant qu'il conduisait sans but, ils étaient en train de passer aux choses sérieuses.

Braquant subitement les roues de son véhicule pour se garer le long du trottoir, il prit son téléphone et composa un numéro. Si Don ne répondait pas, cela confirmerait que Cameron et lui étaient ensemble.

Et s'il répondait...

— Allô?

La voix de Don.

Il avait répondu, ce qui signifiait que Cameron n'était pas avec lui.

Ryan en fut soulagé.

— Que veux-tu? demanda Don en réprimant un bâillement. Pourquoi m'appelles-tu? Tu n'es pas couché auprès de ta charmante épouse?

— Mon épouse est une sale garce, marmonna Ryan.

— Il s'est enfin ouvert les yeux!

— Je vais venir dormir sur ton canapé.

— Tu ne partageras sûrement pas mon lit! blagua Don.

— Je m'en viens tout de suite.

— Je t'attends!

— Où est ta copine?

— Malheureusement, elle a préféré rentrer chez elle, rétorqua sèchement Don. Qui l'aurait cru?

— Elle est trop bien pour toi, bafouilla Ryan.

— Et tu t'en es rendu compte après cinq minutes en sa présence?

— Ouais, sacrément bien!

— Ma parole! Tu n'as pas toute ta tête. Je te suggère de venir directement ici. Et surtout, conduis lentement! Je vais préparer du café.

Ryan se rendit chez Don, entra en titubant, enleva sa veste et s'écroula aussitôt sur le canapé. Quand Don revint avec une tasse de café noir, il ronflait.

Don secoua la tête, étendit une couverture sur son ami et le laissa dormir.

Le lendemain matin, Ryan fut réveillé par la lumière qui entrait à flots par les énormes portes vitrées donnant sur la piscine. Le chien de Don, Butch, lui reniflait l'entrejambe.

— Merde! grommela-t-il en s'asseyant.

Les souvenirs de la nuit précédente se mirent à tournoyer dans son esprit. Il avait tellement mal à la tête ! Un marteau-piqueur semblait tambouriner contre sa tempe droite, et on aurait dit qu'un rat s'était faufilé dans sa bouche pour y mourir.

Il se leva péniblement et se dirigea vers la salle de bain des invités. Après avoir uriné, il se regarda dans le miroir et constata qu'il avait une mine affreuse. Non seulement affreuse, mais insatisfaite. En fait, il avait l'air malheureux. Puis la vérité lui sauta aux yeux : il *était* malheureux. La vie avec Mandy était devenue insupportable. Il le lui avait dit sous le coup de la colère la veille. Mais la réalité, c'est qu'il songeait sérieusement à demander le divorce. Il ne pouvait pas continuer à vivre dans le mensonge avec une femme qu'il n'aimait plus. Divorcer serait préférable à long terme pour chacun d'eux.

Don dormait toujours et sa porte de chambre était fermée. Ryan alla dans la cuisine faire du café, puis sortit Butch. Il se demanda s'il devait rentrer chez lui et affronter la colère de Mandy. Elle avait la déplorable habitude de renverser la situation et de lui faire sentir que c'était lui, le coupable.

Mais pas cette fois. Oh, non, pas cette fois ! Elle était allée trop loin en n'invitant pas sa famille. C'était une grave erreur.

Il avait parlé à sa mère la veille, dans la matinée. Elle voulait qu'il vienne chez elle célébrer son anniversaire. Comme si avoir quarante ans méritait d'être fêté ! La quarantaine, c'était un tournant de la vie. Cette seule idée avait le don de le plonger dans une profonde dépression. Il avait refusé l'offre de sa mère en prétextant que Mandy avait planifié un repas en tête à tête.

Puis cette sortie à deux s'était transformée en grande fête avec vingt-six des amis de sa femme.

Il était toujours en colère. Quelle salope !

Après avoir avalé une tasse de café, il se dit qu'il était inutile d'attendre le réveil de Don. Ce dernier ne ferait que lui répéter à quel point il était idiot de rester avec Mandy, ce qui n'était pas nécessaire. Il avait enfin compris.

Il prit sa veste et sortit de la maison. Et qui vit-il se diriger vers la porte ? Cameron Paradise.

Ils furent tous deux surpris.

— Oh ! dit-elle en s'immobilisant. C'est vous.

— Je t'en prie, tu peux me tutoyer.

Il était incapable de détacher ses yeux de son beau visage. Elle était encore plus belle à la lumière du jour, avec sa peau légèrement hâlée, ses yeux vert clair et ses cheveux naturellement blonds.

— D'accord, murmura-t-elle, en remarquant qu'il semblait avoir dormi tout habillé.

Peu importe : il lui donnait toujours des frissons. Et ces yeux, si bleus et intenses. Elle avait le souffle court et se sentait désespérément excitée, sans raison valable.

— Heu... Don n'est pas debout, dit-il en toussotant. Il dort encore.

— Je suis en avance, répliqua-t-elle en consultant sa montre. Je n'arrivais pas à dormir hier soir.

Pourquoi ? avait-il envie de lui demander. *Pourquoi ne pouvais-tu pas dormir ? Pensais-tu à moi ?*

Des questions tout à fait ridicules. Évidemment qu'elle ne pensait pas à lui ; elle le connaissait à peine. En fait, il était étonné qu'elle se souvienne de lui.

— Tu pourrais sonner à la porte, suggéra-t-il avec l'impression d'être un parfait idiot. Ou bien...

Il s'interrompit et reprit, se surprenant lui-même :

— Ou bien tu pourrais venir déjeuner avec moi.

Un silence s'installa. Un silence lourd de paroles non dites.

Il finit par le briser :

— J'ai désespérément besoin de nourriture.

— Déjeuner me semble une bonne idée, répliqua-t-elle avec un frisson de plaisir.

Tant pis si elle manquait son rendez-vous avec Don ; elle pourrait toujours lui téléphoner en prétextant une excuse.

— Je connais un endroit sur Sunset où ils servent d'excellents œufs au bacon. Serais-tu intéressée ?

Oh, oui, je suis intéressée. Très intéressée.

Puis surgit l'énervante petite voix dans sa tête. Selon certains, c'était la voix de la raison. Des conneries, selon elle.

Il est marié.

Il n'est pas heureux.

Ça ne te regarde pas.

Il n'y a aucun mal à déjeuner avec lui.

Tu crois ça sérieusement ?

— D'accord, dit-elle. On y va.

— Ta voiture ou la mienne ? demanda-t-il en sentant sa gueule de bois se résorber.

— Heu, prends la tienne et je te suivrai.

Si elle devait poser un lapin à Don, ce ne serait pas intelligent de laisser sa voiture garée devant chez lui.

— Je roulerai lentement, promit-il, ridiculement ragaillardi.

— Ce n'est pas nécessaire, j'arriverai à te suivre.

Leurs regards se croisèrent. Il y avait de l'électricité dans l'air.

Cameron sauta dans sa Mustang et attendit que la Lexus démarre pour le suivre. Pendant qu'ils étaient en route vers leur destination, elle envoya un texto à Don, prétendant avoir un empêchement imprévu. Elle conclut son message en lui disant à demain.

Quelle aventure ! pensa-t-elle.

Oui. Une aventure dans laquelle tu ne devrais pas te lancer.

Pourquoi pas ?

Tu le sais.

Zut ! Rien ne pourrait l'arrêter, à présent. Une force irrésistible était à l'œuvre, et elle n'avait pas la volonté d'y résister.

15

En ouvrant les yeux, Mandy s'aperçut que Ryan n'était pas rentré de la nuit. Son sentiment de surprise céda vite la place à l'exaspération, puis à une profonde colère. Aucune inquiétude ne lui effleura l'esprit.

Elle appela aussitôt le cellulaire de son mari. Elle tomba sur sa boîte vocale et raccrocha, en furie. Comment osait-il lui faire ça? Où avait-il passé la nuit, au juste?

Chez Don, bien sûr. Don Verona – son ami célibataire à la mauvaise influence, qui ne l'aimait pas beaucoup. Oh, il faisait des efforts pour être agréable et faire plaisir à Ryan, mais elle sentait qu'il ne l'appréciait pas comme elle l'aurait souhaité.

Rien ne lui aurait fait plus plaisir que de voir Don se remarier. Il y avait quelque chose de vaguement menaçant chez les amis célibataires d'un homme marié, surtout ceux qui entretenaient des liens avec des putes.

Oui, elle savait, comme tout le monde, que Don Verona recourait aux services de prostituées. Il avait probablement été en compagnie de l'une d'elles, hier soir. La grande blonde avec ce corps et cette attitude! C'était exaspérant qu'il amène une fille pareille à un souper d'anniversaire intime. Parfois, Don affichait un manque de classe total.

C'était dommage, car il avait tout pour lui. Il choisissait seulement mal ses femmes. Pourquoi n'était-il pas venu avec Mary Ellen? C'était peut-être une petite actrice minable, mais au moins, elle était connue, ce qui n'était pas négligeable.

Mandy mourait d'envie d'appeler Don pour lui demander si Ryan était avec lui. Mais non, elle n'allait pas s'abaisser à cela. Elle refusait de jouer le rôle de la petite femme désespérée à la poursuite de son mari.

Et si Ryan avait été dans un tel état d'ivresse qu'il ait décidé d'aller voir une autre femme? De coucher avec une autre femme?

Cette pensée lui donna la nausée. Son père était un coureur de jupons. Et si son mari se révélait en être un aussi?

Non. Pas Ryan. Pas un homme aussi conservateur. Un homme avec un sens moral inébranlable.

Elle savait que d'autres femmes le trouvaient séduisant, mais s'en réjouissait, car cela témoignait de son bon goût en matière d'hommes. Par contre, Lucy avait raison. Les femmes de L. A. étaient de dangereuses prédatrices sans scrupules quand il s'agissait de mettre la main sur un homme, qu'il soit libre ou non.

Impulsivement, elle prit le téléphone et composa le numéro de Don.

— Puis-je dire un mot à Ryan? demanda-t-elle gentiment, comme si elle n'avait pas le moindre souci.

— Hein? marmonna Don, aussi peu affable que d'habitude.

— Dormais-tu?

Elle nota qu'il était seulement sept heures quinze, une heure trop matinale pour appeler quiconque, à moins qu'il ne s'agisse d'un lève-tôt.

— Oui, Mandy, je dormais.

Il se dit qu'il était temps de changer son numéro et de s'assurer que Mandy ne l'obtiendrait pas.

— Désolée, mais je dois parler à Ryan, répéta-t-elle, pas désolée du tout.

— Qu'est-ce qui te fait croire qu'il est ici ? répliqua Don pour l'embêter.

— Tu es le premier chez qui il se serait précipité, répondit Mandy en haussant le ton.

— Précipité ?

Pourquoi diable lui rendait-il la tâche aussi difficile ?

— On a eu une petite dispute et il avait bu trop de mojitos, alors il s'est réfugié chez toi, expliqua-t-elle d'une voix égale. N'est-ce pas ?

— Tu rappelleras à une heure plus décente. Comme je te le disais, je dormais.

Une fois de plus, Don Verona lui raccrocha au nez.

Mandy en resta bouche bée. Elle n'était pas habituée à pareille impolitesse. Elle résolut de sortir ce type de leur vie, et pour de bon. Et si Ryan n'était pas content, tant pis !

* * *

Merde ! Cette femme est tellement collante ! pensa Don. Il saisit sa montre et regarda l'heure. Normalement, il se levait beaucoup plus tôt, mais il était passé tout droit. Où était donc Cameron avec ses routines de camp d'entraînement ? Elle était ponctuelle, d'habitude.

Il se leva et alla dans la salle de bain. Après avoir uriné et s'être brossé les dents, il partit à la recherche de Ryan. Ce dernier n'était plus sur le canapé. Le pauvre était probablement rentré chez lui, dessoûlé et vaincu.

La cafetière était encore chaude. Il se versa un café, sortit le chien et vérifia ses messages. Il y en avait plusieurs datant de la veille. Son agent, la styliste de son émission, Mary Ellen qui l'invitait à sa fête d'anniversaire... Puis il écouta le premier message de la journée : Cameron qui avait un imprévu et le prévenait qu'elle ne viendrait pas.

Il en fut étonnamment déçu. Il s'était habitué à commencer la journée avec elle.

Avait-il dit ou fait quelque chose qui lui avait déplu?

Non. Au cours de la soirée d'hier, leur premier rendez-vous, il s'était conduit correctement. Aucune avance déplacée. Aucune tentative de baiser d'adieu, même s'il en avait eu envie. Oh, qu'il en avait eu envie!

Cameron était constamment dans ses pensées. Il se sentait comme un adolescent qui n'arrive pas à embrasser la jolie meneuse de claques de son école. Qu'est-ce qui lui arrivait? Il était Don Verona. Il pouvait choisir n'importe quelle femme qui lui plaisait. Qu'avait donc Cameron Paradise de si spécial?

Ses lèvres, ses yeux, ses pommettes, son corps, ses cheveux, son odeur...

Mon Dieu, il avait un béguin d'adolescent! C'était inattendu.

Et plutôt excitant, car il était devenu blasé récemment. Ce qui avait donné lieu à l'épisode des escortes. Elles venaient, faisaient ce qu'on leur demandait, recevaient leur paiement, et c'était tout. Une transaction toute simple.

Toutefois, il savait que c'était une lubie, une phase qu'il traversait. Ce n'était rien de permanent. Quand Cameron s'était présentée à sa porte, il avait aussitôt été conquis. Depuis, il ne cessait de penser à elle et ne pouvait effacer le sourire de sa figure.

Il était convaincu que s'il jouait adroitement ses cartes, l'avenir serait à la hauteur de ses attentes.

* * *

À dix heures, Mandy appela la salle de montage, le bureau de Ryan et enfin, à court d'idées, la mère de son mari.

Noreen Richards fut aussi avenante et charmante qu'à l'habitude:

— Mandy, quel plaisir d'avoir de tes nouvelles ! Ryan m'a dit que vous aviez un souper d'amoureux hier pour son anniversaire. Les attentions romantiques sont si importantes dans un couple. Avez-vous passé une belle soirée ?

Mandy comprit aussitôt deux choses. Premièrement, Noreen n'était pas au courant de la fête d'hier au restaurant. Et deuxièmement, Ryan n'avait certainement pas passé la nuit chez ses parents, à Calabasas.

— Bonjour, Noreen, dit-elle, prenant rapidement une décision. Je... heu, je me suis dit que ce serait une belle surprise pour Ryan si vous, vos filles et leurs maris veniez souper chez nous ce soir. Une célébration le lendemain du grand jour !

— Ce serait avec plaisir. As-tu prévenu les sœurs de Ryan ?

— Non. En fait, je me demandais si vous pouviez les appeler et me faire savoir qui serait là. Est-ce un problème ?

— Bien sûr que non. Je vais m'en occuper.

— Et Noreen, si vous parlez à Ryan, ne lui dites rien. Je veux que ce soit une surprise.

— Certainement.

— Dix-neuf heures chez nous. À ce soir !

Elle raccrocha, triomphante. Cela montrerait à Ryan à quel point elle se préoccupait de lui.

D'un autre côté, elle devait maintenant trouver un traiteur et passer une soirée entière en compagnie de sa belle-famille. Quel ennui ! Quel était le dicton, déjà ? *Une bonne action ne reste jamais impunie.*

Si c'était la seule façon de calmer Ryan, tant pis. Elle ferait contre mauvaise fortune bon cœur et jouerait le rôle de la parfaite petite épouse, pour une fois. Sans problème.

16

Ryan se demanda où emmener Cameron. Il se dit qu'Hugo, sur Sunset, était l'endroit idéal, puis il se ravisa et opta pour l'hôtel Four Seasons.

Mauvaise décision. Et si l'une des amies de Mandy l'apercevait dans un hôtel en compagnie d'une autre femme?

Dans l'état d'esprit où il était en ce moment, il s'en fichait totalement. C'était un déjeuner tout à fait innocent avec une nouvelle entraîneuse potentielle. Oui, voilà exactement ce qu'il allait faire! Il allait embaucher Cameron pour s'entraîner avec elle, tout comme Don.

Il se gara devant l'hôtel, où un voiturier l'accueillit par son nom. Après lui avoir confié sa Lexus, il informa l'aspirant acteur que la dame dans la Mustang l'accompagnait et qu'il se chargerait des deux voitures.

Cameron se gara derrière lui et il s'approcha de la portière.

— Belle bagnole! Quelle année?

— 1969, répondit-elle. Quatorze ans avant ma naissance, et elle roule toujours! Pas mal, hein?

Après un calcul rapide, il détermina qu'elle avait vingt-cinq ans. Elle semblait mature pour cet âge. Ce n'était pas une écervelée superficielle comme tant de filles. Tout de même... C'était jeune comparé à son âge avancé. Quarante ans, sapristi! Il en était déjà là? Comment était-ce possible?

— C'est un hôtel, ici, fit remarquer Cameron.

— Le meilleur déjeuner en ville.

— Je ne suis pas habillée pour...

— Vous êtes très belle, l'interrompit-il.

Voilà. Il l'avait dit. Un tel compliment faisait-il de lui un vieux pervers? Mais il le pensait vraiment. C'était la femme de ses rêves.

Correction. C'était la femme des rêves de Don.

Merde! Merde! Merde! Qu'est-ce qui lui arrivait? C'était irréel. Et par-dessus le marché, il était marié. Marié, pour l'amour du ciel!

Mais ils pouvaient être amis, non?

Oui, Don adorerait ça. Il pouvait déjà imaginer sa réaction: «Pourquoi diable vas-tu au restaurant avec elle? Laisse-la tranquille, espèce de vieux cochon marié de quarante ans! Elle est à moi!»

— J'ai faim, déclara Cameron, même si ce n'était pas tout à fait vrai.

Elle éprouvait une sensation au creux de l'estomac, mais ce n'était pas de la faim. Plutôt de la fébrilité et de l'impatience.

— Moi aussi, dit Ryan en lui prenant le bras pour entrer dans l'hôtel.

Il la conduisit au restaurant, où le maître d'hôtel lui fit un accueil enthousiaste et leur offrit une de ses meilleures tables, près de la fenêtre.

Un serveur apparut aussitôt avec les menus. Cameron examina les diverses possibilités, le visage caché derrière son menu, en se demandant ce qu'elle faisait là.

Elle avait fait faux bond à Don pour aller déjeuner avec un parfait inconnu qui avait les yeux les plus bleus qu'elle n'ait jamais vus, un sourire en coin et un corps qui semblait en forme sous son complet froissé. Oh, et il avait de belles mains aux longs doigts artistiques, et... merde ! Un de ses doigts portait une alliance. À quoi diable pensait-elle donc ?

— Quelque chose vous tente ? demanda Ryan. Des œufs ou le déjeuner à la française ?

Ce qui me tente, c'est toi, pensa-t-elle en déposant son menu. Leurs regards se croisèrent. Pendant un instant, le temps s'arrêta.

Elle finit par détourner les yeux et marmonner quelque chose au sujet d'œufs bénédictine. Ryan manifesta son accord et commanda la même chose. Puis ils se mirent à parler de cinéma, de littérature, de télévision, de politique, d'art...

Il s'intéressait à une foule de sujets, et elle se montra tout aussi informée. Chaque matin, elle prenait le temps de feuilleter le *New York Times* et *USA Today* afin de pouvoir converser avec ses clients. Elle écoutait régulièrement CNN et était une adepte de la chaîne Discovery. Il s'avéra que c'était aussi le cas de Ryan.

Ils mangèrent avec appétit, sans cesser de discuter. Cameron trouva le moyen d'aller aux toilettes pour annuler les deux rendez-vous qui suivaient celui de Don. Elle s'en fichait. Elle s'amusait, pour une fois. Et plus ils parlaient, plus elle s'apercevait qu'elle appréciait Ryan comme personne, et pas seulement parce qu'il était extrêmement séduisant.

Il était gentil. C'était un chic type.

Et marié, alors, arrête tes fantasmes.

Ils en étaient à leur troisième tasse de café quand le cellulaire de Ryan vibra pour la cinquième fois. Il le prit et vérifia d'où venait l'appel.

— C'est ma sœur. Je ferais mieux de répondre.

Oh, mon Dieu ! Il a d'excellentes valeurs familiales. Il a ignoré tous ses autres appels, mais fait une exception pour sa sœur. Cet homme est parfait, se dit-elle pendant qu'il s'éloignait en parlant au téléphone.

Oui, tout comme Gregg l'avait été à une certaine époque. Jusqu'à ce qu'il se transforme en monstre batteur de femme et tueur d'enfant.

Elle avait perdu son bébé à cause de Gregg. L'énorme chagrin qu'il lui avait infligé était toujours aussi présent. Oublier était trop difficile, trop douloureux. C'était pour cette raison qu'elle n'avait pas établi de relation sérieuse depuis sa fuite d'Hawaï. Elle avait trop peur de souffrir de nouveau.

Les yeux pleins de larmes, elle saisit son sac à main pour prendre ses verres fumés et dissimuler sa vulnérabilité. Ryan revint à la table, le visage morose.

— Tout va bien?

— Ma sœur a besoin de moi, dit-il. C'est une urgence.

— Oh, dans ce cas, je ne te retiendrai pas.

— Je dois aller chez elle, expliqua-t-il en demandant l'addition. Son salaud de mari est sorti de prison hier et lui a fait des menaces.

— Quel genre de menaces? demanda-t-elle avec un frisson.

Cela lui semblait horriblement familier.

— C'est une longue histoire. Son mari est alcoolique et très dépensier, malgré leurs revenus modestes.

— Puis-je venir avec toi? demanda-t-elle, s'étonnant elle-même.

Elle en oubliait qu'elle devait se rendre chez Paradise, où les lignes téléphoniques étaient sur le point d'être installées.

— Pourquoi voudrais-tu m'accompagner?

— Je pourrais peut-être être utile. S'il n'y a que lui et toi, ça risque d'être houleux. Mais ma présence pourrait calmer la situation.

En plus d'être belle, elle avait un grand cœur. Mandy n'aurait jamais été prête à fournir un effort pour rendre service à sa famille. Elle aurait préféré mourir plutôt que de se rendre à Silverlake.

Le serveur apporta l'addition, et Ryan jeta une poignée de billets sur la table.

— Allons-y, dit-il en se levant. Laisse ta voiture ici. On repassera la chercher plus tard.

* * *

— Natalie, ici Don Verona.

Natalie de Barge coinça son cellulaire sous son menton et dit : « Don Verona » à voix basse à l'intention de sa maquilleuse. Cette dernière, qui appliquait soigneusement des cils individuels sur les paupières de la journaliste, se montra impressionnée.

— Bonjour, Don, répliqua Natalie. Que puis-je faire pour vous ?

Elle s'efforçait de garder son calme, même si elle était agréablement surprise que Don Verona lui donne un coup de fil.

— J'ai entendu dire que vous investissiez dans un centre sportif, dit-il en entrant aussitôt dans le vif du sujet.

— Eh bien ! Les nouvelles voyagent vite ! s'exclama-t-elle. Où avez-vous entendu ça ?

— Peu importe. J'aimerais en faire partie.

— De quoi ?

— De cette entreprise. Je voudrais investir. En faire l'endroit le plus couru en ville.

— Écoutez, dit lentement Natalie. C'est gentil, mais je dois d'abord en parler à mon frère. C'est lui qui décide.

— Cole ?

— Vous le connaissez ?

— Non, mais je connais Cameron. Ils sont partenaires, n'est-ce pas ?

— Vous semblez au courant.

— Voici ce que j'aimerais, Natalie, ajouta-t-il, désireux d'aller droit au but. L'anonymat complet. Je suis prêt à être un investisseur silencieux. Je peux investir autant d'argent qu'il leur faudra. Seulement, ils ne doivent pas savoir d'où il provient. Pouvez-vous organiser ça ?

— Don, je ne sais même pas s'ils ont besoin d'un autre investisseur.

— Toutes les entreprises en ont besoin. Il faut assurer le succès de ce gym. Donc, mon gestionnaire appellera le vôtre, et vous direz à votre frère et à Cameron qu'un de vos amis veut participer. Mais ne leur dites pas de qui il s'agit. Pouvez-vous me le promettre ?

— Je suppose que vous n'êtes pas prêt à révéler pourquoi vous voulez investir ? interrogea Natalie en se demandant quelles étaient ses véritables intentions.

— Exactement ! dit-il avec un petit rire.

— Et que vais-je avoir en retour ?

— Que voudriez-vous ?

Elle prit une grande inspiration et se lança :

— Une entrevue exclusive en trois parties, chez vous, à diffuser durant les périodes de sondages.

— Natalie, Natalie, soupira-t-il. Vous savez que je n'accorde pas d'entrevue de fond. Et jamais chez moi.

— Oui ou non ? insista-t-elle.

— Vous êtes dure.

— Je n'ai jamais prétendu le contraire.

— Bon, d'accord.

— D'accord pour quoi ?

— Une entrevue unique de dix minutes au plus. Et au studio, pas chez moi.

— Marché conclu, dit Nathalie.

Elle coupa la communication, abasourdie. Elle n'avait pas de rendez-vous avec Don Verona, mais quelque chose d'encore plus important : une entrevue exclusive avec l'homme qui était connu pour ne jamais en accorder !

C'était tout un exploit. Natalie de Barge était aux anges.

ANYA

S'enfuir de chez Olga ne fut pas facile. Cependant, Velma était une fille brillante, plus intelligente que Sergei et Igor réunis. Elle commença à manipuler quelques-uns de ses clients réguliers, leur racontant des histoires à fendre le cœur entre deux pipes. Elle prétendit avoir une mère malade et un bébé qui mourait littéralement de faim. Comme la jeune fille était très convaincante et douée pour les fellations, les hommes la crurent et se mirent à lui filer de l'argent en douce. Des petits montants ici et là, qui finirent par s'accumuler.

— Tu pourrais faire comme moi, conseilla-t-elle à Anya. Les hommes sont idiots et faciles à berner. Tu n'as qu'à leur faire croire qu'ils t'excitent plus que tous les autres, et tu pourras obtenir ce que tu veux.

Anya hocha la tête, incertaine de ce qu'elle devait faire, à part s'allonger comme une pièce de viande sur un étal, pendant qu'ils prenaient leur plaisir.

Velma lui enseigna quelques trucs, comment se comporter au lit, quoi dire aux hommes pour flatter leur insatiable ego...

Au début, Anya trouva répugnant d'adresser la parole à ces hommes qui étaient si brusques et ne cherchaient qu'une rapide satisfaction à ses dépens. Mais une fois qu'elle commença à débiter les paroles conseillées par Velma, elle constata que l'attitude des hommes changeait. Ils la traitaient plus gentiment, requéraient ses services à leur arrivée. Ils la caressaient même à des endroits où elle ne voulait pas être touchée – sauf par Velma. C'était tout de même plus supportable que d'être uniquement utilisée comme un réceptacle.

Après un certain temps, elle se mit à faire allusion à sa sœur incapable de marcher, à sa mère aveugle depuis un terrible accident. Une fois qu'elle eut commencé, les mensonges lui vinrent aisément. Bientôt, comme Velma, elle empocha de l'argent à l'insu d'Olga.

Pour la première fois depuis l'invasion de sa maison et le meurtre des membres de sa famille, elle avait l'impression d'exercer une certaine forme de contrôle. Velma avait raison. Une fois qu'on apprenait à leur mentir, la plupart des hommes étaient des proies faciles.

Peu à peu, elle accepta le pouvoir sexuel qu'elle détenait et comprit enfin à quel point il était crucial pour sa survie. Il fallut presque deux ans de complots, de planification et d'économies pour arriver à ce qu'un jour Velma décide qu'il était temps de partir. Anya était excitée, mais terrifiée. Et si Olga se lançait à leur poursuite ? Et si l'inconnu se révélait plus dangereux que de satisfaire une suite d'hommes auxquels elle avait fini par s'habituer ? Et le pire de tout : si Velma l'abandonnait ?

Elle était prête à courir le risque. Velma était tout pour elle et elle ne voulait pas la perdre.

Elles partirent à trois heures du matin, lorsque tout le monde dormait dans la maison. Un des réguliers de Velma avait une vieille voiture, et elle l'avait convaincu de les aider à s'enfuir. Un autre client leur avait obtenu de faux passeports. Les talents sexuels de Velma étaient extraordinairement persuasifs.

Leur périple pour sortir de la Pologne fut pénible, surtout lorsqu'ils atteignirent la frontière. Anya craignait que leurs faux passeports soient découverts et qu'on les renvoie là d'où elles venaient. Mais Velma usa de son charme sur les douaniers, avec qui elle badina et échangea des blagues vulgaires. Anya savait que Velma aurait été prête à sortir de la voiture pour les sucer l'un après l'autre si elle avait cru que c'était nécessaire. Ce ne le fut pas. Par contre, après avoir traversé la frontière, le conducteur de la voiture exigea une compensation sexuelle des deux filles avant de les déposer à une gare.

Lorsqu'il fut parti, Velma le traita de sale cochon polonais. Elle était loin d'être reconnaissante pour son aide.

Elles passèrent les jours suivants à bord de trains en direction d'Amsterdam, où Velma affirmait avoir des contacts. Parfois, les wagons étaient acceptables, mais la plupart du temps, ils étaient sales et bondés. Anya commença à se demander si elle avait pris la bonne décision.

Velma n'hésitait pas à pratiquer son métier. Chaque fois qu'elle repérait un client potentiel, elle l'emmenait aux toilettes pour lui prodiguer tous les services qu'il souhaitait.

— C'est de l'argent facile, dit-elle à son amie. Tu devrais faire comme moi.

— Je ne veux pas, rétorqua Anya.

Velma lui jeta un regard sévère.

— Tu feras ce qu'il faut. Sinon, tu continueras sans moi.

Anya se plia donc à ses demandes et se retrouva une fois de plus à satisfaire une série d'hommes, pendant que les divers trains roulaient en bringuebalant à travers l'Europe. À leur arrivée à Amsterdam, elle était épuisée. Mais pas Velma.

— On va se gâter et passer la nuit à l'hôtel, l'informa cette dernière. Demain, on repart à neuf. Demain, on va commencer à gagner de l'argent !

Anya était excitée. Elle n'avait jamais dormi dans un hôtel et se sentait ragaillardie à l'idée d'un véritable lit et d'une douche.

Velma héla un taxi en sortant de la gare. Elle bavarda avec le chauffeur, qui leur recommanda un motel modeste. Une fois dans la chambre, Velma se jeta sur le lit et déclara qu'Amsterdam était le plus bel endroit de la terre.

Anya était bien d'accord.

— Notre place est ici ! annonça son amie.

17

En roulant vers Silverlake, où vivait la sœur de Ryan, Cameron se sentait très à l'aise dans la voiture. C'était presque comme si Ryan et elle étaient de vieux amis, et non deux personnes qui s'étaient rencontrées la veille.

Elle voyait bien qu'il était préoccupé, probablement par sa sœur, et ne voulait pas être indiscrète. Mais il se mit soudain à lui décrire la situation.

— J'ai trois sœurs, et Evie est la plus jeune. Elle est partie de la maison avec ce bon à rien quand elle avait dix-huit ans. À présent, trois enfants plus tard, elle est coincée avec lui.

— Que fait-il ?

— Il boit et dépense tout l'argent qui lui passe entre les mains.

— Je parlais de son métier.

— Cet idiot est cascadeur, et pas très doué. Je suis étonné qu'il ne se soit pas encore tué, car crois-moi, les cascades et l'alcool ne font pas bon ménage !

— A-t-il... menacé ta sœur avant aujourd'hui ?

— Pas que je sache. Mais ça ne m'étonnerait pas.

— Je suis vraiment désolée, dit doucement Cameron.

— Moi aussi, répliqua Ryan avec un air morose.

Le reste du trajet se déroula en silence. Aucun d'eux n'éprouvait le besoin de parler. Ils en auraient bien l'occasion plus tard. Car malgré tout, Cameron était convaincue qu'il y avait un futur pour eux.

* * *

Lucy Lyons Standard avait un plan. Comme son annonce de retour professionnel avait laissé son mari indifférent, elle avait décidé de mettre son projet à exécution sans son aide. Après tout, c'est elle qui avait eu l'idée du film. Pourquoi ne pas s'occuper elle-même du scénario? Ainsi, elle aurait quelque chose à présenter à Ryan. Elle était persuadée qu'en le lisant, il aurait envie d'aller de l'avant.

Phil rejetait fermement toute discussion avec elle sur ce point. Chaque fois qu'elle tentait d'aborder le sujet, il sortait de la pièce.

Pour se venger, elle refusait de préparer ses repas et de partager son lit. Pourtant, ces représailles n'avaient pas un grand impact: leur gouvernante était bien meilleure cuisinière qu'elle, et il devait obtenir des faveurs sexuelles de son assistante asiatique de vingt-trois ans, qui avait de petits seins pointus et un rire d'hyène.

Le problème de Phil, c'est qu'il n'avait aucun goût. Il aurait baisé une plante si elle lui avait jeté un regard invitant. Il était prêt à sauter la femme la plus ordinaire et à lui donner l'impression qu'elle était une déesse. Ce n'était peut-être pas l'homme le plus séduisant du monde, mais les femmes étaient attirées par lui comme des abeilles par le miel. Elles semblaient deviner que Phil était un maître dans la chambre à coucher, qu'il possédait une langue agile dont il savait se servir. Au fil des ans, il avait peaufiné l'art de satisfaire une femme oralement. Il était doué pour trouver les zones érogènes précises et amener une femme au sommet de l'extase.

Lucy roula vers la plage à bord de sa Mercedes blanche, le plus récent modèle décapotable. Phil était généreux pour ce qui concernait les biens matériels, mais l'était moins pour partager son considérable talent. Ç'aurait été si facile pour lui d'offrir de rédiger le scénario à sa place, de l'aider à remettre sa carrière sur les rails.

Mais non. Il s'obstinait à refuser d'en discuter.

À présent, elle était obligée d'embaucher un auteur inconnu, car la femme de Phil Standard pouvait difficilement recourir aux services d'un scénariste de renom. Cela les couvrirait tous deux de ridicule.

Quelques semaines plus tôt, un ami avocat, ou plutôt une connaissance, avait envoyé à Phil des scénarios écrits par son fils étudiant. Phil n'avait pas pris la peine de les consulter. Mais Lucy les avait lus.

Les textes avaient un ton étonnamment original et mordant. Lucy avait été si impressionnée qu'elle était en route pour rencontrer ce jeune étudiant de l'UCLA. Elle voulait discuter de son idée de film avec lui et voir s'il pouvait en écrire le scénario.

D'une façon ou d'une autre, elle était déterminée à montrer à Phil qu'elle pouvait effectuer un retour, avec ou sans son appui.

* * *

Quand Evie leur ouvrit la porte, elle arborait un énorme œil au beurre noir et frissonnait de manière incontrôlable.

Cameron ressentit une sensation de vide dans l'estomac, la même impression qu'elle éprouvait après avoir été rouée de coups par Gregg. Un mélange de peur, de haine et d'impuissance.

Evie avait le même regard affolé lorsqu'elle se jeta dans les bras de son frère en sanglotant.

— Le salaud ! marmonna Ryan, furieux. Où est-il, cet enfoiré ?

— Il est parti, répondit Evie d'une petite voix. Il a pris mon sac à main et a déguerpi.

— Et les garçons ?

— Ils sont à l'école, Dieu merci !

Cameron fit un pas hésitant vers elle.

— Heu... bonjour.

— Je te présente Cameron, s'empressa de dire Ryan. C'est une amie.

— Si on entrait à l'intérieur pour mettre de la glace sur cet œil ? suggéra Cameron d'une voix pleine de compassion.

Evie jeta un regard interrogateur à son frère.

Il hocha la tête.

— Elle a raison.

Ils entrèrent tous les trois dans la maison, qui semblait avoir été frappée par un ouragan. Les meubles étaient renversés, un vase était cassé au milieu du salon, des livres et des CD étaient éparpillés sur le sol.

— Que s'est-il passé ? demanda Ryan.

Il s'efforçait de garder une voix calme, mais les deux femmes savaient qu'il bouillait de rage à l'intérieur.

— Marty est sorti de prison hier, répondit Evie à voix basse. En arrivant à la maison, il était en colère et m'a accusée de ne pas avoir utilisé mes relations pour lui éviter la prison. On s'est disputés, puis il a pris ma carte de crédit et est sorti. Quand il est revenu ce matin, il était encore ivre et puait le whisky. Et aussi...

Elle hésita et jeta un coup d'œil à Cameron.

— Continue, l'encouragea Ryan. Je te l'ai dit, Cameron est une amie.

— Eh bien... Je pouvais sentir l'odeur d'une femme sur lui, dit-elle, les yeux pleins de larmes. Je l'ai accusé, et c'est là qu'il s'est déchaîné et s'est mis à crier comme un fou. Il a saccagé la pièce, m'a frappée, a exigé de l'argent et est parti.

— T'avait-il déjà frappée avant ? demanda Ryan, qui avait peine à contrôler sa colère.

— Non, répondit Evie en évitant de croiser le regard sévère de son frère.

Oui, pensa Cameron. *Il l'a déjà frappée. C'est écrit sur sa figure. Je suis déjà passée par là. Je reconnais les signes.*

— Je te jure qu'il ne le refera plus jamais, déclara Ryan. Jamais!

Ses yeux plus bleus que bleus étincelaient de rage refoulée.

— Il ne voulait pas me faire de mal, protesta Evie d'un air impuissant. Il était frustré.

Bien sûr, se dit Cameron. *Et pourquoi pas se défouler sur toi? Tu es une cible facile. Une femme. Et les femmes ont du mal à se défendre. Elles ne sont pas programmées pour ça.*

— Evie, je m'en fiche totalement! répliqua Ryan en redressant une chaise pour y faire asseoir sa sœur. Frapper une femme, c'est un acte inexcusable et lâche.

— Où est la cuisine? demanda Cameron. Je vais aller chercher de la glace.

Ryan le lui indiqua.

— Elle est gentille, dit doucement Evie, sans vouloir poser de questions.

— C'est ma, heu... mon entraîneuse.

— Oui, je vois que tu es habillé pour t'entraîner.

Ryan éprouva un sursaut de culpabilité. Qu'est-ce qu'Evie allait s'imaginer?

Son téléphone vibra et il le sortit de sa poche. C'était Mandy. Son troisième appel. Elle était inquiète, et il s'en balançait complètement.

— Tu ne peux pas rester ici, déclara-t-il à sa sœur. On va aller chercher les enfants à l'école, puis je vous conduirai chez maman. Quand tout le monde sera en sécurité, je reviendrai ici m'occuper de Marty.

— Je ne veux pas aller chez maman, protesta Evie, paniquée. Elle va penser que j'ai tout raté!

— Mais non, elle va comprendre.

— C'est ce que tu crois, dit la jeune femme en secouant la tête.

Cameron revint avec un balai et un porte-poussière. Elle apportait également un sac de petits pois surgelés qu'elle conseilla à Evie de poser sur son œil. Puis elle se mit à balayer les fragments de verre sur le sol.

Ryan la regardait, médusé. Cette fille était tellement différente de Mandy. Imaginer sa femme faire face à pareille situation avec efficacité et compassion était tout simplement impossible. Pourtant, Cameron semblait savoir exactement comment réagir.

— Je suis plus calme maintenant, déclara Evie en tenant le sac de petits pois sur son œil. Je peux m'occuper de Marty. Je connais mon mari, il va revenir en s'excusant.

Évidemment, pensa Cameron. *Il va te dire à quel point il est désolé, te jurer qu'il t'aime et t'adore. Et aussitôt qu'il sera d'humeur massacrante, il te donnera une autre raclée.*

— Je ne te laisse pas ici. Il n'en est pas question.

— Je t'en prie, Ryan, le supplia Evie. Il le faut. Je peux l'affronter seule.

Ils discutèrent un moment pendant que Cameron rangeait la pièce. Finalement, Evie réussit à le convaincre que tout irait bien.

— Si tu es certaine..., commença-t-il, hésitant à partir.

— Je suis certaine, dit-elle, rassérénée. Va t'occuper de ton... entraînement, et je promets de te donner des nouvelles plus tard.

Elle avança la main pour toucher le bras de Cameron.

— Je suis désolée que tu m'aies vue dans cet état, lui dit-elle. Merci de ton aide.

— Ne t'en fais pas, répondit la jeune femme, qui aurait voulu pouvoir en faire davantage. Je comprends.

Oh oui, je comprends! J'ai vécu la même chose. Et la seule solution, c'est de fuir pendant que tu le peux encore. N'attends pas trop, car une fois que la violence entre en jeu, il est certain qu'elle se produira de nouveau.

Après avoir serré sa sœur dans ses bras et lui avoir fait promettre de l'appeler à n'importe quelle du jour ou de la nuit, Ryan entraîna Cameron vers la voiture.

— Je n'aime pas ça, dit-il en secouant la tête. Penses-tu que je devrais rester et donner une bonne leçon à ce salaud, le faire goûter à sa propre médecine ?

— Elle ne veut pas que tu restes, souligna Cameron. Elle doit parvenir elle-même à ses propres conclusions.

— Tu crois ?

— C'est généralement ainsi que ça se passe.

Il l'observa silencieusement un moment.

— Comment le sais-tu ?

— J'ai... heu... une amie qui a traversé la même épreuve, répondit-elle, prise de court. Elle a fini par se rendre à l'évidence et à s'en sortir.

Ses yeux bleus luisaient intensément pendant qu'il continuait de la fixer.

— C'était toi, n'est-ce pas ?

— Pardon ?

— C'est toi qui as fini par te rendre à l'évidence.

Inexplicablement, ses yeux se remplirent de larmes. Comment le savait-il ? Rien que de penser à ce qui lui était arrivé était trop douloureux. Gregg était dans son passé. Elle était forte, à présent, invincible. Elle ne laisserait jamais personne s'approcher suffisamment d'elle pour la blesser.

C'était son plan, et elle n'avait pas l'intention d'en dévier.

18

Tout était organisé. Mandy avait embauché un chef, trois serveurs et un barman. C'était excessif pour dix personnes, mais peu importe. Elle n'avait pas l'intention de mettre la main à la pâte, et sa gouvernante n'avait pu se libérer pour la soirée à la dernière minute. Mandy aurait bien voulu la congédier, mais il lui aurait fallu former quelqu'un d'autre. Pas question de subir ce cauchemar une fois de plus !

Tout était la faute de Ryan. Au début de leur mariage, elle aurait voulu avoir un couple de serviteurs à la maison, mais il avait refusé catégoriquement. Il aimait trop sa liberté pour avoir des employés en permanence chez lui. Il avait gagné cette bataille. Généralement, elle obtenait gain de cause pour toutes les questions d'ordre familial, mais il arrivait à Ryan d'être inflexible. C'en était un exemple. Pas de domestiques sur place.

Elle était embarrassée à l'idée que ses amies l'apprennent. Lucy et Phil employaient un couple du Guatemala, deux femmes de ménage, une blanchisseuse, une nounou anglaise pour leurs deux enfants et trois assistants qui travaillaient sur place. Lucy affirmait avoir besoin de toute cette aide, avec

Phil qui était l'homme le plus désordonné de la planète, sans oublier les enfants et leur ménagerie.

Impulsivement, Mandy prit son téléphone et appela Lucy, qui répondit immédiatement.

— Je suis dans la voiture, annonça son amie, conduisant d'une seule main sur le volant. Je vais rencontrer un auteur pour mon idée de film.

— Phil est-il au courant ?

— Qu'il aille se faire foutre ! C'est un crétin tyrannique !

— Vous ne vous parlez toujours pas ? demanda Mandy.

— Oh, on se parle, rétorqua Lucy d'une voix glaciale. Sauf que je ne le laisse pas s'approcher de moi dans la chambre à coucher. Et même s'il se console ailleurs, il déteste que je lui refuse sa ration quotidienne.

— Quotidienne ?

Mandy était impressionnée. Les rumeurs sur l'appétit sexuel insatiable de Phil devaient donc être vraies, sans parler de celles sur son énorme pénis. Pas que la taille soit si importante ! De toute façon, Ryan était plutôt bien pourvu dans ce domaine.

Un soir, lors de leur fête de Noël annuelle, Phil lui avait fait des avances dans la salle de bain. Il avait verrouillé la porte en marmonnant qu'elle avait un beau petit cul, l'avait poussée contre le meuble-lavabo et avait tenté d'enfoncer sa grosse langue dans sa gorge.

Elle l'avait repoussé en disant qu'elle n'était pas le genre de femme à tromper son mari, surtout avec un de ses soi-disant meilleurs amis.

Phil, complètement soûl, avait ri à en avoir le visage pourpre. Il avait déverrouillé la porte et informé tout le monde qu'elle était une garce frigide.

Peuh ! s'était-elle dit à l'époque. *S'il savait tout ce que Ryan et moi faisons dans l'intimité. Frigide, mon cul !*

Bien entendu, c'était au début de leur mariage, avant les fausses couches et la perte de leur bébé. Avant que la routine ne s'installe et que le sexe entre Ryan et elle ne perde tout intérêt.

Par contre, si Ryan était insatisfait de leur vie sexuelle, elle ferait mieux d'agir pour y remettre du piquant. Il avait proféré le terrible mot de «divorce», ce qui était carrément impensable. Elle était consciente qu'il était ivre et furieux à ce moment-là, et ne pensait sûrement pas ce qu'il disait. Pourtant...

Elle ne pourrait supporter les cris de triomphe de son père s'ils divorçaient. «Je t'avais prévenue que c'était un raté! crierait probablement Hamilton. Un raté au sperme anémique!»

Hamilton ne manquait jamais une occasion de répéter que les fausses couches et le bébé mort-né étaient le résultat des faibles spermatozoïdes de Ryan. Même sa fille était étonnée qu'il emploie des termes aussi ignobles.

Avec un soupir, elle se demanda comment s'y prendre pour se réconcilier avec Ryan. La première étape était le souper de famille. Maintenant que tout était organisé, elle ne voyait pas pourquoi elle devrait subir cette épreuve toute seule.

— Êtes-vous libres soir? demanda-t-elle à Lucy.

— Pourquoi?

Lucy avait appris à ne jamais dire oui à une question avant d'en connaître la raison. Surtout quand la question provenait de Mandy.

— J'organise un petit souper intime pour Ryan, répondit cette dernière d'un ton enjôleur. Chez nous, ce soir. J'aimerais que vous veniez, Phil et toi.

Lucy réfléchit un instant avant de répondre. Un souper intime chez les Richards serait l'occasion parfaite de coincer Ryan et de lui parler de son synopsis.

— Ce serait avec plaisir, répondit-elle en ralentissant à l'approche de sa destination. Je vérifie avec Phil et je te rappelle.

— Parfait, dit Mandy, soulagée à l'idée de ne pas recevoir sa belle-famille seule.

Sans compter que les Standard étaient toujours des invités de choix. Une ancienne grande vedette du cinéma et un scénariste détenteur d'un Oscar. La famille Richards n'aurait jamais cette chance.

* * *

Assis dans son bureau, face à la vue panoramique de Burbank, Don était irrité et s'en prenait à son entourage. Il se plaignait que son café était tiède, que sa pâtisserie danoise était rassise, que l'air conditionné était trop froid et que la liste d'invités pour l'émission de la soirée était médiocre.

— Que se passe-t-il ? Tu t'es levé du mauvais pied ? demanda son producteur, Jerry Mann.

Jerry, fin de la cinquantaine, chauve, bronzé et décontracté, avait beaucoup d'expérience dans le milieu. À l'époque, il avait travaillé avec Carson, Griffin et Letterman. Ce producteur de la vieille école était plus informé et intelligent que la plupart des gens, et savait tout ce qu'il y avait à savoir sur les émissions de variétés. Rien ne parvenait à le démonter, et c'est pourquoi Don aimait travailler avec lui. Ils étaient partenaires dans cette émission que Don n'avait pas voulu faire au début. Quelques mois après s'être laissé convaincre par le dirigeant du réseau, il avait vu ses cotes d'écoute grimper. À présent, huit ans plus tard, il était au sommet. Son ambition initiale était de devenir journaliste pour un réseau comme CNN, de couvrir les zones de guerre et les points chauds de la planète. Mais le destin lui avait fait prendre une tout autre direction.

— Je n'ai pas fait mes exercices, ce matin, grommela-t-il. Mon entraîneuse ne s'est jamais présentée.

— Tu te prends pour un cheval ? lança Jerry. Monte sur une des machines que tu as à la maison et fais-le toi-même !

— Il a besoin de Cameron, intervint Jill Kohner, la productrice qui la lui avait recommandée. C'est la meilleure entraîneuse en ville. Elle te pousse à en faire toujours davantage. N'est-ce pas, Don ? Es-tu reconnaissant ? Si je peux me permettre, je t'ai rendu un fier service !

— Ouais, répliqua Don en s'efforçant de ne pas avoir l'air trop enthousiaste. Cameron est très motivante.

— Tout le monde croit qu'elle est lesbienne, confia Jill avec un petit rire entendu, comme si elle en savait plus qu'elle en disait. Elle ne sort avec personne, ne parle jamais des hommes... Qu'en penses-tu ?

Je pense que j'ai envie d'effacer ce sourire narquois de ton visage ! La fille de mes rêves n'est pas lesbienne !

Enfin, je l'espère.

Était-ce possible que ce soit la raison de ses refus continuels à ses invitations ? Cameron Paradise était-elle une lécheuse de chatte, une lesbienne ?

Non !

Peut-être.

Oh, merde ! Ce serait toute une nouvelle ! Pourtant, quand il lui avait posé la question... qu'avait-elle répondu, au juste ?

Il tenta de s'en souvenir. Quelque chose du genre : « Comme je ne veux pas sortir avec toi, tu présumes automatiquement que je suis lesbienne. »

— Don ? insista Jill. Quel est ton avis ?

Jill n'allait pas lâcher le morceau. Elle attendait probablement son opinion d'expert, car en ce qui concernait les femmes, tout le monde savait que Don Verona était un expert. Du moins, c'est l'impression qu'il donnait.

— Je n'y ai jamais réfléchi, répondit-il du ton le plus désinvolte possible. Elle est très compétente et c'est tout ce qui compte pour moi.

Personne ne devait se douter qu'il aimait beaucoup Cameron.

— Oui, et elle va ouvrir son propre studio d'entraînement, dit Jill avec enthousiasme. J'ai tellement hâte !

— Va-t-on parler de l'émission de ce soir ou non ? demanda Don pour changer de sujet.

La vérité, c'est qu'il était froissé que Cameron ait annulé leur séance de ce matin. Il ne voulait plus entendre un mot à son sujet.

— Birdy Marvel, dit Jerry en toussotant. Elle va interpréter une chanson de son prochain CD, qui sort la semaine prochaine. Ensuite, tu pourrais faire une courte entrevue avec elle ?

— Non ! se récria Don. Pas question que je parle à cette chanteuse pop écervelée que tu as tenu à inviter. Une chanson, et elle s'en va. Elle ne posera pas son cul déculotté sur mon canapé. C'est compris, tout le monde ?

— Oui, Don, dit Jill.

Elle trouvait son patron plutôt sexy quand il était de mauvaise humeur. Elle se demanda qui il baisait ces temps-ci. Selon les rumeurs, il avait eu recours à des prostituées récemment. C'était compréhensible. Les médias étaient impitoyables envers les gens célèbres et se plaisaient à disséquer leurs relations amoureuses.

— Comme tu voudras, dit Jerry en haussant les épaules. Mais je te préviens que son bassin d'admirateurs est considérable.

— Je m'en fiche. Alors, c'est clair ? Une chanson et au revoir !

* * *

— Plus vite ! grogna Phil.

Un son étouffé lui parvint de la jeune Asiatique accroupie entre ses jambes.

— J'ai dit plus vite ! insista Phil.

La bouche de la jeune femme se resserra sur son membre et elle s'efforça d'accélérer le rythme.

Non, il n'y arriverait pas. Elle n'avait tout simplement pas le tour. Aucune technique. Et lorsqu'une femme n'avait pas de technique, il ne pouvait pas prendre son pied.

Il se sentit ramollir et la repoussa.

Elle rit nerveusement. Lucy l'accusait d'avoir un rire d'hyène et elle avait raison, comme d'habitude.

Lucy, elle, savait tailler des pipes. Des pipes de vedette de cinéma. Même si elle n'était plus une vedette. C'était précisément pour cette raison qu'ils se disputaient, parce qu'il ne voulait pas l'aider à retrouver ce statut.

Phil Standard n'était pas idiot. Il avait une femme extrêmement belle, sexy et talentueuse, et ne voulait pas la partager avec un public vorace. Lorsqu'il avait rencontré Lucy, il y a dix ans, elle était à l'apogée de sa carrière, entourée d'agents, de réalisateurs, d'acteurs séduisants, d'agents publicitaires, de producteurs, de stylistes, de maquilleurs et de toute une bande de parasites. Il avait réussi à l'attirer loin de cet entourage et à la faire tomber amoureuse de lui. Puis il l'avait mise enceinte et l'avait épousée. Il était parvenu à la détourner de toutes ces conneries du monde du cinéma pour lui faire mener une existence normale. Enfin, aussi normale que possible dans leur milieu. En tant que scénariste à succès, il n'avait jamais senti le besoin d'avoir toute une clique autour de lui, et s'était peu à peu débarrassé de celle de sa femme.

Leur vie était plutôt agréable. Une belle maison, des amis intéressants, deux préadolescents qui ne leur avaient pas causé trop de problèmes jusqu'ici, des animaux de compagnie... De plus, il donnait à Lucy tout ce qu'elle désirait. Une nouvelle voiture, une maison au bord de la mer, des vacances à Bali, des vêtements, chaussures et sacs à main griffés... Elle pouvait acheter tout ce que bon lui semblait.

Et tout à coup, cette bombe: elle voulait reprendre sa carrière.

Non! Il n'en était pas question.

Une carrière exposerait sa femme à toutes sortes de tentations. Même s'il trouvait normal de batifoler à gauche et à droite, car dans son cas, ça n'avait pas d'importance, ce n'était pas acceptable que Lucy agisse ainsi. En ce qui concernait sa femme, Phil Standard était férocement jaloux.

— Ça suffit, Suki, grogna-t-il quand la jeune femme tenta de le masturber. Je n'en ai plus envie.

Suki s'extirpa de sous le bureau en rampant.

— Qu'est-ce que j'ai fait de mal, Phil ? demanda-t-elle avec une mine chagrinée.

— Ce n'est pas toi, c'est moi, dit-il, recourant au plus célèbre des clichés.

— Je pourrais...

— Non, Suki, dit-il en remontant la fermeture éclair de son pantalon. Pas aujourd'hui.

* * *

— Bonjour, dit Lucy.

Elle contempla le jeune homme qui venait d'ouvrir la porte du chalet délabré de Venice. Vêtu d'un t-shirt déchiré de l'UCLA et d'un jean délavé, il était pieds nus. Ses cheveux blonds décolorés étaient emmêlés et humides, comme s'il venait de sortir de la douche.

Elle s'était attendue à un gars du genre studieux, pas à un tel étalon !

— Je suis Lucy Standard, annonça-t-elle.

— Enchanté de vous... de faire votre connaissance, madame, dit-il en lui serrant la main.

Madame ? Il n'était pas sérieux ?

— Entrez, dit-il avec une pointe d'accent du Sud. Excusez mon humble demeure, mais comme mon père me l'a appris, il faut faire son chemin seul dans la vie. Il n'y a pas de cadeaux !

— En effet, répliqua-t-elle en entrant. Ton père est un excellent avocat.

— Oui, ma mère me l'a toujours répété, même s'ils ont divorcé quand j'avais sept ans.

— Quel dommage !

— Il a déménagé à L.A., et je suis resté au Tennessee avec ma mère. Maintenant que je suis à L.A., je me suis rapproché de lui.

— C'est bien, dit Lucy en observant le studio lumineux surplombant la promenade de Venice.

Il y avait un futon au milieu de la pièce, des piles de vêtements, de journaux et de magazines, un vieux bureau en pin couvert de livres, ainsi qu'un ordinateur et divers appareils électroniques.

— Je devrais t'expliquer en quoi consiste mon projet, déclara-t-elle en remarquant l'épaisse couche de poussière qui couvrait tout sauf le bureau.

— Allez-y. Je suis prêt à tout !

— Ça ne m'étonne pas, murmura-t-elle.

Était-ce répréhensible d'avoir des pensées impures à propos d'un beau gars à peine sorti de l'adolescence ?

— Quel âge as-tu, au fait ? demanda-t-elle d'un air désinvolte.

— Est-ce que l'âge fait une différence, madame Standard ?

— Appelle-moi Lucy et cesse de me vouvoyer, s'empressa-t-elle de répliquer. Heu, non, ça ne fait aucune différence. C'est seulement que...

— Oui, je sais, dit-il avec un sourire de gamin. Ma mère dit toujours que j'ai l'air plus jeune que mon âge. Mais tu as aimé mes scénarios, n'est-ce pas ?

— C'est pour cette raison que je suis ici.

— L'âge n'est pas un problème, alors ? Je ne veux pas me vanter, mais j'ai bien plus à offrir qu'un vieux croûton fini de trente-cinq ans !

Il pensait que trente-cinq ans était vieux ! Ce qui signifiait qu'il la considérait probablement comme une vieille bonne femme. Charmant !

— J'ai dix-neuf ans, ajouta-t-il avec un sourire désarmant. Et je suis prêt à conquérir Hollywood ! Alors, madame... heu, Lucy, si on commençait ?

19

—O ù étais-tu ? demanda Cole d'un ton glacial. J'ai dû annuler deux clients et me précipiter ici en vitesse.

—Je suis désolée, dit Cameron, soudain envahie par la culpabilité. Un ami avait... heu... une urgence. Je suis allée l'aider.

— Quel ami ? demanda Cole avec un regard méfiant.

Il n'y avait pas de secrets entre eux. Du moins, c'est ce qu'il croyait.

— C'était, heu... Katie et Jinx. Ils ont eu une dispute ridicule, mentit-elle. J'ai dû aller chez eux pour les empêcher de s'entretuer.

Pourquoi ne disait-elle pas la vérité à Cole ? Qu'elle avait eu le coup de foudre pour quelqu'un qui était marié et pas du tout disponible. Et qu'elle ne pouvait donc rien faire.

— Et ton cellulaire ne fonctionnait pas ? Tu aurais pu m'avertir que tu ne serais pas ici ! Le type de la compagnie de téléphone m'a appelé parce qu'il ne savait pas à quel endroit devait aller telle ou telle ligne. C'est toi qui t'occupes de ce dossier. J'ai dû partir au beau milieu d'une séance d'entraînement avec le dirigeant d'un réseau. Je te dis qu'il n'était pas content !

— Oh, fit Cameron, embarrassée. Mon téléphone devait être éteint.

— Je t'ai laissé trois messages, dit Cole d'un ton accusateur, avec une expression boudeuse sur son beau visage.

— Oui, je vois ça, répliqua la jeune femme en consultant ses messages. Trois de Cole et deux de Don.

— Il faut que je retourne travailler. Alors, si tu es certaine de ne pas avoir d'autres urgences à régler..., dit-il d'un ton sarcastique.

— Je suis certaine, trancha-t-elle.

Avait-il remarqué qu'elle ne pouvait s'empêcher de sourire, pour une raison inconnue ? Rien ne s'était pourtant passé entre Ryan et elle ; simplement une affinité incroyable, une rencontre de deux esprits, l'impression qu'elle pourrait passer vingt-quatre heures par jour en sa compagnie sans jamais se lasser.

Après avoir quitté Silverlake, ils avaient continué de parler. Elle ne lui avait pas révélé trop de détails, ne s'en sentant pas la force.

Il n'avait pas insisté. Ryan Richards était spécial ; elle l'avait senti dès leur première rencontre.

À leur retour à l'hôtel où elle avait laissé sa voiture, il lui avait demandé de lui réserver du temps pour un entraînement personnel.

— Bien sûr, avait-elle répondu.

Dieu merci ! s'était-elle dit. *Marié ou pas, au moins, je vais le revoir.*

Ils s'étaient entendus pour se voir à 18 h, cinq jours par semaine. Pour ce faire, elle devait annuler un client déjà prévu à cette heure. Mais dans l'état où elle était, elle aurait été prête à annuler Brad Pitt.

Puis il mentionna que leur déjeuner et leur virée à Silverlake devraient demeurer entre eux.

Elle avait acquiescé.

Une seule journée, et ils avaient déjà des secrets. Pourquoi cela faisait-il battre son cœur plus fort ?

Tu dévies de ta trajectoire.

Mais non.

Pardon ? Tu ouvres ton propre studio dans quelques semaines, et il reste des milliers de trucs à finaliser. Pourtant, tu passes la matinée à bavarder avec un parfait inconnu.

Ce n'est pas un inconnu. C'est un nouveau client. J'ai besoin de tous les nouveaux clients qui se présentent.

Qui penses-tu berner ?

Sa conversation avec elle-même fut interrompue par l'entrée de Lynda, accompagnée de Carlos. Lynda était tout sourire et Carlos avançait de sa démarche fière de macho.

— Oh ! C'est superbe, ici ! s'exclama Lynda. Nous fais-tu visiter ?

Elle avait une allure fougueuse avec sa camisole moulante rouge et un jean étroit qui soulignait son postérieur à la Jennifer Lopez.

— D'accord, répondit Cameron. Du moment que vous ne trébuchez pas sur les fils par terre !

— Hier, c'était ma dernière journée chez Bounce ! annonça la jeune fille en ébouriffant ses épais cheveux bruns frisés. Je crois que monsieur Autobronzant se doute de ce qui se passe.

— Eh bien, il ne pourra rien y faire. Aucun de nous n'a signé de contrat.

— Il dit que c'est un détail. Il veut vous poursuivre, Cole et toi, pour perte de clientèle.

— Qu'il essaie ! rétorqua calmement Cameron. Je ne suis pas inquiète. Et toi ?

— Moi non plus ! dit Lynda avec vigueur. J'ai très hâte de venir travailler ici, tu peux me croire !

Carlos lui donna un coup de coude peu discret.

— Ah, oui ! poursuivit-elle. Carlos a rencontré un entrepreneur, un type qui a sa propre compagnie et gagne beaucoup d'argent. Et on se disait...

— Non ! l'interrompit Cameron. Plus de rendez-vous arrangés !

— Tu te trompes! protesta Lynda avec un air peiné. Ce gars est un entrepreneur en construction. Carlos s'est dit qu'il pourrait peut-être vous aider ici.

— Oui, renchérit Carlos. Il se fait payer comptant uniquement, mais ses prix sont bons et il est rapide. Tu devrais le rencontrer.

— Qu'en penses-tu? demanda son amie.

— Je vais noter son numéro.

— Il est plutôt beau, ce qui ne gâte rien, dit Lynda en riant. Du genre Tony Soprano.

— Oh, pour l'amour! soupira Cameron.

— Je t'ai eue! s'écria Lynda en s'accrochant au bras de Carlos. Mais non, il est marié! Alors, même si tu tombais follement amoureuse de lui, il est déjà pris!

Oui, se dit Cameron. *Tout comme Ryan. Il est marié et inaccessible, alors pourquoi même y penser?*

Parce que je ne peux pas m'en empêcher, voilà pourquoi.

* * *

Ryan louait des bureaux dans un petit immeuble du boulevard Ventura. Cela lui convenait très bien, car lorsqu'il était en période de production, il y avait suffisamment d'espace supplémentaire à louer. Et lorsqu'il se trouvait entre deux projets, il prenait soin de réduire ses dépenses au minimum, en ne gardant que deux bureaux et une assistante. Il n'avait jamais été du genre à gaspiller de l'argent. Tout était investi dans le film sur lequel il était en train de travailler. Cela irritait Mandy. Elle estimait qu'il aurait dû avoir des bureaux grandioses comme son père pour impressionner les investisseurs potentiels. Et selon elle, il devrait s'attribuer une plus grande part du gâteau durant la production d'un film.

Ryan refusait de travailler de cette manière. Si ses films rapportaient de l'argent, il en bénéficierait. Sinon... eh bien, il n'allait certainement voler personne. Et pourquoi

Mandy s'inquiétait-elle ? Elle avait suffisamment d'argent de son côté.

Son assistante, Kara, une femme noire compétente qui travaillait pour lui depuis plus de dix ans, lui tendit ses messages. Il s'enferma dans son bureau et consulta la liste. Il y avait les appels professionnels habituels, ainsi que ceux de Don, de Phil et deux de la part de Mandy. Comme elle avait déjà laissé trois messages sur son cellulaire, elle était de toute évidence inquiète, et sûrement en colère. Eh bien, tant pis, il l'était lui aussi.

Il repensa à son repas avec Cameron. Il y avait eu un lien immédiat entre eux, et il était certain qu'elle l'avait aussi senti. Cependant, il ne pouvait aller de l'avant avec elle avant d'avoir informé Mandy qu'il voulait la quitter.

Mon Dieu ! S'il était honnête avec lui-même, il savait qu'il avait simplement retardé l'inévitable. Leur mariage était fini. Mandy devait sûrement s'en rendre compte ? Son refus d'inviter sa famille à son quarantième anniversaire avait été le signal qu'il attendait. Il était temps de mettre un terme à cette union.

Il prit le téléphone et appela sa femme.

Il s'était attendu à des cris, mais tomba au contraire sur la gentille Mandy, la charmante Mandy, celle qui faisait rarement son apparition ces temps-ci.

— Tu vas bien ? demanda-t-elle, pleine de sollicitude et de retenue.

— Je vais bien, répondit-il prudemment.

— J'étais inquiète en voyant que tu ne rentrais pas, hier soir.

Il toussota et lui dit :

— Écoute, Mandy. Il faut qu'on se parle.

Ah..., pensa Mandy. *Il faut qu'on se parle.* Les mots qu'aucune femme n'a envie d'entendre.

— D'accord. Mais d'abord, je veux que tu saches que ta famille vient manger à la maison ce soir.

— Quoi ? balbutia-t-il, surpris.

— J'ai essayé de t'en parler hier soir, poursuivit-elle d'un ton volontairement blessé. Mais tu n'étais pas d'humeur à m'écouter.

Merde ! Était-elle sérieuse ? Sa famille. Chez lui. Aurait-il mal jugé Mandy ?

— Ils seront tous là ?

— Oui, tous. J'ai parlé à ta mère il y a cinq minutes, et elle m'a assuré que tout le monde viendrait. Je voulais te faire la surprise, mais tu étais si fâché hier que je préfère te prévenir. C'était planifié depuis des semaines.

Elle prit une longue pause, puis demanda :

— Es-tu content, chéri ?

Elle ne l'appelait jamais chéri, mais l'occasion l'exigeait. Elle voulait qu'il se sente le plus mal possible de l'avoir traitée ainsi. Ryan Richards avait besoin d'une bonne dose de culpabilité.

— Heu, oui.

Zut ! Il l'avait engueulée parce qu'elle n'avait pas invité sa famille, alors qu'elle planifiait cette soirée tout ce temps-là ! Pourquoi Evie n'avait-elle rien dit ?

Probablement parce qu'elle avait l'esprit ailleurs.

— Je ne sais pas quoi dire, marmonna-t-il.

— Ce n'est pas grave, dit sa femme d'un ton magnanime et indulgent. Tu étais fâché. Tu croyais que j'avais mis ta famille de côté. Tu aurais dû savoir que je ne ferais jamais ça !

Sapristi ! Il se sentait comme le pire des salopards. Il avait eu toutes ces pensées négatives à son égard, avait même songé à divorcer... et maintenant, ça !

— Quand vas-tu rentrer ?

— Plus tard.

— Pas trop tard ! Tu dois avoir le temps de prendre une douche et de te préparer. Ils seront ici à dix-neuf heures.

Il aurait voulu qu'elle retrouve son côté acariâtre habituel, mais non. Elle raccrocha, le laissant avec le ventre noué par le sentiment d'être piégé.

Coincé dans un mariage avec une femme qu'il n'aimait pas. Et il semblait n'y avoir aucune solution.

* * *

En revenant de Venice, Lucy se sentait ragaillardie. Sa rencontre avec Marlon – oui, c'était son nom, car sa mère était apparemment une grande fan de Marlon Brando – avait été tellement stimulante ! En effet, il avait compris. Il avait parfaitement saisi son intention. De plus, il avait fait des suggestions différentes et audacieuses pour améliorer l'histoire. Il y avait certainement des avantages à travailler avec quelqu'un d'aussi jeune. Marlon n'était pas blasé et avait une attitude enthousiaste qui lui plaisait.

Elle se dit soudain que s'il rédigeait un scénario d'enfer, elle n'aurait pas besoin de Phil ni de Ryan. Elle chargerait son agent de faire le tour des productions et des réalisateurs avec son nom à elle comme vedette du film, puis ils choisiraient la meilleure proposition.

Toutefois, elle devait admettre que l'idée de travailler avec Ryan lui souriait. Il était sensible dans son approche avec ses actrices, et elle avait besoin, impérieusement besoin de ce genre de sensibilité.

Hum..., se dit-elle. *Et si Phil acceptait d'être consultant scénariste pour faire preuve de bonne volonté à mon égard ?*

Elle prit son téléphone cellulaire pour appeler son mari infidèle.

— Où étais-tu ? demanda-t-il, apparemment contrarié qu'elle ne soit pas à la maison pour s'occuper de ses moindres besoins.

Il était trop tôt pour lui révéler ses plans.

— Je faisais des courses.

— Encore ? Tu n'as pas tout ce qu'il te faut ?

— Pas tout à fait, répondit-elle. Oh, en passant, Mandy et Ryan nous ont invités à souper ce soir. Juste un petit groupe. Ça te va ?

— Comme tu veux.

Ce que je veux, c'est reprendre ma carrière.

— Parfait. Dis à ton assistante d'appeler Mandy pour confirmer.

— Es-tu en route vers la maison ?

Es-tu en train de baiser tout ce qui bouge ?

— Je serai bientôt là.

* * *

— Tu as gâché ma journée ! déclara Don.

Il fit signe à tout le monde de sortir de son bureau pendant qu'il parlait à Cameron au téléphone.

— Pourquoi donc ?

— Hier soir, à la fête de Ryan, il me semblait qu'on s'entendait bien, tous les deux, dit-il en pianotant sur son bureau. Et ce matin, tu m'as laissé tomber. Ce n'était pas gentil.

— Je suis désolée, murmura-t-elle.

Elle avait l'impression de s'excuser auprès de tout le monde aujourd'hui.

— Ça ne suffit pas, répliqua-t-il d'un ton faussement sévère. Qu'est-ce qui était si important ce matin ?

Lui révéler qu'elle lui avait posé un lapin pour aller au restaurant avec Ryan n'était pas une option. Elle savait qu'elle lui plaisait, et s'il insistait, c'était surtout parce qu'il n'arrivait pas à ses fins. Elle savait également que Ryan et lui étaient très proches. Mais que pouvait-elle y faire ? Ce n'était pas sa faute si elle était attirée à ce point par Ryan. Contrôler ses émotions n'était pas toujours possible.

— J'ai eu un empêchement d'ordre personnel. Je serai là demain matin.

— Puis-je faire quelque chose pour t'aider ?

— Non, merci de le proposer.

— Tu es certaine ?

Il aurait aimé qu'elle se confie un peu plus. Elle était tellement évasive. Ça le mettait hors de lui.

— Tout à fait, répondit-elle fermement.

— Je pourrais t'inviter au restaurant ce soir, suggéra-t-il.

Il avait l'impression d'être le boutonneux de l'école suppliant la reine du bal de sortir avec lui.

— Je peux payer mon propre repas, merci.

Il la prenait probablement pour une chipie, mais elle n'y pouvait rien. Elle n'avait que Ryan en tête.

— Quel est ton problème ? éclata-t-il. Tu es sacrément indépendante !

— Qu'y a-t-il de mal à être indépendante ? répliqua-t-elle, distraite par l'employé de la compagnie de téléphone qui tentait d'attirer son attention.

— Rien, mais...

— Je dois y aller, dit-elle brusquement.

— Comme tu voudras, ma chère, riposta-t-il, soudain furieux qu'elle le rejette avec autant de facilité.

Jill avait peut-être raison... Et si elle était lesbienne ?

— Je dois raccrocher, s'empressa-t-il d'ajouter avant de se couvrir davantage de ridicule.

— Je serai là demain à la première heure, lança-t-elle d'un ton désinvolte.

À la première heure, mon cul ! pensa-t-il amèrement en coupant la communication. Il en avait assez de courir après elle. C'était ridicule. Il pouvait avoir toutes les femmes qu'il souhaitait, et celle qu'il voulait était probablement lesbienne. Alors, tant pis ! Il allait arrêter avant de devenir fou.

Il appela son assistante et lui dit d'un ton sec :

— Mets-moi en contact avec Mary Ellen Evans.

Une chose était certaine. Ce soir, il allait s'envoyer en l'air.

ANYA

Durant plusieurs jours sereins, Anya découvrit les joies de vivre dans une véritable ville, où il y avait des choses à voir et des endroits où se balader. C'était l'été, et Amsterdam était magnifique avec ses canaux tortueux, ses vieux immeubles fascinants et ses nombreux musées. Anya avait l'impression d'être entrée dans un autre univers – un monde où les gens marchaient sur les trottoirs, roulaient à bicyclette, se promenaient dans les parcs et n'étaient pas obsédés par le sexe. Un monde où, pour la première fois depuis la mort de ses parents, elle se sentait comme un être humain et non comme un simple objet. C'était un tel soulagement d'être libre, ne serait-ce que temporairement !

Velma l'avait avertie qu'elle était en train de s'occuper de leur avenir.

— Nous allons gagner beaucoup d'argent ici. C'est important que j'organise notre vie comme il faut.

Chaque matin, Velma quittait le petit hôtel où elles s'étaient installées, ne revenant que tard le soir.

Anya ne se sentait pas seule. Elle était aux anges, car explorer la ville par elle-même était excitant. Velma, qui était responsable de leur argent durement gagné, lui remettait une petite somme chaque jour pour qu'elle puisse se payer un repas, en lui disant de bien s'amuser.

— Bientôt, tu travailleras si dur que tu n'auras le temps de rien voir.

Anya ne demanda pas à son amie ce qu'elle fabriquait chaque jour. Elle lui faisait entièrement confiance.

Lors de leur troisième soirée à Amsterdam, Velma ramena un homme à leur petite chambre d'hôtel. C'était un Turc, grand et mince, avec de longs cheveux huileux noués en queue de cheval, une barbe clairsemée, le visage grêlé et le regard fuyant.

— Voici Joe, annonça Velma. Il sera notre protecteur.

— Notre protecteur ? balbutia Anya. Je ne comprends pas.

Mais elle saisit rapidement la situation. Velma avait décidé qu'elles avaient besoin de quelqu'un d'astucieux qui connaissait la ville et le fameux quartier des prostituées. Quelqu'un qui pourrait les aider à se lancer dans une carrière lucrative. Joe était cette personne.

Au cours de ses va-et-vient en ville, Velma s'était renseignée dans les environs, et le nom de Joe n'avait cessé de surgir. Elle avait fini par le repérer et l'avait informé que son jour de chance était arrivé. Il avait toisé Velma des pieds à la tête en hochant la tête d'un air approbateur.

— Je peux m'occuper de toi. Je te fournirai une chambre, de la protection et tout ce qu'il te faudra. En échange, tu me remettras soixante pour cent de tes gains.

— Je n'ai pas l'intention d'être une pute dans une fenêtre, avait dit Velma. Je veux plus que ça.

— Quoi donc ?

— Moi et une autre fille. Très jeune et très belle. On donne un spectacle porno. Ensuite, le plus offrant peut la baiser. Est-ce que ça te dirait de nous faire connaître ? Partenaires à cinquante pour cent ?

Oui, Joe était d'accord. Mais d'abord, il voulait voir cette fille qui était si jeune et belle, selon Velma.

Ce jour-là, Anya avait marché dans toute la ville. Elle avait visité le musée Van Gogh et s'était émerveillée devant les tableaux, avait nourri les pigeons sur la place du Dam, avait admiré le palais royal et avait regardé le pont Magere se lever et s'abaisser plusieurs fois. Enfin, elle était entrée dans un café où une grande sélection de marijuana légale figurait au menu.

À son retour à l'hôtel, elle avait la tête remplie de rêves quant à son avenir avec Velma. Cette dernière avait parlé de spectacles à deux filles, mais à présent, Anya n'en était plus certaine. Il y avait tant de choses qu'elles pouvaient faire !

— Déshabille-toi, ordonna Velma. On va montrer à Joe certaines de nos astuces sexuelles.

— Non, l'interrompit Joe en léchant ses lèvres minces. Toi, déshabille-la. Et vas-y lentement.

Anya tenta de cacher les larmes qui lui montaient aux yeux. Elle avait tellement espéré que son statut d'objet sexuel était chose du passé. Et maintenant, cet homme à l'air menaçant la fixait de ses petits yeux injectés de sang, s'attendant à ce qu'elle fasse des choses qu'elle détestait. Elle aurait dû se douter qu'il lui serait impossible de sortir de l'industrie du sexe. Comme elle avait été naïve de s'imaginer le contraire !

— Viens, ma petite, la cajola Velma en retirant ses vêtements. Fais semblant qu'on est seules, toi et moi, en train de faire tous les trucs que tu aimes tant. On va lui montrer comment on fait l'amour.

Anya hocha faiblement la tête, les yeux remplis de larmes d'impuissance. Le sexe avec Velma était quelque chose de spécial et d'intime. Partager cela avec d'autres gâcherait tout.

Le cœur gros, elle comprit qu'il n'y avait pas d'issue. Il n'y en avait jamais eu.

20

Les paparazzis suivaient Mary Ellen Evans partout où elle allait. C'était la proie idéale. Une vedette populaire de la télé, célibataire, récemment et publiquement abandonnée par son mari acteur de cinéma, qui s'était aussitôt acoquiné avec sa séduisante covedette. La presse adorait présenter Mary Ellen comme la pauvre petite victime. La photo d'elle se baladant sur la plage, avec une expression mélancolique, uniquement accompagnée de son petit chien, avait permis de vendre des centaines de milliers de magazines.

Cela l'enrageait. C'est pourquoi elle avait résolument décidé de mettre le grappin sur Don Verona. C'était un des rares célibataires de Hollywood (il avait été marié deux fois, mais ça ne comptait pas) qui pouvait l'aider à remplacer son image de ratée pathétique en peine d'amour par celle de fille privilégiée.

Elle avait besoin de lui et ne voyait pas pourquoi cela ne fonctionnerait pas. Après tout, elle était libre et désirable.

Lorsque Don l'appela à la dernière minute pour l'inviter à sortir le soir même, elle eut envie de lui dire non. Puis elle se dit : « Pourquoi pas ? » Aussi bien sauter sur l'occasion. Elle avait déjà compris à quel point il était insaisissable et fuyant.

Ce serait leur troisième rendez-vous, et le sexe serait donc assurément au menu. Elle était prête. Une fois que Don Verona aurait un aperçu de ses prouesses au lit, il verrait bien qu'elle n'était pas seulement la fille sympa et naturelle qu'elle incarnait dans sa comédie. Elle avait quelques armes secrètes en réserve. Don ne serait pas déçu.

Quand il passa la chercher dans une autre voiture de son impressionnante collection – cette fois, une étincelante Aston Martin bleu métallique –, elle se mit aussitôt en mode séduction.

— On va au Ivy, l'informa-t-il.

Rien n'aurait pu lui faire plus plaisir. Le restaurant Ivy était toujours la cible des paparazzis. Des hordes de photographes rôdaient de l'autre côté de la rue, cachés dans des VUS aux vitres teintées, prêts à sauter sur l'occasion de prendre des clichés. Ce soir, ils allaient être gâtés.

Don avait choisi ce restaurant précisément pour cette raison. Même s'il détestait se faire harceler par les photographes, il voulait que Cameron sache qu'elle avait de la compétition et qu'elle ferait mieux de se décider avant qu'il ne soit trop tard. Il savait qu'il était entêté. Connaissant Cameron, il était clair qu'elle s'en balancerait totalement qu'il soit associé à Angelina Jolie et à Megan Fox en même temps. Cameron ne se laissait pas influencer, et c'est ce qu'il aimait chez elle. Une belle femme indépendante qui se fichait complètement de la gloire et de la célébrité. Il n'avait pas ressenti une telle attirance pour une femme depuis le collège, quand il s'était amouraché de sa prof de latin. Cette femme âgée de quinze ans de plus que lui lui avait fait découvrir bien plus que le latin. Madame Ramirez. Hum... quels souvenirs remplis de piquant !

Parfois, il se demandait si elle regardait son émission en se remémorant le garçon dont elle avait fait l'éducation sur bien des plans.

Il l'espérait, d'une certaine façon.

* * *

Mandy jouait à fond le rôle de la charmante bru. Et quand Mandy le voulait, elle pouvait être aussi convaincante que n'importe quelle actrice.

Ryan l'observait avec incrédulité et stupéfaction. Dès son retour à la maison, Mandy s'était glissée dans la peau de l'adorable épouse, et il n'arrivait pas à comprendre ses motivations.

Une des copines de sa femme l'aurait-elle aperçu en train de déjeuner avec Cameron? Était-ce la raison de ce nouveau comportement? Ou bien sa chère femme était-elle sur le point de faire une dépression nerveuse? Peu importe ce qui se passait, il y avait de quoi s'inquiéter. Surtout en la regardant faire du charme à sa famille, particulièrement à sa mère, dont elle n'avait jamais dit de bien.

Noreen Richards ne se laissait pas décourager. Elle avait essayé de se rapprocher de Mandy au fil des ans, sans jamais y parvenir. À présent, sa bru se comportait comme si elles étaient de proches confidentes. Ryan était déjà sous le choc, mais quand Evie entra avec Marty, il fut complètement abasourdi. Sa sœur avait adroitement camouflé son œil au beurre noir avec du maquillage, mais il en devinait la présence. Il dut réprimer son envie de flanquer une raclée à son vaurien de beau-frère, qui se jeta sans hésiter sur la vodka Grey Goose.

Tout le monde était chargé de cadeaux, ce qui aurait été agréable dans des circonstances normales. Mais ce n'était pas une situation normale. C'était Mandy qui recevait, assistée de trois serveurs attentifs, d'un barman et d'un chef.

Ryan était mal à l'aise. Ce n'était pas ainsi qu'ils auraient dû traiter les membres de sa famille. Ils préféraient la nourriture maison et les soirées décontractées, sans tous ces chichis. Mandy le savait bien : il détestait les formalités. Ce n'était pas son style et ne l'avait jamais été.

Il pensa un instant à Cameron. Les formalités n'étaient sûrement pas son genre, à elle non plus. Il en était convaincu.

Evie était pelotonnée sur le canapé entre leurs deux sœurs aînées, Una et Inga. Il s'approcha et parvint à l'attirer à l'écart.

— Que s'est-il passé ? demanda-t-il.

— S'il te plaît, ne dis pas à Marty que je t'en ai parlé ! supplia-t-elle, les yeux remplis d'effroi. Il regrette tellement ! Il ne pourrait pas être plus désolé. Tout va bien maintenant, je te le jure ! Il a promis de ne plus jamais recommencer.

— Doux Jésus, Evie ! C'est n'importe quoi !

— Non, non, je te le dis ! assura sa sœur en agitant les mains. C'était juste un malentendu.

— Un foutu malentendu ? dit Ryan en fronçant les sourcils.

— Ne dis pas de gros mots. Si maman t'entend, elle te lavera la bouche avec du savon !

— Très drôle. Tu veux changer de sujet et faire semblant qu'il ne s'est rien passé ? Tu crois que c'est une façon mature de faire face à la situation ?

— Comment était ton... entraînement ? demanda Evie d'un air entendu. Mandy est-elle au courant que tu... t'entraînes ?

Il n'en croyait pas ses oreilles. Evie lui faisait comprendre de laisser tomber, sinon elle menaçait de tout révéler à Mandy ? Elle avait probablement deviné qu'il avait des sentiments pour Cameron. Étant les deux plus jeunes de la famille, ils avaient toujours été très proches.

— Tu es folle, dit-il en secouant la tête. Accepter de reprendre Marty et lui pardonner est une grosse erreur.

— Non, riposta-t-elle d'un air entêté. Te téléphoner a été une grosse erreur.

Au même moment, Lucy et Phil arrivèrent.

Une autre surprise. Mandy avait négligé de l'informer qu'elle les avait invités.

Il lui lança un coup d'œil interrogateur, auquel elle répliqua par un sourire innocent.

La soirée promettait d'être longue.

* * *

— Assez parlé de moi, déclara Mary Ellen. Parle-moi de toi.

Elle lui jeta un regard langoureux par-dessus la table, dans le restaurant à la lumière tamisée.

— Que veux-tu savoir? demanda Don en haussant les épaules.

— Tous tes secrets, répondit-elle avec un air coquin.

— Je n'en ai pas.

Il se demanda pourquoi il avait décidé de s'infliger une soirée aussi pénible. Ce n'est pas qu'il n'aimait pas Mary Ellen. Seulement, entretenir une conversation avec quelqu'un qui ne l'intéressait pas était tellement assommant!

— Tout le monde a des secrets, dit la jeune femme d'un ton mystérieux.

Il s'empressa de lui retourner la balle:

— Dans ce cas, dis-moi les tiens!

— Es-tu vraiment intéressé? demanda-t-elle en inclinant la tête avec coquetterie.

— Vas-y, l'encouragea-t-il.

Elle s'exécuta, lui permettant de relaxer et de laisser son esprit vagabonder pendant qu'elle monologuait à propos de son ex-mari infidèle, de son enfance solitaire, des idioties que les médias colportaient à son sujet, de son ambition de se faire connaître comme actrice de talent, et pas seulement comme vedette de la télévision.

Personne n'est satisfait de son sort, songea-t-il. *Même pas moi.*

Le serveur s'approcha de leur table et tenta de les convaincre de prendre un dessert. Le jeune homme était de toute évidence un acteur au chômage, résolu à séduire Mary Ellen.

— La tarte à la lime est excellente, dit-il avec un regard appuyé.

Il semblait dire à la jeune femme : « Je crois que je serais un atout pour votre émission. »

— Non, merci, dit-elle poliment.

— La tarte Tatin, alors ?

— Je ne crois pas, non.

Une expression désespérée se lisait sur le visage du jeune homme.

— Thé ? Café ?

Mary Ellen secoua la tête.

— Seulement l'addition, intervint Don.

Vaincu, le serveur partit sans insister.

— On prendra un café chez moi, dit Don.

Mary Ellen hocha la tête en s'efforçant de ne pas avoir l'air trop excitée.

Don paya, laissant un pourboire généreux à l'aspirant acteur pour qui il éprouvait de la compassion, puis ils sortirent du restaurant.

Les paparazzis se jetèrent sur eux. Une véritable meute de photographes qui se bousculaient pour avoir le meilleur angle tout en criant :

— Don ! Don ! Par ici !

— Mary Ellen ! Souris ! Allez, fais-nous un beau sourire !

Ils réussirent à se rendre à la voiture.

— Fiou ! soupira Mary Ellen pendant que Don démarrait. C'était pénible !

— Pourtant, tu es habituée. Ça fait partie du métier, non ?

— Pour toi aussi.

— Pas tant que ça.

— Tu ne me reproches pas toute cette attention, j'espère ? demanda-t-elle en souriant.

— Tu ne passes pas inaperçue !

— C'est vrai, dit-elle en durcissant le ton. Pour une foule de mauvaises raisons.

Il enleva une main du volant et lui tapota le genou. Elle réagit en se rapprochant de lui.

Il roula rapidement jusque chez lui. Mary Ellen s'imaginait la relation sexuelle qui allait suivre, pendant qu'il se demandait pourquoi il l'avait invitée.

Dommage qu'elle ne soit pas Cameron. Vraiment dommage.

* * *

— Pourquoi est-on ici? grogna Phil. C'est un souper de famille chez les Richards. On n'est pas à notre place, voyons!

— Peut-être que Mandy nous considère comme de la famille, répliqua Lucy, aussi étonnée que son mari.

Elle s'était attendue à un petit groupe d'amis, pas à la famille entière de Ryan. Ces gens étaient bien sympathiques, mais évoluaient dans un univers différent du leur. Ses sœurs étaient des super mamans qui passaient leur temps à s'occuper de leurs enfants et de leurs activités scolaires et parascolaires. Leurs maris, à l'exception de Marty, étaient des hommes d'affaires. Quant à la mère de Ryan, elle était la parfaite femme au foyer, qui avait élevé sa famille et ne semblait avoir aucune exigence personnelle.

D'où venait donc Ryan, avec son talent exceptionnel? Cela ne semblait pas être héréditaire, d'après ce que pouvait voir Lucy. Marty, le cascadeur, était le seul ayant un lien quelconque avec l'industrie du cinéma. Ce dernier, avec sa belle gueule de macho soûlon, se mit aussitôt à lui faire du plat.

— Je t'ai adorée dans *Bleu saphir,* dit-il en la serrant de trop près. Où as-tu appris à te déshabiller comme ça?

Bleu saphir. Le seul film qu'elle regrettait d'avoir tourné. Elle y avait incarné une effeuilleuse. C'était un rite de passage pour toutes les actrices de Hollywood. Une stripteaseuse, ou alors une prostituée. Et à un certain point de leur carrière, préférablement les deux.

Elle s'était complètement déshabillée dans *Bleu saphir*, car le directeur avait insisté, disant que la nudité était cruciale pour l'intrigue. Ses seins à la vue de tous. Son cul dévoilé. Toute nue devant le monde entier.

Elle frissonna en repensant à ce film. Surtout que *Playboy* avait obtenu des photos d'elle dans toute sa gloire et les avait étalées dans le magazine.

Bleu saphir était une période embarrassante qu'elle s'efforçait d'oublier, et cet ivrogne imbécile ravivait ce souvenir.

— Je peux te demander quelque chose ? bafouilla-t-il.

Il la suivit pendant qu'elle tentait de rejoindre Ryan, de l'autre côté de la pièce.

— Quoi ? répliqua-t-elle d'un ton sec.

Il avala une autre gorgée de vodka coûteuse et glissa :

— Ne le prends pas mal, mais tes seins dans ce film... Ils étaient foutrement sensationnels ! Ce sont des vrais ?

Cet idiot avait des couilles aussi grosses que des ballons de football ! Quel culot !

— Pardon ? dit-elle en le toisant d'un air glacial.

— Tu sais, quand Demi Moore a tourné ce film où elle était nue, elle s'était fait refaire les seins pour le rôle. Alors, j'ai pensé...

— Tu ne devrais pas, l'interrompit Lucy avec un autre regard hautain.

— Il n'y a rien de mal à avoir des implants, marmonna-t-il en se grattant le nez. Demi les a fait enlever après le film. Et...

Avant qu'il puisse poursuivre, Lucy parvint à lui échapper et à s'approcher de Ryan, qui était en pleine discussion animée avec sa sœur.

— Je peux te parler un instant ? lui demanda-t-elle.

— Bien sûr, dit Ryan, heureux de cette distraction.

Il était si fâché contre Evie ! Elle était naïve de croire que Marty était désolé et ne la frapperait plus jamais.

Lucy lui prit le bras et l'entraîna vers la porte-fenêtre.

— J'espère qu'on n'est pas de trop, dit-elle. Mandy aurait dû me dire qu'il s'agissait d'une soirée en famille.

— Elle aurait dû, hein? C'est bien notre Mandy!

Il se demandait bien pourquoi sa femme avait invité les Standard.

— J'ai rencontré un jeune auteur très talentueux, reprit Lucy en baissant le ton. N'en parle pas à Phil, mais il va écrire le scénario de mon film.

— Tant mieux pour toi, Lucy. Mais je pense que tu ferais mieux d'en parler à Phil.

— Pourquoi? protesta-t-elle. Il n'est pas intéressé. Chaque fois que j'aborde cette question, il m'ignore. Alors, j'ai décidé de m'en occuper moi-même. Peux-tu me le reprocher?

Ryan haussa les épaules. En ce moment, le projet de film de Lucy et la reprise de sa carrière n'étaient pas sa priorité. Il avait d'autres soucis en tête. Par exemple, que complotait sa femme? Pourquoi avait-elle organisé cette réunion familiale? Quelques minutes plus tôt, il avait appris qu'il ne s'agissait pas d'un événement planifié à l'avance, contrairement aux dires de Mandy. Sa mère lui avait révélé avoir reçu son appel le matin même. Donc, pendant qu'il mangeait avec Cameron, Mandy était occupée à tout organiser. Cette rusée avait prétendu avoir arrangé cette soirée des jours à l'avance, alors que ce n'était pas le cas. C'était une décision de dernière minute. Qui diable croyait-elle berner? Certainement pas lui!

— Quand j'aurai le scénario final, je veux que tu me promettes de le lire, dit Lucy.

— D'accord, répondit-il, l'esprit ailleurs.

Lucy se pencha et déposa un baiser sur sa joue.

— Merci, Ryan. Je savais que je pouvais compter sur toi. Tu ne seras pas déçu.

Il se dirigea vers le bar. Passer du temps en compagnie de Cameron avait été une véritable révélation. Cela lui avait fait comprendre que la vie ne se limitait pas à demeurer avec une femme qu'il n'aimait pas. Il en avait assez de se punir pour des événements révolus sur lesquels il n'avait aucun contrôle. Ni lui ni Mandy ne pouvaient rien faire à propos des fausses couches et de la perte de leur bébé. Des épreuves tragiques, mais qui étaient choses du passé. Maintenant, il était temps de tourner la page. Le divorce était la meilleure décision pour tous les deux.

Il en était finalement convaincu.

21

Cole avait organisé une série d'entrevues pour embaucher de nouveaux entraîneurs.

— On ne peut pas attendre que le club soit ouvert? avait demandé Cameron.

— C'est impossible de s'en sortir à nous trois. Dorian, toi et moi, ça ne suffira pas. Il nous faut au moins deux autres entraîneurs pour partir du bon pied.

Ils recevaient les postulants dans leurs installations en rénovation, et Cole était particulièrement difficile. Il décrétait après chaque candidat:

— Trop vieux.

— Trop jeune.

— Trop sexy.

— Pas assez sexy.

Cameron commençait à perdre patience. Alors, quand Cole rejeta une fille absolument charmante en disant: «Trop sérieuse», elle s'écria:

— Que cherches-tu, au juste?

Ce n'était pas dans ses habitudes de hausser le ton. Cole en fut surpris. Il réfléchit un instant, puis un sourire apparut sur son visage.

— Quelqu'un d'aussi bien que nous.

Cameron secoua la tête. Elle ne pouvait pas lui reprocher de vouloir le meilleur.

— On embauche le prochain à moins qu'il n'ait deux pieds gauches, dit-elle sévèrement. Il n'y a plus de temps à perdre.

— D'accord.

La personne suivante était une jolie fille appelée Cherry. Elle avait un corps athlétique, une personnalité enjouée et d'excellentes références.

— Tu es engagée, lui annonça Cameron. Au suivant !

À la fin de la journée, ils avaient deux nouveaux employés : Cherry et Reno, un jeune Italien aux abdominaux durs comme le roc et à l'attitude enthousiaste.

Un peu plus tard, Cameron, Cole et Dorian se rendirent au restaurant California Pizza Kitchen, sur Beverly Drive. Ils commandèrent des pizzas au poulet épicé et de la salade César.

— J'ai du nouveau, déclara Cole en mâchant sa pizza. J'ai oublié de t'en parler plus tôt.

— Tu n'as pas oublié, dit Cameron. Tu étais fâché contre moi !

— C'est vrai. Ce qui m'amène à te demander où tu étais vraiment ce matin. J'ai parlé à Katie. Ce qui est certain, c'est que tu n'étais pas chez elle !

— Tu veux dire que mademoiselle Paradise avait disparu ? intervint Dorian en rejetant ses cheveux blonds en arrière.

— Je n'avais pas disparu ! protesta-t-elle. J'ai juste... je n'ai pas vu le temps passer.

Elle songea à Ryan et se demanda s'il pensait à elle.

Non ! Non ! Non ! Cet homme est marié, pour l'amour du ciel ! Oublie-le.

Et si je ne peux pas ?

Il le faut.

— Tu m'avais dit que tu aidais un ami, souligna Cole d'un ton accusateur.

Oui. Un ami. Un nouvel ami.

— Elle fait sa mystérieuse, blagua Dorian. Elle nous cache quelque chose. Regarde son expression. Tu es coupable, ma chère !

Elle leur semblait coupable ? De quoi ? Tout ce qu'elle avait fait, c'était de savourer un déjeuner avec un homme marié. Ce n'était pas un crime !

— Allez-vous arrêter, tous les deux ! se fâcha-t-elle. La vérité, c'est que j'ai fait la grasse matinée.

— Avec quelqu'un qu'on connaît ? demanda Dorian. Je trouve que tu as la mine de quelqu'un qui vient de prendre son pied.

— Pas du tout ! dit-elle en rougissant.

— Oh, oui ! chantonna Dorian.

— Il a raison ! renchérit Cole.

— Qu'as-tu oublié de me dire plus tôt ? demanda-t-elle pour changer de sujet.

— Natalie a téléphoné. On a un nouvel investisseur.

— Pardon ?

— Quelqu'un qui cherchait une occasion de placer son argent. Il est arrivé exactement au bon moment.

— Qui est-ce ?

— Je ne sais pas. Est-ce important ? Il est prêt à y mettre beaucoup de sous.

— En échange de quoi ?

— Une portion des parts de Natalie.

Peut-être que Cole n'avait pas autant le sens des affaires qu'elle l'avait cru.

— On ne peut pas permettre à quelqu'un de s'ingérer dans notre entreprise sans connaître son identité, dit-elle en fronçant les sourcils.

— Calme-toi, dit Cole. Si Natalie se porte garante de lui, c'est qu'il est digne de confiance. Et tu sais que l'argent va manquer sous peu. Ainsi, on pourra mener à bien tous les travaux et ouvrir en grande pompe. Natalie a une liste de célébrités à inviter, et les producteurs de son émission ont promis de couvrir l'ouverture. C'est super, non ?

Cameron hocha la tête d'un air hésitant. Plus l'ouverture de Paradise approchait, plus elle était tendue. Paradise représentait son avenir, tout ce pour quoi elle avait travaillé. Il fallait que ce soit un succès.

Et si ce ne l'était pas ?

Si c'était un fiasco retentissant ?

Si personne ne venait ?

Et elle ne pensait pas uniquement au jour de l'ouverture. Évidemment que les gens viendraient, ne serait-ce que pour les boissons et les petites bouchées gratuites. L'ouverture n'était pas un problème.

Mais par la suite ? Si tout à coup ça ne fonctionnait pas ?

Ça suffit ! Arrête d'avoir des pensées négatives, se dit-elle. *Paradise va être un succès. Il n'y a aucun doute.*

— As-tu appelé le type recommandé par Carlos ? demanda-t-elle à Cole.

— Oui. Maintenant que l'argent va rentrer à flots et que Natalie est moins stressée, j'ai l'impression qu'il pourrait être notre homme. On le rencontre à dix heures demain. Il dit qu'il peut terminer les travaux rapidement.

— À temps pour l'ouverture ?

— Il était très convaincant.

— Il doit encore le prouver !

— Ma sœur pense qu'on devrait embaucher une firme de relations publiques pour l'ouverture afin de faire mousser l'événement dans les médias.

— Tu crois ?

— On est à Hollywood, ma jolie. Tout le monde veut être en forme. Avec la bonne couverture médiatique, on pourrait être le nouveau Pinkberry.

— Hein ? dit-elle en plissant le nez.

— Tu te souviens quand Pinkberry s'est approprié le marché du yogourt ? On va faire la même chose pour l'entraînement.

— Tout à fait, acquiesça Dorian.

— Paradise sera le studio où aller pour avoir le plus beau corps en ville, déclara Cole d'un air confiant.

Son enthousiasme était inquiétant. Avait-il trop d'attentes ?

Malgré son sourire, Cameron était tendue et crispée. Elle se dit soudain qu'elle avait besoin de baiser. Et comme Ryan n'était pas disponible...

Marlon. Son nom apparut dans son esprit. Marlon était toujours disponible.

— Bon, les gars, je crois que je vais y aller, dit-elle en feignant un bâillement.

— Il est encore tôt, protesta Dorian. Veux-tu venir avec nous au bar Abbey pour voir les garçons saliver en nous regardant, Cole et moi ? Je te promets que le spectacle en vaut la peine !

— Merci, mais je vais passer mon tour.

— Elle a un petit ami, chantonna Dorian. C'est écrit sur son beau visage !

— Tu te trompes.

— Je ne me trompe jamais quand il s'agit de cul, dit Dorian. Tu t'envoies en l'air, jeune fille.

Oh oui, c'est ce que je vais faire vingt minutes après avoir roulé jusqu'à la plage.

— J'espère qu'elle a quelqu'un, remarqua Cole. Il est temps qu'elle ait une petite partie de jambes en l'air.

— Ce serait bien si vous arrêtiez de vous mêler de ma vie sexuelle et que vous vous occupiez de la vôtre, dit-elle sèchement. Et je n'aime pas du tout qu'on parle de moi comme si je n'étais pas là. Vous faites toujours ça !

— Bon, bon, dit Dorian. Ne joue pas à la diva avec nous.

Elle se leva, se pencha par-dessus la table et les embrassa sur la joue.

— Au revoir, les garçons. À demain.

En sortant, elle appela Marlon. Il était en train de travailler à un scénario, mais lui dit qu'il prendrait le temps de la voir.

Hum... Marlon qui écrivait un scénario ? C'était nouveau ! Elle avait cru qu'il était étudiant, mais apparemment, c'était un aspirant scénariste. Pourquoi était-elle étonnée ? N'était-ce pas l'ambition de tous les jeunes hommes de Hollywood ?

Elle se rendit à Venice en un temps record.

Dès son arrivée, elle regretta sa décision. Marlon n'était tellement pas ce qu'il lui fallait en ce moment ! Même si elle avait cru avoir besoin de baiser, elle n'avait plus envie de le faire avec lui.

Trop tard. Il l'accueillit chaleureusement, l'attira sur son futon et s'activa jusqu'à ce qu'elle feigne l'orgasme et exprime sa satisfaction. Ensuite, pendant qu'elle s'habillait, il décida qu'il avait envie de parler !

Mauvaise idée. Pas de paroles, juste du sexe.

Après l'avoir écouté durant cinq minutes, elle prétexta un rendez-vous et se hâta de déguerpir.

Le sexe avec Marlon avait perdu de son attrait. C'était juste un enfant, et elle voulait un homme, un vrai.

Elle voulait Ryan Richards.

* * *

— Qu'est-ce qui se passe avec notre Cameron, d'après toi ? demanda Dorian après son départ.

Cole était occupé à capter le regard d'un beau mec viril assis au bar.

— Je ne sais pas, répondit-il. Elle m'a paru normale.

En voyant les manigances de Cole, Dorian poussa un grognement.

— Oh, non ! Pas lui ! Je me suis tapé ce con la semaine dernière, et la seule chose qu'il peut sucer est un citron !

— Qu'est-ce qui te fait croire que je n'aime pas les citrons ?

— Ah, Cole, soupira Dorian en s'éventant avec le menu. Si seulement j'étais ton genre ! Toi et moi, on ferait une équipe d'enfer !

— On est une équipe, dit Cole en exhibant ses dents d'un blanc éclatant. Sauf que tu restes de ton côté et que je reste du mien !

— Quelle salope !

— Avoue que tu aimes ça ! répliqua Cole en souriant.

* * *

Cameron roula rapidement en direction de chez elle, en écoutant un vieux CD de Sade. Elle était d'humeur à écouter de la musique nostalgique, et Sade était un choix tout indiqué.

Après avoir été chercher Yoko et Lennon et les avoir fait courir autour du pâté de maisons, elle prit une douche et enfila un vieux survêtement en molleton. Puis elle s'installa devant son ordinateur et fit des recherches sur Ryan Richards.

Il y avait une foule de sites à son sujet. Sa biographie, ses films, ses trophées, sa famille...

Elle lut tout ce qui le concernait, en absorbant le moindre détail. Une fois qu'elle eut terminé, elle monta dans sa voiture, se rendit chez Virgin Records et acheta ses sept films. De retour à la maison, elle eut envie de les regarder sans délai, mais il était presque minuit et Don l'attendait à sept heures le lendemain. Sans oublier sa longue journée de travail par la suite.

Elle pensa un instant à Ryan. Ils avaient fixé une heure pour son entraînement, sans spécifier le lieu. Il avait promis de lui téléphoner. Pourvu qu'il ne change pas d'idée !

Après avoir consulté ses messages (aucun de Ryan), elle se coucha et s'endormit aussitôt. Ses rêves furent peuplés de soirées d'ouverture catastrophiques et d'une chute de falaise dans un profond lagon, où elle flottait sur le dos, entourée de dauphins enjoués.

Les aboiements frénétiques de Yoko et Lennon la réveillèrent à trois heures du matin.

Elle se redressa, étonnée, à l'affût du moindre bruit inhabituel.

À l'exception de ses chiens, tout était calme.

— Taisez-vous! leur dit-elle en bâillant.

Il serait peut-être plus prudent d'apprendre à se servir d'une arme à feu. Monsieur Wasabi lui avait dit qu'il y avait eu des cambriolages dans le voisinage. Même si elle n'était pas de nature nerveuse, ce serait probablement une bonne idée d'être armée.

Les chiens cessèrent d'aboyer, et après un moment, elle se rendormit. Cette fois, elle rêva à Ryan et se réveilla le lendemain en souriant.

22

— Oh là là! s'exclama Mary Ellen en regardant autour d'elle. C'est toute une maison!

— Je l'ai construite moi-même, expliqua Don.

Butch, toujours aussi mal élevé, arriva au galop et se précipita vers l'entrejambe de son invitée.

Elle sursauta, interdite.

Don saisit le chien par son collier et le fit reculer.

— Veux-tu que je le mette dehors?

— Ce serait gentil. Je ne suis pas habituée aux gros chiens. J'ai un chihuahua.

Ça ne m'étonne pas, pensa-t-il en ouvrant la porte-fenêtre pour faire sortir le chien. *Les chihuahuas sont des chiens pour la frime, parfaits pour une séance photo.* Il aurait dû deviner que c'était le genre de chien qui lui plaisait.

Il appuya sur un bouton et la musique langoureuse de R. Kelly envahit la pièce.

— Je peux t'offrir à boire?

— J'aimerais un Baileys, répondit-elle, en se demandant quand il passerait à l'action.

Le décor était parfait. Une maison incroyable, avec une vue magnifique sur la ville. Les lumières de Los Angeles s'étalaient devant eux comme une couverture scintillante.

Elle prit place sur le canapé de cuir et attendit qu'il vienne la rejoindre.

De son côté, il hésitait sur la conduite à suivre.

La baiser ou ne pas la baiser ?

Telle était la question.

Il ne se sentait pas particulièrement excité, mais savait qu'elle s'attendait à des avances. S'ils couchaient ensemble, serait-elle du genre à se croire en couple avec lui ?

La prudence était de mise avec cette fille.

Il lui versa un Baileys et se servit un Jack Daniel's, avant de s'asseoir près d'elle, toujours incertain de ce qu'il devait faire.

Elle prit la décision pour lui. Vidant son verre en deux gorgées, elle déboutonna soudainement sa blouse. Puis elle dégrafa l'avant de son soutien-gorge, révélant deux seins naturels, parfaits et haut perchés, aux mamelons durcis.

Les jeux étaient faits.

Sa réaction fut instantanée. De tels mamelons ne devaient pas être gaspillés.

Il pencha la tête et se mit aussitôt au travail, léchant, suçant, triturant, jusqu'à ce qu'elle se mette à gémir et à le supplier de la pénétrer.

Qui était-il pour refuser ? Son esprit était peut-être tourné vers Cameron, mais son corps était prêt.

Elle baissa fiévreusement la fermeture éclair de son pantalon et se tortilla pour retirer sa jupe. Ils se mirent bientôt à batifoler sur le tapis blanc devant le canapé. Les gémissements de la jeune femme s'intensifièrent.

Une pensée traversa l'esprit de Don : *Prends un condom ! Vite, un condom !*

Sa verge lui répondit : *Oublie ça.*

C'est ce qu'il fit. Il la baisa sans retenue et dans tous les sens.

Quand ce fut terminé, il se dit : *Merde. Je n'aurais pas dû. Oh, que non !*

* * *

Marty était de plus en plus ivre. Son insistance auprès de Lucy n'avait pas échappé à Phil, qui avait lui-même quelques verres derrière la cravate.

Ryan les avait à l'œil, car il sentait que ça risquait de s'envenimer. Il ne manquait plus que ça pour couronner la soirée !

Il s'approcha de Mandy, qui bavardait avec sa mère comme si elles étaient les meilleures amies du monde.

— Quand va-t-on manger ?

— Bientôt, répondit sa femme en serrant la main de Noreen.

— J'espère que oui, répliqua brusquement Ryan. Marty est soûl et harcèle Lucy.

— C'est adorable quand notre Ryan s'énerve comme ça ! pouffa Mandy en prenant sa belle-mère à partie. Il est comme un petit garçon.

— Tu aurais dû le voir quand il avait dix ans, rétorqua cette dernière en entrant dans le jeu, certaine que c'était du simple badinage. Malin comme un singe, et tellement mûr pour son âge !

— Il n'a pas changé, dit Mandy. N'est-ce pas, mon chéri ?

Ce n'était pas la Mandy qu'il connaissait. Avait-elle subi une lobotomie à son insu ?

On sonna soudain à la porte. Comme personne ne semblait l'avoir remarqué, il alla ouvrir.

Il se retrouva devant Hamilton J. Heckerling et sa nouvelle épouse, la jeune et jolie Pola. Elle portait un tailleur Yves Saint Laurent en satin vert et un élégant ensemble de bijoux en diamants.

Hamilton avait une posture fière de nouveau mari, un bras protecteur posé sur les épaules de la jeune femme.

— Ah, mon gendre ! tonna-t-il en entrant dans la maison. Je te présente ma nouvelle femme, Pola.

La jeune femme lui sourit.

Sauf qu'à la grande horreur de Ryan, il ne s'agissait pas de Pola, mais d'Anya. La fille de son enterrement de vie de garçon à Amsterdam. La fille qu'il avait sauvée d'une vie de prostitution.

Il devint blême.

— Eh bien, déclara Hamilton d'une voix forte. Tu ne nous félicites pas?

AMSTERDAM

Sept ans plus tôt

L'avion privé réservé par Don Verona atterrit à Amsterdam à midi. À son bord, un groupe d'hommes aux prises avec la gueule de bois, dont le futur marié, Ryan Richards. Avec eux se trouvaient les autres amis de Ryan : Phil Standard, Eddie Serrano, un acteur ayant joué dans son premier film, et Jenna, une copine d'université lesbienne qui avait coproduit un de ses longs métrages.

Une femme et quatre hommes américains qui n'avaient qu'une idée en tête : faire la fête. Ryan, lui, n'avait pas exactement la tête à ça et aurait préféré rester chez lui. Toutefois, Don et Phil n'avaient rien voulu entendre. Leur ami Ryan allait enfin se marier et méritait une fête d'adieu digne de ce nom.

Don avait un divorce derrière lui, et Phil était marié depuis trois ans avec la séduisante vedette de cinéma Lucy Lyons. Elle lui avait déjà donné une fille et était enceinte de leur deuxième enfant.

Phil était prêt à faire la fête, tout comme Don. Vivre un divorce était toujours stressant.

Don avait non seulement loué l'avion, mais aussi réservé l'hôtel et le guide qui leur ferait visiter Amsterdam. « Pas d'attrape-touristes, avait exigé Don. On veut voir les vraies attractions. »

Leur guide les retrouva à l'hôtel. Elle ne correspondait pas du tout à leurs désirs. Tout d'abord, ils s'étaient attendus à un homme. Hanna en avait peut-être déjà été un, mais ce n'était certainement plus le cas. Elle mesurait un mètre quatre-vingts, avec des flots de boucles blondes, une poitrine opulente, de larges épaules et des traits marqués. Son attitude semblait proclamer : «Vous allez bien vous amuser. Sinon, je suis parfaitement capable de vous flanquer une raclée.»

Jenna fut aussitôt conquise, tout comme Eddie. Par contre, Phil préféra réserver son jugement.

Hanna s'exprimait dans un anglais parfait, avec une voix grave et virile. Ryan était convaincu qu'il ou elle avait subi un changement de sexe.

— Tant mieux, déclara Don. Elle connaît sûrement les endroits olé olé de la ville sous tous leurs angles.

D'une certaine façon, Ryan avait l'impression d'avoir été manipulé afin que ses amis puissent se payer du bon temps à ses dépens. Ils l'avaient attiré dans l'avion en faisant miroiter la destination de Las Vegas. À présent, ils étaient à Amsterdam, une des capitales du sexe de l'Europe.

Il ne voulait pas de sexe et n'avait aucunement l'intention de s'envoyer en l'air. Il avait trente-deux ans, et jusqu'à ce jour, en matière de femmes, sa vie n'avait été qu'un long enterrement de vie de garçon. Maintenant, il était prêt à se ranger avec une seule femme et n'avait besoin de personne d'autre. Mandy Heckerling. La femme parfaite pour lui. Jolie, intelligente et heureuse de l'épouser. Une femme qui n'avait aucune ambition de carrière à Hollywood était un net avantage.

— Voilà le programme, annonça Don après leur arrivée à l'hôtel donnant sur un des nombreux canaux au cœur de la ville. Une ou deux heures pour se reposer, et ensuite, on sort dans les rues pour faire la fête. Tout le monde est d'accord?

Les autres répondirent avec enthousiasme, à l'exception de Ryan, qui se demandait comment se sortir de cette situation. Mandy ne se doutait pas qu'il avait été entraîné de l'autre côté de l'Atlantique pour une partie de plaisir à Amsterdam. Elle n'en serait sûrement pas ravie.

— Souviens-toi, ce sera ta dernière virée, l'informa Don.
Tu ferais aussi bien d'en profiter à fond !

Ryan se remémora celle de Don, dix-huit mois plus tôt,
avant son mariage avec Sacha, son épouse française et
actrice de cinéma. Ç'avait été une véritable débauche.
Deux nuits bien arrosées à Tijuana, avec des effeuilleuses
et des prostituées, des animaux de ferme et une gueule de
bois qui avait duré une semaine. Sauf que ce n'était pas
réellement sa dernière virée puisque Don était maintenant
divorcé.

Ryan prit une douche et se prépara à l'épreuve qui l'attendait. Il était déterminé à demeurer sobre et en contrôle.

Ouais, c'est ça. Avec son groupe de copains. C'était son
enterrement de vie de garçon, et il ferait mieux d'être prêt
à tout.

Plusieurs heures plus tard, ils entrèrent finalement dans
le Quartier Rouge d'Amsterdam. Des heures remplies
d'activités habituelles dans ce genre de situation : des effeuilleuses qui s'exhibaient avec des serpents ; un spectacle
porno donné par deux femmes et un lutteur sumo ; des
clubs présentant des femmes avec des concombres, des
bananes, des nains, des poulets, des moutons – demandez-
leur n'importe quoi, ils l'avaient. En route, ils s'étaient
arrêtés dans des cafés où la marijuana était légale et où se
défoncer était monnaie courante.

Dans cette célèbre rue d'Amsterdam, les femmes étaient
assises dans des vitrines illuminées, attendant que quelqu'un, n'importe qui, les choisisse, les baise, les paie et
reparte. Les souteneurs rôdaient dans les coins sombres,
racolant les clients.

— Fais ton choix, dit Don à Ryan pendant qu'ils arpentaient
la rue en examinant les femmes offertes.

Il y en avait de tous les genres : jeunes, vieilles, grosses,
minces, bien pourvues ou plates comme des planches à
pain, des Asiatiques, des Européennes, des Noires, des
Scandinaves... De tout, pour tous les goûts.

— Il faut que tu te décides, insista Don. Sinon, tu seras
poursuivi par une malchance éternelle !

Ryan se força à observer les créatures pathétiques assises
derrière les fenêtres. Il les plaignait toutes. La pute noire

maigrichonne en lingerie rose ; la grosse blonde affublée d'une nuisette transparente ; la rousse excitée qui se léchait les doigts et faisait signe aux passants d'entrer avec une œillade suggestive.

Puis il l'aperçut. La jeune fille qui avait pris part à l'un des spectacles pornos auxquels ils avaient assisté plus tôt. Il était certain qu'elle n'avait pas plus de quinze ou seize ans. Elle était d'une beauté exquise, mais son visage était mélancolique et ses yeux remplis de douleur. Il avait évité de la regarder quand elle était apparue dans le spectacle avec trois hommes et une autre femme. Les hommes l'avaient pénétrée tour à tour, puis avaient uriné sur elle et l'avaient malmenée, pour le plus grand plaisir de l'auditoire. Dégoûté, il avait dû sortir à l'extérieur pour attendre ses copains.

Il avait eu honte d'avoir été témoin de ces actes, mais c'était une soirée en son honneur. Qu'aurait-il pu faire ? Ses amis s'amusaient et il ne voulait pas gâcher leur soirée. À présent, il marchait dans cette rue, et voilà qu'elle était de nouveau devant lui, cette jeune fille magnifique, à l'air perdu et abandonné.

Il s'immobilisa.

— C'est elle que je veux.

Phil approuva d'un grognement et ajouta :

— Et moi, je vais prendre sa voisine !

Il désigna une belle femme aux cheveux noirs vêtue d'une courte robe rouge. Assise à une table, elle jouait une partie de solitaire avec un air d'ennui.

Hanna sourit en exhibant ses grandes dents de cheval.

— Quelqu'un d'autre a trouvé chaussure à son pied ?

Don secoua la tête et donna un coup de poing sur le bras de Ryan.

— Vas-y, profites-en ! Après ce soir, il ne te restera plus que des souvenirs !

— Je vais conclure le marché pour vous, annonça Hanna. Elle s'approcha d'un grand homme maigre qui rôdait aux alentours. Le souteneur et elle semblaient se connaître. Ils échangèrent quelques mots et de l'argent, puis Hanna dit à Ryan et Phil qu'ils pouvaient entrer dans leurs chambres respectives.

— On se reverra à l'hôtel, dit Don en tapant dans le dos de Ryan. À moins que tu ne veuilles qu'on reste pour regarder?

— Ce ne sera pas nécessaire, rétorqua Ryan en se forçant à sourire. Je vais peut-être rester plus longtemps que tu crois!

— Je n'en attends pas moins de mon meilleur ami! s'exclama Don. À plus tard!

— Vous pouvez donner un pourboire à la fille si vous êtes satisfaits, expliqua Hanna. Elle va faire tout ce que vous voulez. C'est payé d'avance.

— Oui, par moi! lança Don avec un grand sourire. Et protégez-vous, si vous voyez ce que je veux dire!

Quelques secondes plus tard, Ryan se retrouva seul dans la chambre avec la fille.

Sans le regarder, elle se dirigea vers la fenêtre et ferma les rideaux de tissu léger, les coupant de la lumière de la rue. La pièce n'était plus éclairée que par une lampe sur pied munie d'une ampoule rouge. Puis elle commença à retirer son haut étriqué.

— Non! protesta Ryan. Ne l'enlève pas.

Elle se retourna et le dévisagea sans mot dire.

— Me comprends-tu? Parles-tu anglais?

— Un peu, répondit-elle.

Au cours des deux années qu'elle avait passées à Amsterdam, elle avait appris l'anglais. Elle avait appris beaucoup d'autres choses. Entre autres, qu'elle ne pouvait faire confiance à personne, pas même à Velma. Car un soir, après une âpre dispute avec Joe, Velma avait disparu pour ne plus jamais revenir. Par la suite, Anya avait été à la merci de Joe, qui était un maître sans pitié et la forçait à accomplir des actes terribles.

— Que veux-tu que je fasse? demanda Anya, le visage impassible.

— Rien, dit Ryan.

— Rien? Mais tu as payé, et si je ne te satisfais pas...

— Qu'arrivera-t-il si tu ne me satisfais pas?

Elle baissa la tête en marmonnant:

— Rien.

Elle mentait, évidemment.

— Quel âge as-tu? demanda-t-il, certain qu'elle avait moins de seize ans.

— Quel âge voudrais-tu que j'aie? répliqua-t-elle avec audace. Je peux avoir l'âge que tu veux. Je peux faire ce que tu veux. Aimerais-tu que je suce...

— Arrête!

— Je peux faire tout ce que tu veux, répéta-t-elle d'un ton boudeur.

Il eut l'impression qu'elle souhaitait simplement se débarrasser de cette corvée. Un autre client. Une autre nuit. Et la même histoire le lendemain, le surlendemain, et ainsi de suite.

— D'où viens-tu? demanda-t-il en remarquant que ses bras étaient couverts d'ecchymoses violacées.

— De nulle part.

Il s'assit au bord du lit affaissé recouvert d'un dessus-de-lit bleu délavé.

— As-tu des parents?

— Es-tu de la police? demanda-t-elle en plissant les yeux.

— Non. Je suis juste un gars qui va se marier la semaine prochaine. C'était l'idée de mon copain de venir célébrer ici. Crois-moi, ce n'était pas la mienne!

— Tu ne veux pas coucher avec moi? demanda-t-elle, incrédule.

— Non, je ne veux pas. Ce que je voudrais, c'est t'aider.

— M'aider? dit-elle d'un air méfiant. De quelle manière?

— Ce serait ma façon de rendre mon enterrement de vie de garçon mémorable. En aidant quelqu'un qui est coincé dans une situation intenable.

— Tu ne peux pas m'aider, dit-elle d'un ton amer. Tu ne sais rien de moi.

— Je suis un réalisateur de films. C'est mon métier d'écouter les histoires des gens. Alors, pourquoi ne me racontes-tu pas la tienne?

— Tu fais des films pornos?

— Non, de vrais films.

— Veux-tu acheter de la porno? proposa-t-elle, comme le lui avait appris Joe. Mon copain vend des films de cul qui plaisent beaucoup aux Américains. Des filles ensemble, des garçons...

— Ton copain, hein? l'interrompit Ryan. Ton proxénète, tu veux dire?

La jeune fille tourna des yeux effrayés vers la porte, comme si elle craignait d'y voir surgir Joe.

— Je ne peux que deviner..., ajouta-t-il. Mais voici ce que je crois. Tu viens d'une famille pauvre, de Slovaquie ou de Pologne. Un homme est venu chez toi un jour et a promis à tes parents de t'obtenir un bon emploi aux Pays-Bas. Alors, ils t'ont laissée partir avec lui en échange d'une petite somme d'argent. Quand tu es arrivée ici, cet emploi s'est avéré être de la prostitution. Et maintenant, tu es prise au piège.

Elle haussa les épaules. Cette version de sa vie était un véritable conte de fées en comparaison de la vérité.

— J'ai raison ou pas? insista-t-il.

Elle le contempla un long moment. Était-ce un piège que lui tendait Joe, un test pour voir si elle le dénoncerait aux autorités?

Oui.

Non.

Cet Américain semblait sincère, sauf qu'il ne voulait pas de sexe, ce qui était suspect. Tous les hommes voulaient du sexe.

— Assieds-toi. On va discuter, toi et moi, dit gentiment Ryan. N'aie pas peur, je ne te ferai pas de mal. J'ai trois sœurs, et si l'une d'elles était dans le trouble, j'espère que quelqu'un serait prêt à l'aider.

Anya se sentait étourdie. Était-ce possible qu'il soit sérieux?

Peut-être.

Peut-être pas.

Elle n'était plus sûre de rien.

23

Les yeux bleu acier d'Anya se posèrent sur Ryan comme si elle ne l'avait jamais vu auparavant, comme s'il n'était pas l'homme qui l'avait tirée d'une vie d'avilissement et de désespoir.

— Heureuse de vous rencontrer, dit-elle d'une voix terne à l'accent prononcé.

— Heu, moi aussi, parvint-il à dire.

Mandy apparut dans l'entrée, extrêmement surprise de voir son père, qu'elle croyait au beau milieu de son prétendu voyage de noces.

— Papa! s'exclama-t-elle d'un ton boudeur. Pourquoi ne m'as-tu pas prévenue que tu étais de retour?

— Je voulais te faire la surprise, princesse, dit Hamilton en lissant ses épais cheveux argentés. Et te présenter Pola. Que dis-tu de ma petite poupée?

Seul Hamilton avait le culot de traiter une femme de poupée.

Mandy se tourna vers la dernière femme de son père. Cette fille était exactement ce à quoi elle s'attendait. Une autre vulgaire croqueuse de diamants. Pourquoi ne se contentait-il pas de coucher avec ces filles? Pourquoi devait-il les épouser?

Elle garda son opinion pour elle même si elle bouillait à l'intérieur. Quel était donc le problème de son père ? Croyait-il vraiment que les gens admiraient son goût en matière de femmes ? Quiconque de moindrement intelligent pouvait voir qu'elles n'étaient intéressées que par son argent. Pour empirer les choses, celle-ci n'était même pas une femme, mais une pauvre fille affublée de vêtements haute couture et couverte de diamants trop nombreux et coûteux pour quelqu'un d'aussi jeune.

— Bonjour, dit-elle avec un sourire pincé.

— Enchantée, répondit Anya, du même ton monotone qu'elle avait servi à Ryan.

Ce dernier était toujours sous le choc. Pola/Anya. Comment s'était-elle retrouvée ici ? Mariée à son beau-père, debout dans l'entrée de sa maison ! C'était incroyable.

L'avait-elle même reconnu ? Ryan Richards, son sauveur, l'homme qui avait payé beaucoup d'argent pour acheter sa liberté, celui qui avait fait jouer ses relations pour lui obtenir un visa et lui permettre d'entrer aux États-Unis. Heureusement qu'il ne l'avait pas baisée ! Ç'aurait été une catastrophe.

Aucun signe de reconnaissance n'apparut sur le beau visage de la jeune femme. Souffrait-elle d'amnésie ? Il n'avait pourtant pas tellement changé en sept ans. En fait, il était resté le même. Ses cheveux étaient plus longs, mais c'était tout.

Elle, par contre, avait énormément changé. Au lieu de la jeune fille terrifiée et violentée, il avait devant lui une femme mince, soignée et élégante, aux cheveux acajou, au maquillage parfait et aux vêtements coûteux. Les diamants qu'elle portait étaient éblouissants. Hamilton devait beaucoup l'aimer.

— Eh bien, tu parles d'une surprise ! reprit Mandy, qui n'avait d'autre choix que d'accepter la situation. Allez-vous souper avec nous ?

— Je ne savais pas que vous donniez une réception ce soir, dit Hamilton en époussetant un grain de poussière imaginaire sur le revers de son complet Brioni. Je ne veux pas m'imposer.

— Mais non, voyons! répliqua sa fille avec un geste nonchalant de la main. C'est seulement la famille de Ryan. Ce n'est pas vraiment une réception.

Ryan lui jeta un coup d'œil. Seulement sa famille, hein? Comme s'ils n'étaient pas importants. Ces paroles lui avaient-elles échappé malgré elle?

Oui. Mandy avait l'habitude de se mettre les pieds dans les plats, comme si elle faisait fi des sentiments d'autrui.

— Bon, j'accepte, décida Hamilton. Pola et toi allez bien vous entendre.

— Ah bon? rétorqua Mandy en ravalant son indignation.

Comment pouvait-il s'attendre à ce qu'elle devienne amie avec sa nouvelle femme?

— Pola ne connaît personne à L.A., poursuivit-il. Et je ne veux pas l'exposer aux redoutables épouses de mes amis. Elle n'a rien en commun avec ces vieilles chipies! Je compte sur toi, princesse. Tu pourras lui montrer tous les trucs de filles, comme les meilleurs salons de coiffure et de manucure, la meilleure masseuse, les boutiques à la mode...

Se rapprocher de la plus récente catin de son père était la dernière chose que souhaitait Mandy. Elle répliqua, en entraînant Hamilton dans le salon:

— Bien entendu. Viens, tu dois avoir besoin de boire un verre. Phil et Lucy Standard sont ici. Lucy a joué dans un de tes longs métrages, n'est-ce pas?

— Oui, *Bleu saphir,* dit-il, le regard pétillant. On a fait une fortune avec ce film. Les ventes outre-mer ont battu des records. Je voulais tourner une suite, mais Lucy a refusé. Pas question pour elle de montrer ses seins encore une fois. Ah, les actrices! Elles ne savent pas comment faire mousser leur carrière.

Ryan, qui était également retourné dans le salon, se demandait s'il devait prévenir Phil. Son ami se souviendrait-il de la fille du spectacle porno lors de leur beuverie à Amsterdam ?

Probablement pas. Phil avait été complètement ivre et s'était uniquement concentré sur son propre plaisir.

Aucun des amis de Ryan ne savait ce qui s'était passé ce soir-là. Il avait décidé de ne pas leur en parler, pas même à Don. Il avait accompli une bonne action, ce qui n'avait pas été facile. Après avoir entendu l'histoire d'Anya, il avait pensé que c'était son rôle de l'aider à prendre un nouveau départ. Il ne savait pas pourquoi il tenait tant à le faire, mais c'était important pour lui. Après tout, il avait eu de la chance dans la vie : une famille aimante, des études universitaires, une carrière en plein essor, et bientôt, un mariage avec une femme merveilleuse.

Il était temps de faire sa part. Aider une jeune fille qui n'avait connu que la misère lui semblait le bon geste à poser.

Cela lui avait coûté cher, mais il avait été heureux de racheter sa liberté. Une fois qu'il s'était assuré de son arrivée sans encombre en Amérique, il n'avait plus jamais entendu parler d'elle. C'était prévu ainsi. Heureusement, car si Mandy avait découvert ce qu'il avait fait, rien n'aurait pu la convaincre qu'il n'avait pas couché avec cette fille. Il aurait été dans la merde jusqu'au cou.

— Tu devrais dire à ton andouille de beau-frère de cesser de harceler ma femme, lui dit Phil à l'oreille. Ce crétin la suit partout comme si elle était une chienne en chaleur. Je n'aime pas qu'un connard désire ma femme.

— Hamilton est ici, l'informa Ryan en se versant un verre.

— Es-tu content ou contrarié ? demanda son ami, conscient que Ryan et son prospère beau-père n'étaient pas très proches.

— Ni l'un ni l'autre. J'essaie de rester indifférent.

— C'est la bonne attitude, dit Phil en tripotant sa barbe.

— Il est avec sa nouvelle femme.

— Une autre ?

— Baisse le ton ! Ils approchent !

Il observa Phil attentivement pendant que Hamilton et Anya s'avançaient dans le salon.

Phil siffla entre ses dents, produisant un bruit de succion.

— Ce vieux renard sait comment choisir les femmes !

— Oui, acquiesça Ryan, soulagé que son ami ne reconnaisse pas Anya.

Soudain, Lucy poussa un cri de colère de l'autre côté de la pièce.

— Enlève tes mains dégoûtantes de là, espèce de sale ivrogne !

Puis elle jeta son verre à la figure de Marty.

Ce dernier s'avança et leva la main comme pour la frapper. Avant qu'il puisse achever son geste, Ryan se précipita pour le retenir, leur disant à tous deux de se calmer.

Evie se porta à la défense de son mari. Ryan toisa sa sœur, qui aurait dû avoir la sagesse de ne pas défendre ce salaud.

— Doucement ! l'avertit-il.

— On s'en va ! répliqua-t-elle.

Elle prit Marty par le bras et l'entraîna vers la porte.

Son frère secoua la tête. Il ne pouvait rien faire pour l'aider. Elle devait arriver elle-même à la conclusion que son mari n'était qu'un incurable soûlon lubrique. Pourvu qu'elle s'en rende compte bientôt et divorce de ce raté avant qu'il ne soit trop tard. Avant que Marty ne perde complètement les pédales.

Sa mère et ses sœurs voulurent savoir ce qui se passait. Il avait l'intention de leur raconter ce qu'il avait vu chez Evie dans la matinée, mais ce soir n'était pas le bon moment.

— Tout va bien, leur dit-il. Marty a juste un peu trop bu.

Il serra les dents et endura le reste de la soirée.

Anya ne regarda pas une seule fois dans sa direction. Ça lui apprendrait à jouer au bon samaritain ! Toutefois, l'idée l'effleura qu'elle s'efforçait peut-être d'être discrète.

Il avait fait mine de ne pas la reconnaître, lui aussi puisqu'elle avait dû comprendre qu'il était préférable de ne pas faire ressurgir le passé. Il pouvait imaginer la tête de Hamilton s'il apprenait la vérité ! Ce dernier avait passé la soirée à raconter que sa femme était une ancienne ballerine russe venue aux États-Unis pour étudier l'économie. Ils s'étaient rencontrés lors d'une soirée et étaient aussitôt tombés amoureux.

C'est ça, pensa Ryan. *Le milliardaire de soixante-cinq ans et l'ancienne prostituée d'une vingtaine d'années. Une vraie histoire d'amour, ça saute aux yeux !*

Tout à fait romantique.

À la fin de la soirée, Ryan se tint près de la porte avec Mandy pour souhaiter bonne nuit à leurs invités.

Lorsqu'ils furent seuls, elle se tourna vers lui et dit, d'un air faussement sincère :

— J'adore ta mère ! Pourquoi papa n'a-t-il pas trouvé une femme comme elle ? Ils ont environ le même âge, non ?

Ryan haussa les épaules. Il était épuisé. Ce n'était pas le moment de se lancer dans une discussion orageuse.

Demain, quand tout serait plus calme, quand il aurait les idées plus claires. Demain, il annoncerait à Mandy qu'il voulait divorcer.

24

Mary Ellen passa la nuit chez Don. Il n'avait pas prévu qu'elle dormirait dans son lit, mais comment aurait-il pu la mettre à la porte tout de suite après avoir fait l'amour ? Il n'avait jamais su se débarrasser des femmes après les avoir baisées. Une fois qu'elles étaient parties, c'était facile : il ne prenait plus leurs appels, ne répondait pas à leurs courriels, ne retournait pas leurs textos. Mais lorsqu'elles étaient dans son lit, c'était une tout autre situation.

Honnêtement, il préférait dormir seul. Mais que pouvait-il faire ? Recourir aux professionnelles avait fonctionné un certain temps. Toutefois, il s'était vite lassé de payer une prostituée en échange de services qu'auraient très bien pu lui offrir la plupart des femmes, qui se seraient volontiers coupé un bras pour le faire gratuitement.

À présent, il était de retour sur le marché de la drague, mais n'était pas certain de vouloir y être.

Ce qu'il voulait, c'était Cameron Paradise.

Et ce qu'elle voulait, apparemment, ce n'était pas lui.

Il pouvait essayer de la faire changer d'avis, non ?

Avec Mary Ellen blottie contre lui, il eut un sommeil agité, ne s'endormant qu'à trois heures du matin. Il dormait profondément quand Cameron sonna à la porte à sept heures.

La sonnerie retentit plusieurs fois avant de se frayer un chemin dans son esprit embrouillé. D'habitude, Butch le réveillait de quelques coups de langue sur la figure, mais le chien était dehors, près de la piscine, comme l'avait exigé Mary Ellen.

— On sonne à la porte, murmura cette dernière en posant une jambe sur la sienne, son corps chaud lové contre lui.

— Heu, oui, marmonna-t-il. Reste ici, je reviens.

Il se dégagea et se leva d'un bond.

Il était presque parvenu à la porte quand il s'aperçut qu'il était nu comme un ver. Il se précipita dans la salle de bain, s'empara d'un peignoir de ratine blanc et revint à la porte. Cette fois, il l'ouvrit à la volée.

— Je vois que tu es encore passé tout droit, remarqua Cameron.

Elle était plantée devant lui, si prodigieusement belle qu'il avait du mal à le supporter.

— Tu me prends sur le fait, dit-il d'un air penaud.

— Tu sais, ajouta-t-elle en entrant dans la maison, tu devrais arrêter de te coucher aussi tard. Quand j'arrive à sept heures, je m'attends à ce que tu sois prêt à l'action.

— Je suis toujours prêt à l'action ! blagua-t-il en resserrant la ceinture de son peignoir.

— Pas ce genre d'action, dit-elle avec un petit sourire.

— À quel genre d'action pensais-tu ? demanda-t-il en se rapprochant.

— Es-tu toujours aussi séducteur ? répliqua-t-elle avec un mouvement de recul.

— Seulement avec toi.

— Je suis désolée d'avoir cet effet sur toi.

— Ne t'excuse pas, ça ne te va pas.

— Hum... Tu veux probablement que j'aille faire du café avant qu'on commence ?

— Comment as-tu deviné? plaida-t-il en réprimant un bâillement.

— C'est devenu notre routine, hein? Je prépare le café pendant que tu t'habilles, ce qui coupe le temps d'entraînement d'une demi-heure.

— Tu ne m'accuserais pas de relâcher mes efforts, par hasard?

— Jamais de la vie! dit-elle en riant. En passant, quand aura lieu cet événement que tu animes? Celui pour lequel tu voulais être dans une forme ultime?

— Trop tôt! grogna-t-il. Je déteste animer ces soirées.

— Je devrais peut-être t'appeler en partant de chez moi à l'avenir, pour m'assurer que tu es debout. Qu'en penses-tu?

— Je pense que tu es le service de réveil le plus attrayant en ville.

— Juste pour toi.

— Pourquoi ça? demanda-t-il, encouragé. Serais-tu en train de dire que je suis ton client préféré?

— Non, mais tu vas venir à notre ouverture et amener tes amis célèbres. Alors, je me sens obligée de t'accorder certains privilèges.

— Je vais les prendre!

— Où est Butch? demanda-t-elle en regardant autour d'elle.

— Dehors, près de la piscine.

— Pourquoi?

— Parce que c'est là qu'il a dormi cette nuit.

— Tu ne devrais pas laisser un chien dehors la nuit à L.A.! le réprimanda-t-elle. Même un gros chien. Il y a des coyotes partout. Un d'eux a mangé le chiot d'une de mes amies, et c'est arrivé en plein jour.

Sur ces entrefaites, Mary Ellen sortit de la chambre. Elle portait une des chemises de Don et rien d'autre. Ses cheveux étaient ramenés en chignon sur sa tête et son joli visage n'était pas maquillé.

— Oh ! fit-elle, surprise de voir Cameron. Désolée, je ne voulais pas vous déranger.

Cameron lui jeta un coup d'œil, puis se tourna vers Don.

— Maintenant, je comprends, dit-elle d'un air entendu.

Zut, pensa-t-il. *Mary Ellen n'aurait pas pu rester dans la chambre ? Pourquoi tenait-elle à sortir et à se pavaner dans une de mes chemises ? Merde !*

Il avait voulu rendre Cameron jalouse, mais n'avait pas prévu qu'elle rencontre la fille avec qui il avait passé la nuit !

— Heu, Cameron, voici Mary Ellen Evans, dit-il sans se laisser démonter. Mary Ellen, je te présente Cameron, mon entraîneuse.

— Oh, dit Mary Ellen, soulagée que cette grande déesse blonde ne soit pas une rivale. Tu vas t'entraîner ? Puis-je me joindre à vous ?

— Bien sûr que oui, répondit Cameron en jetant un regard amusé à Don.

Elle savait qu'il était furieux de l'apparition de Mary Ellen, mais tant pis ! C'était plutôt drôle de le voir perdre ainsi son assurance.

— Je vais préparer le café pendant que vous enfilez des vêtements d'entraînement, ajouta-t-elle. On fera une séance double. Et tu sais quoi, Don ?

— Quoi ? demanda-t-il en fronçant les sourcils.

— Je ne te ferai même pas payer le double.

* * *

Plus tard, après une séance d'entraînement embarrassante avec les deux femmes, Don retrouva Ryan au restaurant de l'hôtel Four Seasons.

— Donc, dit Don en avalant sa deuxième tasse de café noir, Mary Ellen est sortie de ma chambre vêtue d'une de mes chemises, comme si elle vivait chez moi. J'étais en furie, tu peux me croire !

— Quelle a été la réaction de Cameron ? demanda Ryan.

Il repensa à la veille, quand il avait déjeuné avec Cameron au même endroit. Il ne lui avait pas téléphoné. Il ne pouvait pas, surtout maintenant que Don ne cessait de parler d'elle comme si elle était la seule femme au monde.

— Elle a trouvé la situation très drôle, admit Don. Ma parole, je suis vraiment en train de tomber amoureux!

— Tellement que tu couches avec Mary Ellen!

— Ça ne voulait rien dire. Cameron est la femme de mes rêves.

— Tu crois probablement ça parce qu'elle te résiste, dit sèchement Ryan.

Il eut un frisson de satisfaction à l'idée que Cameron n'avait pas cédé aux avances de son ami comme la plupart des autres femmes.

— Foutaises! Elle est juste... Je n'ai pas besoin de te le dire. Tu l'as rencontrée l'autre soir. Elle est spéciale, non?

Ryan hocha silencieusement la tête. Elle était vraiment spéciale. Elle était belle, intelligente, chaleureuse et gentille. Et même s'il aimait Don, son meilleur ami, son grand copain, il trouvait qu'elle était trop bien pour lui.

À moins qu'il ne pense cela parce qu'il ne pouvait pas l'avoir lui-même?

Il avait vraiment les idées confuses! En outre, il n'avait pas abordé la question du divorce avec Mandy, car à son réveil ce matin, elle tenait une séance de yoga spirituel dans leur salon avec trois de ses amies.

Les mantras n'étant pas son style, il s'était empressé de quitter la maison. À présent, il était ici avec Don, et tout ce dont ce dernier voulait parler, c'était de Cameron.

Ryan savait qu'il ne pourrait pas l'appeler. Plus maintenant que Don était si amoureux. De toutes les années qu'avait duré leur amitié, ils n'avaient jamais permis à une femme de s'interposer entre eux, et cela n'allait pas se produire aujourd'hui.

— Désolé, dit Don en s'apercevant qu'il monopolisait la conversation comme un adolescent amouraché. Parle-moi donc de ta soirée.

— Ça s'est bien passé jusqu'à ce que Hamilton se présente avec sa dernière conquête.

— Oh, merde ! Comment a réagi Mandy ?

— Pas trop mal. Elle a eu un comportement exemplaire.

— Pourquoi donc ?

— Parce qu'elle est terrifiée par Hamilton. Elle marche toujours sur des œufs devant lui.

Un serveur s'approcha de leur table. C'était le même qui les avait servis la veille, Cameron et lui. En leur tendant les menus, le jeune homme salua Ryan en disant :

— Heureux de vous revoir si rapidement, monsieur Richards. Allez-vous commander la même chose qu'hier ?

— Heu, oui.

— Si je peux me permettre, la dame qui vous accompagnait hier est-elle une mannequin ?

Don déposa son menu et jeta un regard interrogateur à son ami.

— Une mannequin ? Aurais-tu une liaison ?

— Pardonnez-moi, monsieur Richards, dit le serveur, mal à l'aise. Je ne voulais pas être indiscret.

Ryan parvint à garder son calme.

— Il n'y a pas de mal.

Il se tourna vers Don et expliqua :

— Je faisais passer une entrevue à une actrice.

— Au déjeuner ? dit son ami en souriant. Mon vieux, on dirait que tu me caches des choses !

25

— **B**onjour, madame Heckerling, dit Madge, la gouvernante écossaise de Hamilton, qui travaillait pour lui depuis plus de vingt ans.

— Bonjour, répondit Anya avec raideur en entrant dans la vaste cuisine de la résidence de Bel Air.

Elle n'était toujours pas habituée à se faire appeler madame Heckerling, pas plus qu'à l'attitude déférente et respectueuse des gens, comme si elle était quelqu'un d'important.

Ils ne la considéraient ainsi que parce qu'elle avait épousé un homme très riche, un milliardaire. Elle en était bien consciente. Par contre, ce n'était pas facile d'être la femme de Hamilton J. Heckerling. Elle vivait constamment dans la crainte qu'un jour il ne découvre son passé et ne l'abandonne comme tous les autres. D'abord, ses parents, puis sa famille adoptive ; ensuite, Sergei, suivi d'Igor ; et enfin, Velma qui avait disparu et l'avait laissée aux mains de Joe, un homme en comparaison duquel les autres semblaient de simples amateurs.

Ses deux années à Amsterdam avaient été pires que toutes ses expériences précédentes. Les choses que Joe l'avait forcée à faire étaient épouvantables.

Elle se réveillait souvent la nuit avec des sueurs froides, s'imaginant que sa véritable identité était révélée et qu'elle devait reprendre son ancienne vie. Elle aurait préféré mourir plutôt que de revenir en arrière. La triste vérité, c'est qu'elle vivait avec une épée de Damoclès au-dessus de la tête et craignait qu'un jour quelqu'un ne découvre qui elle était ou la reconnaisse.

Cette personne était finalement apparue la semaine précédente. Cette personne était l'Américain qui l'avait aidée à fuir Amsterdam sept ans plus tôt.

Quel cruel caprice du destin que son sauveur se retrouve marié à la fille de Hamilton !

Sa femme était-elle au courant ? Lui avait-il tout raconté ? Sinon, le ferait-il maintenant ?

Anya ne savait pas comment faire face à cette situation. Devait-elle s'enfuir ? Partir au milieu de la nuit, en espérant que Hamilton ne se lancerait pas à sa recherche ?

Non. Ce serait insensé. Si elle disparaissait, Ryan raconterait sûrement toute l'histoire, et son secret serait éventé.

Il fallait absolument qu'elle lui parle en tête à tête, qu'elle sache s'il s'était confié à quelqu'un. Si c'était le cas...

Je me tuerais, pensa-t-elle. *J'avalerais une bouteille des puissants somnifères de Hamilton et ce serait fini.*

Elle avait tenté de mettre fin à ses jours un soir, à Amsterdam, après que Joe l'eut obligée à participer à une orgie avec deux lesbiennes et sept Allemands ivres. Elle avait trouvé un rasoir dans la chambre d'hôtel où avait lieu l'orgie et avait essayé de se tailler les poignets. Joe l'avait trouvée affalée par terre, couverte de sang. Il lui avait assené des coups de pied comme si elle était un chien, en criant qu'elle était la pute la plus nulle qu'il ait jamais eue. Puis il l'avait traînée à l'urgence, où on avait recousu les plaies de ses poignets avant de la renvoyer chez elle.

Le lendemain, elle avait repris le travail comme si rien ne s'était passé.

— Puis-je vous servir quelque chose, madame? demanda Madge, les bras croisés sur son imposante poitrine.

— Non, merci, dit Anya.

Madge demeurait polie même si elle avait déjà décidé que la nouvelle femme de son patron ne lui plaisait pas. Toutefois, cette fille était rusée. Pas aussi transparente que les autres. Madge était convaincue qu'elle cachait quelque chose.

— Je vais me faire une tasse de thé, dit Anya en avançant dans la pièce.

Madge lui bloqua le passage.

— Ce n'est pas nécessaire, madame. Je vais aller vous le porter sur la terrasse.

— Très bien, répondit Anya.

De toute évidence, elle n'était pas la bienvenue dans la cuisine. C'était le domaine de Madge, qui préférait la tenir à l'écart.

La jeune femme sortit sur la terrasse. Hamilton était attablé devant son déjeuner et lisait le *Wall Street Journal*.

— Bonjour, ma chérie, dit-il en levant à peine les yeux.

Elle prit place à ses côtés, et contempla la vaste étendue de pelouses vertes, bordées de plates-bandes bien entretenues et de jacarandas en fleurs. Au loin, elle pouvait apercevoir l'eau miroitante d'une piscine de taille olympique et un court de tennis gazonné.

Elle était mariée à l'homme qui possédait tout cela. Elle était mariée à un milliardaire.

L'aimait-elle?

Non.

Avait-elle l'intention de rester avec lui?

Oui.

Hamilton leva les yeux de son journal.

— Mandy t'a-t-elle téléphoné? s'enquit-il en la regardant par-dessus ses lunettes à monture d'écaille.

Anya secoua la tête.

— Cette fille ! marmonna-t-il, irrité. Je lui ai dit de te faire visiter la ville, de te présenter à des gens. Elle a toutes sortes d'avantages grâce à moi, et pourtant, elle refuse de me rendre le moindre service.

— Elle est peut-être occupée.

Ou bien elle sait qui je suis vraiment et ne veut pas me fréquenter.

— Occupée, mon cul ! lança Hamilton. Elle est occupée à ne rien faire. Elle tient de sa mère, tu sais !

Anya n'en savait rien. Elle ne l'avait jamais questionné à propos de ses femmes précédentes. Elle s'en fichait.

Je suis madame Heckerling, maintenant, pensa-t-elle. *C'est tout ce qui compte.*

ANYA

Anya avait tellement rêvé que quelqu'un vienne la secourir et la sortir de cette vie qu'elle était forcée de mener. Son existence ne valait pas la peine d'être vécue, et elle n'avait jamais cru avoir la chance d'y échapper. Puis le destin voulut qu'un soir, Dieu (en qui elle ne croyait pas, mais il était enfin intervenu en sa faveur) lui envoie un homme qui allait tout changer.

Un Américain sur le point de se marier. Un Américain qui avait lu dans son âme tourmentée et décidé que son rôle était de l'aider. Il avait racheté sa liberté, elle le savait. Pas au prix que Joe aurait souhaité, mais son sauveur avait menacé d'avertir la police. Comme il connaissait des gens à l'ambassade américaine, Joe avait cédé.

Anya n'était pas au courant de tous les détails. Elle savait seulement que l'Américain lui avait trouvé un refuge, un endroit où un couple attentionné avait pris soin d'elle. Quelques mois plus tard, elle avait reçu les documents nécessaires à son entrée à New York, où elle fut accueillie par une organisation qui aidait les filles en difficulté.

Ils l'avaient installée dans un foyer pour jeunes filles et lui avaient trouvé un emploi dans une famille. En tant que jeune fille au pair, elle devait accomplir de légers travaux ménagers et prendre soin d'un bébé de six mois. Dire qu'elle savait à peine s'occuper d'elle-même, encore moins d'un bébé !

241

Le jeune couple qui l'employait était agréable. Le père ne semblait pas s'attendre à des faveurs sexuelles et la mère était gentille. Ils travaillaient à l'extérieur toute la journée. Anya était étourdie par tout ce qui lui était arrivé. Peu de temps auparavant, elle était une esclave sexuelle dans l'une des villes les plus dissolues du monde. Et en l'espace de quelques mois, elle en était venue à garder un bébé à New York ! Cette ville au rythme effréné la terrifiait.

Le foyer où elle vivait était propre et confortable. Les autres résidentes formaient un groupe hétéroclite. Anya se tenait à l'écart. Elle allait travailler chaque matin à huit heures et revenait à dix-sept heures. Après le repas du soir, elle regardait la télévision dans la salle commune jusqu'à ce qu'il soit l'heure d'aller au lit. La télévision américaine était une véritable révélation : tellement de jolis visages, de belles maisons propres, remplies de familles heureuses ! Même si les protagonistes n'étaient pas comblés, même s'ils s'engueulaient et se disputaient, tout finissait toujours par s'arranger. La vie à la télé était très réconfortante.

Ella, une des autres résidentes – une fille noire avec un nuage de cheveux crépus, de gros seins et beaucoup de caractère –, essayait constamment d'engager la conversation. Elle lui rappelait les filles de chez madame Olga, avec toutes ses questions.

— D'où viens-tu ?

— Parle-moi donc !

— Ta famille t'a jetée dehors ?

— Prends-tu de la drogue ?

— Il faut qu'on se grouille pour sortir de cette foutue prison !

Ella était intarissable.

— Tu es tellement silencieuse, dit-elle un jour à Anya. Tu ne me réponds jamais.

Anya continua de regarder la télévision. C'était sa drogue. Elle ne pouvait plus s'en passer.

— Combien te paient-ils à ton travail ? demanda Ella en s'asseyant à côté d'elle. Les salauds qui m'emploient me donnent un salaire de crève-faim pour garder deux morveux braillards. Cet endroit est une arnaque. Ils prennent des filles comme nous, qui sont dans le pétrin, et nous envoient travailler comme main-d'œuvre bon marché. Savais-tu que lorsqu'on aura dix-huit ans, ils nous mettront à la porte? Le savais-tu?

Anya secoua la tête. Elle ne le savait pas.

— Il faut dire que je vivais dans la rue, avant qu'une sapristi d'âme charitable ne m'amène ici, poursuivit Ella. Alors, je ne devrais peut-être pas me plaindre. Au moins, je peux dormir dans un lit.

Anya continua de fixer l'écran. Un homme plutôt laid au sourire artificiel distribuait des voitures, des réfrigérateurs et toutes sortes de produits de luxe. Des filles en robes de soirée dorées voletaient autour de lui comme des oiseaux exotiques, pendant que des femmes dodues aux vêtements modestes trépignaient avec des cris de ravissement lorsqu'elles gagnaient des prix. Anya était fascinée.

— Comment t'es-tu retrouvée ici? voulut savoir Ella. T'es-tu enfuie de ta maison comme moi? J'avais un beau-père qui venait dans ma chambre toutes les nuits pour s'offrir une petite chatte juteuse. T'est-il arrivé la même chose?

Anya pensa à la famille qui l'avait recueillie quand elle avait onze ans. L'homme de la maison qui avait abusé d'elle nuit après nuit, pendant que sa femme faisait mine de ne pas voir ce qui se passait. Puis elle repensa à la nuit où les soldats étaient entrés dans la maison et avaient tué tous les occupants, sauf elle. Pour une raison quelconque, elle avait été épargnée. Et pourquoi? Pour subir encore d'autres horreurs.

— Eh bien? insista Ella. Quelle est ton histoire?

Anya haussa les épaules. Elle avait appris à ne pas trop en révéler. C'était plus sûr ainsi.

— Tu ne parles jamais. Tu n'as rien à dire?

— Oui, finit par répondre Anya en désignant le téléviseur. Comment pourrais-je participer à une émission comme celle-là? Je voudrais gagner des prix, moi aussi.

Ella éclata de rire.

— On aimerait toutes avoir ce genre de trucs! Mais on ne les aura pas en restant ici.

— Que faut-il faire, alors? demanda Anya avec une expression sérieuse.

— Je ne sais pas, dit Ella en haussant les épaules. As-tu un talent quelconque?

— Un talent?

— Oui, une chose pour laquelle tu es douée.

— Oui, dit Anya avec un hochement de tête très sage pour une fille de son âge. Le sexe. Je suis douée pour le sexe.

26

Cherry et Reno, les deux nouveaux entraîneurs, étaient des atouts formidables. Non seulement ils arrivaient avec leur propre liste de clients, mais ils étaient désireux de donner un coup de main avant le grand jour de l'ouverture. Il y avait beaucoup à faire. Cole avait congédié leur entrepreneur et embauché Freddy Cruise, l'homme recommandé par Carlos. C'était un type robuste à la parole facile, originaire du Bronx. Freddy, qui était tout un personnage avec sa tignasse teinte en noir et le cigare bon marché qu'il avait constamment à la bouche, employait une équipe d'ouvriers qui travaillaient sans relâche. Ils étaient là pour abattre du travail et ne perdaient jamais leur temps. Tout était payé argent comptant, de la musique heavy métal jaillissait d'un lecteur CD à longueur de journée, mais soudain, le travail avançait à vive allure.

Cameron était enchantée. Tout le monde œuvrait en vue de la grande soirée d'ouverture et l'excitation était à son comble. Ils avaient retenu les services d'une conseillère en relations publiques appelée Dee Dee Goldenberg, une autre New-Yorkaise transplantée à L. A. Dee Dee était presque une version féminine de Freddy: baratineuse, acerbe et impatiente de tout accomplir rapidement.

Dee Dee aimait dresser des listes, mais il était virtuellement impossible d'obtenir une réponse définitive de la part des célébrités. Tous ceux qui travaillaient en relations publiques à Hollywood savaient que les vedettes n'aimaient pas s'engager à l'avance. Elles acceptaient parfois une invitation sans se présenter ; à d'autres occasions, elles refusaient, puis venaient à la dernière minute ; surtout, elles s'attendaient à être payées. Les célébrités étaient des créatures changeantes qui agissaient à leur guise. Et selon Dee Dee, qui le proclamait à qui voulait l'entendre, c'était vraiment emmerdant.

— C'est comme l'histoire de l'œuf et de la poule, se plaignait-elle. Pour attirer les journalistes de la télé, il faut qu'on ait des réponses fermes !

— Don Verona sera certainement présent, l'informa Cameron.

— Viendra-t-il avec Mary Ellen Evans ? s'enquit Dee Dee. Ils sont partout dans les magazines, ça nous assurerait une couverture médiatique importante.

— Je vais faire en sorte que oui, promit Cameron.

Toutefois, elle ne savait pas comment elle s'y prendrait, puisque Don ne cessait de lui répéter que Mary Ellen et lui n'étaient pas en couple.

Tout occupée qu'elle soit, elle ne pouvait s'empêcher de se demander pourquoi Ryan n'avait pas téléphoné. C'était décevant, surtout qu'elle avait annulé un client régulier pour lui offrir une place, qu'il ne semblait pas vouloir prendre.

Ça t'apprendra à t'amouracher d'un homme marié.

La ferme ! Je m'en fiche !

Mais non, tu ne t'en fiches pas.

Oh, oui.

Ne plus songer à Ryan n'était pas aussi simple qu'elle l'aurait voulu. Le temps qu'ils avaient passé ensemble, aussi bref soit-il, lui trottait toujours dans la tête. La vérité, c'est qu'elle pensait constamment à lui. Elle voulait arrêter, elle le souhaitait désespérément. Rien n'allait advenir entre eux et elle devait cesser d'espérer.

Être obsédée par un homme, marié de surcroît, était ridicule. Cela l'empêchait de se concentrer et ne menait nulle part.

C'est sur Paradise qu'elle devait se concentrer.

Cole sentait qu'elle était distraite.

— Tu as rencontré quelqu'un, n'est-ce pas? Dorian avait raison, tu as enfin quelqu'un dans ton lit: un gars chanceux!

— Si c'était vrai, et ce ne l'est pas, Dorian et toi seriez les derniers à le savoir.

— Pourquoi es-tu si coincée et paranoïaque quand on parle de sexe? demanda-t-il avec un regard perçant. Tu es certaine que tu ne joues pas pour l'autre équipe? Ce ne serait pas un problème...

— Merci, Cole. Je suis certaine. Et puisque tu t'intéresses tellement à ma vie sexuelle, je vais mettre fin à ton supplice. Au cours de la dernière année, j'ai fréquenté un gars de vingt ans à côté de qui Justin Timberlake ressemble à une fille!

Voilà. Le secret était dévoilé. Tant pis! Maintenant, les spéculations sur son orientation sexuelle allaient enfin pouvoir arrêter.

— Merde! s'exclama son ami. Un amant secret! Toute une nouvelle!

— Merci! dit Cameron d'un ton ironique.

— Et quand allons-nous rencontrer cet étalon?

— Jamais. Mais crois-moi, il existe. Es-tu satisfait?

— Je le suis. Et toi?

— Très satisfaite, merci.

Une semaine après son déjeuner avec Ryan, elle avait reparlé de lui à Don.

— Que se passe-t-il avec ton ami?

— Je croyais te l'avoir dit, avait-il répondu avec impatience. Mary Ellen était une histoire d'un soir. Elle n'est pas mon genre.

— Tu as un genre ?

— Oui, toi, avait-il répliqué en la regardant dans les yeux.

Décidant d'ignorer ses avances, elle avait repris :

— Je parlais de ton ami Ryan. Celui au mariage précaire.

— Ai-je dit que son mariage était précaire ?

— Tu l'as insinué.

— Oui, Ryan a besoin d'une nouvelle paire de couilles s'il veut quitter Mandy un jour.

Elle n'avait pas insisté. Il ne fallait pas qu'elle semble trop intéressée, sinon Don se poserait des questions. Il n'était pas idiot.

Cole était occupé à faire jouer ses relations, téléphonant à ses ex-amants influents. La mafia gaie de Hollywood répondit favorablement. Cole n'était pas facile à oublier.

Dorian consulta son BlackBerry rempli d'acteurs de télé de second ordre dont la moitié cachaient leur homosexualité. Il les invita tous sans exception.

Il s'avéra que Cherry était l'entraîneuse personnelle de la chanteuse pop Birdy Marvel. Si Birdy venait à l'ouverture, ce serait un coup fumant. Partout où Birdy allait, les photographes suivaient.

Avec la présence de Birdy Marvel et Mary Ellen Evans, ils étaient assurés d'une couverture médiatique inégalée.

Reno avait son propre groupe de jeunes Hollywoodiens. Parmi eux, Max Santangelo, la très jolie et fougueuse fille de la reine de Vegas, Lucky Santangelo. Et les deux amis de Max : Cookie, fille adolescente de l'icône du soul, Gerald M., et Harry, fils gai du président d'un réseau télévisé.

Cameron était toujours nerveuse en pensant à l'ouverture. Elle n'arrivait pas à décider si elle devait porter des vêtements d'entraînement ou une tenue élégante. Elle n'avait pas d'habits chics, mais Cherry connaissait une styliste. En échange d'une invitation à la soirée, cette dernière proposa de l'habiller.

C'était tentant. Cole et Dorian l'encouragèrent à accepter.

— Tu es plus belle que toutes ces femmes, lui dit Dorian. Sers-toi de tes atouts !

— Oui, renchérit Cole. Porte quelque chose qui met ton corps en valeur, car c'est ça qu'on vend !

L'amie styliste de Cherry choisit une magnifique robe de Dolce & Gabbana. Une longue robe blanche avec une interminable fente à l'avant.

Elle l'essaya et fut aussitôt conquise.

— Tu as une allure fantastique ! s'écria Dorian. Il ne manque qu'une paire de Manolo à talons aiguilles, et tu seras parfaite !

— Je n'aurai pas l'air d'en faire trop ? s'inquiéta-t-elle.

— Pas du tout ! l'assura Cole. Tu es le visage de Paradise. Et le corps. On veut que tout le monde te remarque.

Hum... Elle n'était pas certaine de vouloir être au centre de l'attention.

Mais elle était prête à se lancer. Elle n'avait rien à perdre et tout à gagner.

27

Ryan attendait le bon moment pour parler de divorce. Comme Mandy avait une attitude irréprochable, il hésitait à aborder cette question. Ce qui n'aidait pas, c'est qu'elle était contrariée par l'arrivée de la nouvelle épouse de son père. Il l'était tout autant, mais pour différentes raisons. Puis un autre drame familial éclata. Sa sœur Evie lui téléphona au milieu de la nuit en sanglotant et en réclamant son aide.

— Il faut que tu viennes nous chercher ! l'implora-t-elle d'une voix désespérée. Dépêche-toi. Marty a piqué une crise. Je pense qu'il va nous faire du mal !

Nous ? Ses neveux étaient-ils en danger ? Bon sang ! Il lisait des histoires de ce genre tous les jours. Un mari qui perd les pédales et massacre toute sa famille.

Après avoir promis à Evie d'arriver le plus tôt possible, il se leva d'un bond et se hâta de s'habiller. Puis, comme il s'agissait d'une urgence et qu'il risquait d'avoir besoin d'aide, il décida de réveiller Mandy, qui n'avait pas bronché. Il observa sa femme endormie. Ses yeux étaient dissimulés par un masque de velours noir et elle portait des bouchons antibruit sous prétexte qu'il ronflait – ce qui était faux, selon lui. On n'aurait pas dit quelqu'un sur le point de se réveiller. Il la poussa doucement. Elle ouvrit les yeux, encore hébétée par l'effet de son somnifère.

— Quoi ? marmonna-t-elle d'un ton maussade en levant les bras dans les airs. Y a-t-il un tremblement de terre ? Que se passe-t-il ?

— Rien, dit-il d'un ton sec. Rendors-toi.

À quoi avait-il pensé ? Elle serait un fardeau, non un soutien.

Cameron Paradise. Où es-tu quand j'ai besoin de toi ?

Il se dirigea vers sa voiture et démarra en trombe.

En s'engageant sur Sunset, il s'interrogea. Aurait-il dû sortir son arme de son contenant verrouillé ? Ou appeler la police ? Il avait beaucoup d'amis qui travaillaient dans ce milieu et auraient pu l'aider.

Sapristi ! Que diable devait-il faire ?

Il brûla plusieurs feux rouges et parvint à la maison d'Evie en un temps record.

Sa sœur l'accueillit à la porte, les yeux rouges et pleins de larmes.

— Qu'est-il arrivé ? Où est ce salaud ?

— Il s'est encore soûlé, chuchota-t-elle. Puis il s'est mis à crier à propos de toi et de tes riches amis, à se plaindre que tu ne nous donnais jamais d'argent. La soirée chez toi a dû déclencher cette crise.

— Super, dit-il en entrant dans la maison.

— Je lui ai dit que tu me proposais souvent de l'argent, mais que je refusais. C'est alors qu'il s'est déchaîné et a commencé à tout saccager.

— Vous a-t-il frappés, toi et les enfants ?

— Non. Il est sorti, mais il va revenir.

— C'est certain, répliqua Ryan d'un ton morose.

— Je ne me sens plus en sécurité ici, ajouta sa sœur, toujours en larmes. Il ne faut pas qu'on soit ici quand il rentrera.

— En effet. Où sont les garçons ?

— Dans leur chambre. Ils sont terrifiés. Ils ne comprennent pas ce qui se passe.

— Bon, bon. Monte à l'étage préparer vos bagages. Je vous emmène chez moi. On discutera de tout ça demain matin.

— Merci, Ryan. Je savais que je pouvais compter sur toi.

— Allez, dépêche-toi, dit-il d'un ton bourru.

Il entra dans le salon et constata qu'une fois de plus Marty avait réussi à tout détruire. Le canapé était renversé et la télé, fracassée. Des photos étaient répandues sur le sol parmi les fragments de verre de leurs cadres brisés.

Ryan avait pris une décision et n'en démordrait pas. Il allait les emmener chez lui. Mandy piquerait sûrement une de ses crises puériles, mais c'était sa maison, à lui aussi. S'il voulait y recevoir les membres de sa famille quelques jours pendant qu'il réglait la situation, elle devrait l'accepter.

Le seul problème, c'est qu'il devrait repousser une nouvelle fois leur conversation sur le divorce. Toutefois, il était marié avec elle depuis sept ans. Quelques semaines de plus ne feraient pas une si grande différence. Le plus important était de mettre Evie et les enfants en sûreté.

Les trois garçons descendirent l'escalier en se frottant les yeux avec une expression hébétée. Benji, le plus jeune, pleurait.

Ryan les serra dans ses bras et leur dit que tout irait bien. Il aimait ses neveux, et si Marty touchait à un seul de leurs cheveux...

— Allons-y, les garçons, dit-il en les entraînant dehors pour les faire monter dans la voiture. On va vivre toute une aventure !

* * *

Lucy Lyons Standard était assise sur un fauteuil poire dans la chambre de Marlon, avec l'impression d'être redevenue une étudiante. Elle lisait les dernières pages du scénario écrit par le jeune homme à partir de sa brillante idée. Elle devait admettre, à son grand plaisir, que c'était excellent. Juste au moment où elle allait le lui dire, il se planta devant elle et dit avec un regard appuyé :

— J'ai loué un de tes films.

— Ah bon ?

— *Bleu saphir,* dit-il avec un sourire satisfait sur son visage de gamin. Tout un film !

Lucy fronça les sourcils. Pourquoi les hommes étaient-ils aussi obsédés par ce long métrage ? Oui, elle s'y était déshabillée et avait virevolté autour d'un poteau à quelques reprises, mais pourquoi une telle fascination ? Elle avait joué dans une douzaine d'autres films où elle démontrait son talent d'actrice, et pourtant, les hommes ne voulaient parler que de *Bleu saphir.* Personnellement, elle aurait préféré oublier cette expérience, surtout quand elle pensait au producteur, Hamilton J. Heckerling. Il lui avait tourné autour comme si elle était une chienne en chaleur. Elle n'avait jamais confié ce détail à Mandy. Hamilton était venu sur le plateau chaque jour, posant ses yeux perçants sur chaque centimètre de sa peau nue.

— Il faut filmer une suite, avait-il déclaré lors d'un après-midi mémorable. Tu feras une Sharon de toi en montrant ta touffe.

— Il n'en est pas question, avait-elle répliqué, insultée.

— Bon Dieu ! s'était-il exclamé, surpris que quelqu'un lui résiste. Qu'ont donc les femmes aujourd'hui ? Tu ne veux pas voir ta carrière grimper en flèche ?

Heureusement, c'est à cette époque qu'elle avait commencé à sortir avec Phil. Hamilton, avec qui Phil collaborait pour deux autres projets, avait lâché prise. Il était assez sage pour ne pas contrarier son scénariste oscarisé. Ils avaient un passé *et* un avenir en commun.

— *Bleu saphir* n'est pas ma meilleure prestation, dit-elle à Marlon, irritée qu'il lui en parle.

— C'était formidable ! s'écria Marlon avec enthousiasme. J'ai dû mettre le film sur pause à quelques reprises pour être certain de ne rien manquer !

— Tu parles comme un vrai ado, murmura-t-elle, peu impressionnée.

— Je ne suis pas un adolescent, dit-il, les sourcils froncés comme un petit garçon. Je vais bientôt avoir vingt ans !

Alors, agis en conséquence, aurait-elle voulu répliquer. Mais elle se retint. Il effectuait un si bon travail de scénariste que le remettre à sa place aurait été une erreur.

Déposant le document sur le sol, elle se leva et s'étira. S'asseoir sur un fauteuil poire lui faisait mal au dos. Elle n'avait plus seize ans, après tout. Pourquoi n'avait-il pas un canapé comme les gens normaux ?

Sans avertissement, Marlon se jeta sur elle comme un taureau enragé et plaqua ses lèvres sur les siennes tout en lui tripotant les seins.

— Hé ! protesta-t-elle en le repoussant. Que fais-tu là ?

Il demeura debout devant elle, dérouté, une érection visible sous son jean étroit.

— Heu, désolé, marmonna-t-il en passant une main dans ses cheveux blonds décolorés par le soleil. Je pensais...

— Que pensais-tu, exactement ? demanda-t-elle avec une expression courroucée.

Mais secrètement, elle était flattée. Après tout, elle avait l'âge d'être sa... hum... sœur aînée.

— Tu as sûrement une petite amie ? ajouta-t-elle.

— J'en ai quelques-unes. Sauf que... elles ne sont pas comme toi. Toi, tu es...

— Oui ?

— Une vraie femme.

C'était agréable à entendre. Une vraie femme. De toute évidence, ce garçon appréciait les femmes mûres, contrairement à Phil, qui la tenait pour acquise.

Sauf que Phil était son mari. Et les maris ne tiennent-ils pas toujours leur épouse pour acquise ? C'était l'une des raisons pour lesquelles elle voulait ressusciter sa carrière. Si elle retrouvait son statut de vedette de cinéma, cela ranimerait l'intérêt du grand Phil Standard.

— Marlon, dit-elle d'une voix raisonnable. Je suis une femme mariée. J'ai des enfants qui pourraient être tes... heu... frère et sœur. Et au cas où tu ne l'aurais pas remarqué, je suis légèrement plus vieille que toi.

— Oui, mais tu es tellement sexy, murmura-t-il d'un air lascif. Je me fiche que tu sois vieille et mariée.

Vieille ? L'avait-il traitée de « vieille » ?

Elle marcha d'un pas décidé vers la porte.

— Je m'en vais, dit-elle sèchement. Je vais revenir demain à la même heure. À l'avenir, tu devrais avoir un comportement plus professionnel. Oh, hé, Marlon ? Les vingt dernières pages ont besoin d'être retravaillées.

Sur ces mots, elle exécuta une sortie pleine de dignité.

Vieille ! Elle était une vedette de cinéma ! Elle le serait toujours. Et aucun adolescent aspirant scénariste ne la traiterait de vieille impunément !

* * *

Parfois, Mandy faisait la grasse matinée. À d'autres occasions, ses somnifères cessaient d'agir trop tôt et elle ouvrait les yeux à l'aube. Ce qu'elle détestait le plus, c'était de se faire réveiller brusquement, et voilà exactement ce que Ryan fit le mardi matin. Elle se rappelait vaguement qu'il avait essayé de la tirer du sommeil plus tôt, mais sans succès. Le voilà qui recommençait, secouant vigoureusement son épaule jusqu'à ce qu'elle abaisse son masque et ouvre les yeux à contrecœur.

— Quoi ? marmonna-t-elle.

Elle était encore sous l'emprise d'un délicieux rêve où Patrick Dempsey – ou était-ce Don Verona ? – la poursuivait sur les plages sablonneuses de Mystique.

— Il faut que je te dise quelque chose, déclara-t-il en s'asseyant au bord du lit.

— Ça ne peut pas attendre ? demanda-t-elle, pressentant un problème.

— Non.

— Qu'y a-t-il ?

Elle tenta de se redresser.

— Evie et les garçons sont ici.

— Où ça ?

— Ici, dans notre maison.

Elle tenta de se rappeler si elle les avait invités dans un moment de faiblesse, un effort pour être gentille envers Ryan. Mais aucun souvenir ne lui vint à l'esprit.

— Pourquoi, Ryan ? Pourquoi sont-ils ici ? ronchonna-t-elle avec mauvaise humeur.

— Parce qu'ils vont passer quelques jours chez nous.

Cette information la fit s'asseoir brusquement.

— Pardon ? s'exclama-t-elle, se demandant si elle avait bien entendu.

— C'est une urgence. Marty est incontrôlable. J'ai dû sortir Evie et les garçons de là au milieu de la nuit.

— Tu les as amenés ici ? dit-elle, incrédule. Ici, dans ma maison ?

— Notre maison, la corrigea-t-il.

C'est ce qu'il croyait. Quand Hamilton leur avait soi-disant offert cette maison en cadeau de mariage, il avait laissé le titre de propriété au nom d'une de ses compagnies. Juste au cas. *C'est ma maison*, pensa-t-elle. *Hamilton n'est pas né d'hier.*

Ses pensées volaient dans toutes les directions. Récemment, elle avait fait des efforts pour se rapprocher de Ryan, qui semblait de plus en plus distant. Elle avait organisé une soirée avec sa famille ; elle n'avait pas boudé lorsqu'il s'était soûlé et n'était pas rentré de la nuit ; elle lui avait proposé de faire l'amour ; en fait, elle s'était comportée comme une parfaite épouse.

Et c'était ainsi qu'il la remerciait ? En lui imposant Evie et les enfants ? Bon sang ! Ce n'était pas acceptable !

— Je ne sais pas quoi dire, dit-elle en tendant la main vers son peignoir.

— Ne dis rien. C'est déjà réglé et j'aimerais que tu sois gentille avec eux.

Elle sentait que son mari était à cran. Il était préférable de faire preuve de prudence et de continuer son petit jeu d'épouse attentionnée.

— Je suis toujours gentille, déclara-t-elle en faisant contre mauvaise fortune bon cœur. Où sont-ils ?

Ce n'était pas la réaction à laquelle il s'était attendu. Qui était cette femme aimable qui s'était emparée du corps de Mandy ? Ce n'était certainement pas la Mandy qu'il connaissait et n'aimait plus.

— Ils sont en bas. Consuela leur prépare un déjeuner.

— Allons les rejoindre, alors ! dit-elle joyeusement, en glissant ses pieds dans des pantoufles confortables en cachemire. Ça fait une éternité que je n'ai pas vu les garçons.

28

Vingt-quatre heures avant le grand jour, l'entrepreneur Freddy et son équipe firent un effort phénoménal pour tout terminer à temps. Les travaux avaient coûté cher, mais le nouvel investisseur ne semblait pas s'en soucier et l'argent entrait à flots.

Cameron s'était imaginé que ce mystérieux bailleur de fonds était le petit ami de Natalie, un promoteur immobilier avec de l'argent à ne plus savoir qu'en faire. Cela lui importait peu, du moment que leur liaison se poursuivait. Mais qu'arriverait-il s'ils rompaient? Pourvu que Paradise devienne suffisamment rentable entre-temps pour qu'ils puissent rembourser leurs investisseurs et ne plus avoir à subir d'ingérence.

La veille de l'ouverture, la jeune femme se sentait optimiste et pleine d'énergie lorsqu'elle se présenta chez Don à sept heures, comme d'habitude.

— Salut, ma belle, dit-il en la faisant entrer.

— Tu es habillé! remarqua-t-elle. J'espère que ça ne signifie pas qu'on ne s'entraîne pas aujourd'hui!

Elle ne le voyait pas souvent vêtu autrement qu'en survêtement et le trouva fort séduisant.

— Tu as tout compris, mademoiselle Paradise, déclara-t-il en sortant et refermant la porte derrière lui. Je t'emmène déjeuner pour célébrer l'ouverture de ton établissement demain soir.

— On dirait que tu parles d'un bordel, blagua-t-elle en se demandant ce qu'il complotait.

— Quel mot désuet ! dit-il pour la taquiner. Je ne croyais pas que les bordels existaient encore, maintenant qu'il y a Internet.

— Ne me regarde pas ! Je ne connais rien là-dedans.

— Ne fais pas l'innocente ! rétorqua-t-il en souriant.

Don Verona tentait-il de rentrer dans ses bonnes grâces ? Peut-être bien.

Récemment, elle avait pris le temps de regarder son émission de fin de soirée. Il lui avait paru légèrement cynique, spirituel et original. Comme intervieweur, il était enjoué, mais direct. Elle avait apprécié ce côté professionnel de son client, et comprenait pourquoi son émission avait autant de succès.

Donc... Don Verona était intelligent et beau. Il réussissait toujours à la faire rire. Puisqu'elle avait décidé de ne plus voir Marlon, et comme il était évident que Ryan – tant pis pour lui ! – ne la rappellerait pas, qu'y avait-il de mal à sortir avec Don ?

Pourquoi ?

Pourquoi pas ?

Elle se demanda comment ce serait d'entretenir des relations amoureuses avec un homme comme lui. Il était disponible, elle le savait. Divorcé deux fois, tout le monde était au courant.

Sauf que c'était un dragueur, ce qui était plus risqué.

Peuh ! C'est mieux que d'être avec un homme marié.

Ce n'est pas comme si j'avais le choix. Ryan n'a pas rappelé.

— Bon, où m'emmènes-tu manger ? demanda-t-elle.

Ce ne serait pas désagréable de prendre une pause.

— Tu veux dire que tu ne protestes pas ? dit-il en haussant un sourcil ironique.

— Voyons, pourquoi ferais-je cela ?

— C'est ce que tu fais toujours.

— Tu devrais me dire où on va avant que je ne change d'avis.

— À Malibu.

— Je n'ai pas le temps d'aller à Malibu.

— Oui, si tu veux que je vienne chez Paradise demain soir.

— Ça ressemble à du chantage, l'accusa-t-elle. Tu agis toujours ainsi avec moi !

— C'est vrai. On dirait que c'est la seule façon d'attirer ton attention.

— Tu vas emmener Mary Ellen à l'ouverture, n'est-ce pas ?

— Suis-je obligé ? grogna-t-il.

— Oh, oui !

— Dans ce cas, il faut que tu viennes à Malibu. Si je fais des concessions, tu dois en faire aussi.

— Bon, si tu insistes, dit-elle, consciente de céder trop facilement. Mais je dois être de retour à dix heures.

— Marché conclu, Cendrillon, déclara-t-il, pressentant la victoire.

— C'est promis ?

— T'ai-je déjà laissée tomber ?

— Tu veux dire à part le fait que tu n'es jamais prêt le matin quand j'arrive et que tu m'obliges à préparer le café ?

Il s'esclaffa.

Elle devait admettre qu'elle aimait son rire.

— À quoi penses-tu ? s'enquit-il en l'entraînant vers la Ferrari garée dans l'allée.

— Ça ne regarde que moi.

— Bon sang, Cameron, dit-il avec un air perplexe. Tu ne peux jamais répondre simplement ?

— Tu ne trouves pas que ta question est un peu enfantine ?

— Désolé. En tant qu'animateur d'émission de variétés, j'ai besoin de mes scripteurs pour m'indiquer quoi dire !

Elle prit place sur le siège du passager.

C'est complètement fou, se dit-elle. *Je n'aurais jamais dû accepter.*

Pourquoi pas ? Je suis ma propre patronne et je peux prendre congé de temps à autre. Natalie et Cole s'occupent de l'organisation de la soirée, alors pourquoi ne pourrais-je pas prendre une petite pause ?

Parce que tu commences à faiblir.

Non. Pas du tout.

Don était un fou du volant. Il faisait louvoyer sa Ferrari entre les voitures comme s'il s'agissait d'un jouet et qu'il roulait sur une piste de fête foraine. Il dévala Sunset à la vitesse d'un pilote d'Indy 500 et s'engagea sur la Pacific Coast Highway sans même ralentir.

— Tu es fou ! s'exclama-t-elle.

La vitesse lui paraissait grisante, car elle-même n'était pas exactement une tortue quand elle était au volant.

— Je n'ai jamais dit le contraire.

— Conduis-tu toujours comme un fou ?

— Seulement quand ma petite amie est pressée.

— Je ne suis pas ta petite amie. Je suis ton entraîneuse.

— C'est noté.

Il exécuta un virage en épingle avant de filer à toute vitesse sur Old Malibu Road.

— Il y a un restaurant ici ? demanda-t-elle, étonnée.

— Oui. Mon restaurant.

— Ton restaurant ?

— Eh oui. Je prépare les meilleures crêpes de ce côté-ci du Mississippi, et du bacon qui te donnera les larmes aux yeux.

— Vraiment ?

— Vraiment.

Après s'être garé devant un chalet rustique près de la plage, il sortit de la voiture et vint lui ouvrir la portière.

— C'est mon refuge, expliqua-t-il. Personne ne connaît cet endroit sauf moi et mon gestionnaire.

— Pourquoi me le montrer, alors?

— Parce que tu es spéciale. Je veux que tu saches que tu peux venir ici quand tu veux. Tu n'as qu'à m'appeler, me dire quand tu en as besoin, et il est à toi.

— Je vais peut-être te prendre au mot.

— J'espère bien.

— Puis-je amener mes chiens? Ils adorent la plage.

— Les chiens sont les bienvenus.

Le chalet était extrêmement différent de sa demeure ultramoderne en ville. Pas de téléviseur ni d'ordinateur. C'était une petite maison de bord de mer à une chambre, au décor élégamment rétro et coquet. Un coussin usé pour chien occupait une place de choix dans le salon, à côté d'une cuisine toute en bois qui semblait très bien équipée.

Don lui fit traverser la maison en direction d'une terrasse donnant sur l'océan.

— Assieds-toi ici et regarde les vagues pendant que je prépare le déjeuner, conseilla-t-il en désignant un fauteuil confortable. Tu peux somnoler si tu veux. Tu travailles trop!

Il avait raison, elle travaillait beaucoup trop. Depuis son départ d'Hawaï, elle n'avait jamais arrêté. Elle s'était activée sans relâche, avait économisé, et maintenant, Paradise était sur le point d'ouvrir. C'était l'aboutissement de sa vision.

Elle ferma les yeux un moment, savourant l'odeur de la mer et la douce brise qui jouait dans ses cheveux. Le bruit des vagues était hypnotisant. Comme c'était agréable de relaxer pour une fois, d'oublier le travail, de tout oublier...

Elle avait dû s'endormir, car l'instant d'après, Don était en train de lui servir une assiette de crêpes et de bacon, accompagnée d'un verre de jus d'orange fraîchement pressé. Il déposa le tout sur une table en rotin, approcha un fauteuil et prit place en face d'elle.

— J'espère que tu n'as pas mis de drogue dans mon verre pour profiter de ce rendez-vous, soupira-t-elle en passant une main dans ses cheveux.

— J'aurais dû, répondit-il du tac au tac. Sauf que ce n'est pas un rendez-vous, tu te souviens ?

— Oh, c'est vrai.

— Toutefois...

— Non, c'est trop tard, lança-t-elle en grignotant un morceau de bacon.

— Tu ne crois pas qu'il serait temps que tu sortes avec moi ? ajouta-t-il, sérieux pour une fois.

— Non, répliqua-t-elle automatiquement.

— Pourquoi pas ?

— Pourquoi le ferais-je ?

— Bon, la voilà qui recommence avec ses réponses évasives ! dit-il en levant les yeux au ciel.

— Mes réponses ne sont pas évasives. Je t'ai dit dès le début que je ne mélange jamais travail et plaisir.

— Dans ce cas, je vais trouver un nouvel entraîneur. Est-ce que ça résoudrait ton problème ?

— Comme tu veux, répondit-elle, certaine qu'il n'était pas sérieux.

— Je ne te manquerais pas ?

— Mon Dieu ! Tu es tellement insistant !

— Tu me plais. Est-ce un crime ?

— Tu as vraiment besoin de scripteurs, blagua-t-elle. Tu parles d'un cliché !

— Va te faire foutre !

Un sourire se dessina lentement sur son visage pendant qu'il songeait à quel point c'était agréable de passer du temps avec une femme qui savait badiner.

— Et Mary Ellen ?

— Je te dis d'aller te faire foutre et ça te fait penser à Mary Ellen ?

— Allons, Don ! Tu dois admettre qu'elle est très gentille. De plus, il est évident qu'elle t'adore.

— J'ai commis une erreur. Je n'aurais pas dû aller aussi loin.

— Eh bien, tu l'as fait. Maintenant, tu dois la traiter avec respect. La pauvre fille a subi l'enfer avec les magazines à potins. Elle n'a pas besoin que tu la rejettes par-dessus le marché !

— Tu parles comme ma mère !

— Tu as une mère ?

— Je te dis que tu es spéciale, toi ! dit-il en secouant la tête.

— Je vais prendre ça comme un compliment.

— Écoute, je ne suis pas responsable de Mary Ellen. C'est une grande fille qui prend ses propres décisions. J'ai couché une seule fois avec elle. Personne ne l'a forcée.

— Non, mais elle pense que tu l'aimes bien, répliqua Cameron, sincèrement désolée pour la jeune fille.

— Pour qui te prends-tu ? Une voyante ? Tu ne la connais même pas !

— En fait, je la connais.

— Ah bon ?

— Oui. Après notre entraînement à trois, elle m'a appelée pour une séance privée. Je suis allée chez elle, et elle n'arrêtait pas de parler de toi.

Il fronça les sourcils. Qu'est-ce que c'était que cette histoire ? Mary Ellen n'avait pas le droit d'appeler Cameron à son insu ! L'idée des deux femmes en train d'échanger des informations à son sujet n'était pas réjouissante.

— Que disait-elle à propos de moi ? ne put-il s'empêcher de demander.

— À quel point tu lui plais. Que tu es drôle, intelligent... Et que tu es un piètre amant.

— Hé ! protesta-t-il avec un petit sourire. S'il y a une chose qu'on ne m'a jamais reprochée...

— Je me moque de toi, Don.

— J'espère bien, dit-il en se levant.

— Hum..., ajouta-t-elle. Aurais-je touché à une corde sensible ?

— Tu peux toucher à tout ce que tu veux, répliqua-t-il en contournant la table.

— Selon Mary Ellen...

Avant qu'elle puisse terminer sa phrase, il se pencha et l'embrassa, les prenant tous deux par surprise.

— Qu'est-ce qui t'a pris ? demanda-t-elle, le souffle coupé.

— Ne fais pas l'innocente. Tu sais ce que j'éprouve pour toi et il est grandement temps de passer à l'action.

— Ah oui ?

— Absolument.

— D'accord, murmura-t-elle, se surprenant elle-même. Si tu amènes Mary Ellen à l'ouverture, je sortirai avec toi.

— Enfin !

— Ça n'aurait pas été aussi amusant si j'avais dit oui tout de suite, n'est-ce pas ? répliqua-t-elle en souriant.

Il devait admettre qu'elle avait raison. À présent, il pouvait se réjouir à la perspective de leur prochain rendez-vous.

ANYA

Ella était une fille pleine de ressources. Une fois qu'elle découvrit le supposé talent d'Anya, ce qui fut tout un choc, elle entreprit de trouver une façon d'en tirer parti. Bien qu'âgée de seulement dix-sept ans, comme Anya, Ella était débrouillarde et en avait vu d'autres. La beauté exceptionnelle de son amie ne lui avait pas échappé.

— Je connais un type, lui dit-elle. Il pourrait dénicher des clients qui nous paieraient pour faire des trucs sexuels ensemble.

— Ça ne m'intéresse pas, répliqua Anya d'un ton monocorde, dénué d'émotion.

— Pourquoi pas? On pourrait gagner assez d'argent pour sortir de ce trou miteux.

C'était toujours la même histoire: le sexe, le sexe, le sexe. Anya ne voulut rien entendre. Maintenant qu'elle était en Amérique, tout était différent. Les circonstances avaient fait d'elle une prostituée, mais elle avait décidé que si le destin voulait qu'elle vende son corps, elle le ferait en gagnant beaucoup d'argent, comme les filles de l'émission *Sex and the City*. La télévision lui avait beaucoup appris. Elle avait regardé cette série à plusieurs reprises et remarqué que les filles couchaient avec différents hommes. Ces derniers les traitaient avec respect et les récompensaient généreusement. Aucune d'elles ne semblait avoir un emploi régulier, et pourtant, l'argent coulait à flots. Elles vivaient dans de luxueux appartements, portaient de beaux vêtements. Et leurs souliers... Oh, comme Anya aurait voulu posséder une paire de chaussures comme celles-là !

Elle était vraiment impressionnée.

— Je veux être comme ces filles à la télé, déclara-t-elle à Ella.

Cette dernière éclata de rire.

— Tu n'as pas compris ? Ces salopes sont des actrices ! Tout ce que tu vois à la télé, ce sont de foutus contes de fées minables.

— Je m'en fiche, dit Anya avec une expression obstinée. C'est possible. Je suis aux États-Unis maintenant. Tout est possible.

— Non. Tu dois te sacrifier, sinon tu n'obtiendras rien dans ce monde de merde.

Anya ne la croyait pas. Elle avait des plans, dont Ella ne faisait pas partie.

29

Natalie de Barge et Dee Dee Goldenberg avaient conjugué leurs efforts pour s'assurer que Paradise était l'endroit où il fallait être vu le soir de l'ouverture. Dee Dee avait reçu comme directive de ne pas lésiner sur la dépense, et elle avait obéi à la lettre. Sur la façade de l'immeuble, une enseigne au néon annonçait en clignotant «Paradise». Un tapis rouge menait du service de voiturier à la porte et des cordons argentés retenaient un groupe impressionnant de photographes et d'équipes de télévision. Deux des assistantes de Dee Dee étaient postées à l'entrée, une liste d'invités à la main. À l'intérieur, Spago faisait office de traiteur. Du champagne et des boissons spéciales baptisées «Paradise» étaient servis aux invités. Des serveurs vêtus uniquement d'un pantalon noir moulant circulaient avec des plateaux. Dorian avait personnellement inspecté leurs abdos pour être sûr que chaque serveur était à la hauteur.

Cameron se sentait comme une princesse lorsqu'elle fit son entrée, flanquée de Cole et Dorian.

Dee Dee fit aussitôt signe aux photographes de s'activer, même s'ils ne connaissaient pas l'identité de Cameron.

Elle leur donna quelques explications, en embellissant légèrement la vérité :

— Voici Cameron Paradise, la propriétaire du club Paradise. Rappelez-vous ce nom ! Elle aura bientôt sa propre émission de téléréalité sur Bravo. En septembre, elle sera l'invitée-vedette de *Two and a Half Men*, où elle incarnera l'amoureuse de Charlie Sheen.

Cameron ouvrit la bouche pour protester, mais Dee Dee lui jeta un regard qui signifiait : « Surtout, pas un mot ! »

Les photographes se déchaînèrent. Elle n'était peut-être pas célèbre – du moins, pas encore –, mais était indéniablement belle. En posant devant les objectifs, elle se sentit vaguement ridicule. C'est avec soulagement qu'elle vit apparaître Natalie avec Nicollette Sheridan et Michael Bolton, car les photographes se tournèrent aussitôt vers eux. Elle en profita pour se faufiler à l'intérieur. Les projecteurs, ce n'était pas pour elle !

— *Two and a Half Men* ? demanda Dorian en haussant un sourcil bien dessiné.

Sa crinière blonde arborait de nouvelles mèches pour l'occasion.

— Pose la question à Dee Dee, répondit-elle en pouffant de rire. C'est son imagination débridée, pas la mienne !

— J'adooore les gens qui ont de l'imagination, soupira Dorian. Penses-tu qu'elle pourrait inventer une histoire à propos de Josh Duhamel et moi ensemble à Vegas ?

— Allez, vous deux ! Un peu de sérieux ! lança Cole avec nervosité. C'est notre grande soirée d'ouverture. Il nous faut être les meilleurs !

— Tu as raison, dit Cameron. Au fait, Cole, peux-tu me dire comment on va payer tout ça ? C'est beaucoup plus que ce qui avait été prévu dans le budget.

— L'investisseur silencieux de Natalie a exigé ce qu'il y avait de mieux, dit Cole, resplendissant dans son complet Armani, offert par un de ses nombreux admirateurs. Ce type paie, alors on s'en fout !

— Je ne comprends pas, murmura Cameron, perplexe.

— Qu'y a-t-il à comprendre ? rétorqua Cole. C'est son argent !

— Oui, mais c'est notre entreprise. Comment peut-on travailler avec quelqu'un qui croit pouvoir intervenir à la dernière minute en donnant des ordres ?

— C'est cette soirée qui va nous lancer, expliqua Cole. Cette réception sera très payante pour nous, tu verras. Laisse-toi aller, ma belle. Natalie est d'accord, alors on devrait l'être aussi.

— J'espère que tu as raison, dit-elle, inquiète en pensant à toutes ces dépenses supplémentaires.

— J'ai toujours raison, se vanta Cole avant d'aller saluer le magnat de Hollywood qui lui faisait signe de l'autre côté de la pièce.

Lynda s'approcha, tout excitée.

— Oh, *mama* ! Tu es superbe ! dit-elle à Cameron. Tu es faite pour porter ce genre de robe aguichante !

— Profites-en ! Je n'en porterai pas une autre de sitôt !

— Pourquoi pas ? Ça te va tellement bien ! *Mucho* sexy !

— Je ne cherche pas à être sexy, dit Cameron, interdite. Je veux avoir l'air en forme et en santé.

— Ouais, c'est ça ! As-tu vu Carlos ? demanda la jeune fille, juchée sur des sandales à lanières dorées.

Ses formes abondantes jaillissaient littéralement de sa courte robe écarlate. Elle prit un canapé au saumon fumé sur un plateau présenté par un serveur.

— Il est ici ? demanda sa patronne.

— *Évidemment* qu'il est ici ! Je dois garder un œil sur ce vilain garçon, car les femmes sont toujours à ses trousses. Tu n'as aucune idée de ce que je dois faire pour éloigner les sales garces qui s'approchent trop près ! C'est à cause de son charme à la Antonio Banderas.

— Bien sûr, dit Cameron.

Selon elle, Carlos ressemblait autant à Antonio Banderas que Pamela Anderson à Nicole Kidman ! Elle se demanda si Don allait venir. Elle lui avait répété une douzaine de fois d'amener Mary Ellen. À présent, elle commençait à regretter d'avoir insisté à ce point. Depuis leur baiser sur la plage, elle le voyait sous un nouveau jour. Devrait-elle sortir avec lui ? Serait-ce une erreur ? Était-il trop volage ?

Oh, et puis... pourquoi pas ?

Natalie était au bar, dressé devant une rangée de nouveaux tapis roulants rutilants. Elle bavardait avec un groupe d'amis. Monsieur le Rupin, son copain promoteur immobilier, était à ses côtés.

Cameron eut envie d'aller lui parler, puis se souvint qu'il souhaitait garder l'anonymat.

Bon, tant pis.

Où es-tu, Don ? Ne me laisse pas tomber. J'ai besoin que tu te montres ici ce soir.

Quelques minutes plus tard, Katie arriva. Elle était venue de San Francisco spécialement pour l'ouverture.

— Fiou ! s'exclama-t-elle en l'étreignant. Je suis tellement contente d'être rendue à temps. Mon avion était en retard, et j'ai pris un taxi pour venir directement ici.

— Où est Jinx ? demanda Cameron, ravie de la voir.

— Il a enfin signé un contrat de disque ! Il est en studio et fait dire qu'il t'embrasse.

— Quelle bonne nouvelle ! Tu lui transmettras mes félicitations.

— J'ai une nouvelle encore plus importante ! On s'est fiancés !

— Vraiment ?

— Oui ! déclara Katie en exhibant une modeste bague à diamant.

— C'est fantastique ! dit Cameron. Je suis tellement contente pour vous. Je sais que c'est ce que vous souhaitiez.

— On va se marier le jour où Jinx aura son premier disque d'or, affirma Katie avec assurance.

Vous risquez d'attendre longtemps, pensa Cameron avant de se taper métaphoriquement sur les doigts pour avoir eu cette opinion mesquine. Jinx avait du talent, mais il n'était pas John Mayer, ni même Adam Levine de Maroon 5.

Elle sentit son téléphone vibrer dans son sac et s'empressa de le sortir.

— Je vais être en retard, annonça Don. L'émission s'est éternisée à cause de problèmes techniques. Ne t'inquiète pas, je m'en viens.

— Avec...

— Oui, oui, dit-il d'un ton résigné. Je passe la chercher dès que je quitte le studio. À contrecœur, mais j'y vais.

Cameron eut un petit rire.

— T'amuses-tu bien sans moi?

— Je me débrouille.

— N'oublie pas notre entente. Demain soir, on a rendez-vous.

— Tu me donnes l'impression que je suis revenue au collège.

— Attends qu'on s'embrasse sur ma banquette arrière! dit-il avec un rire entendu. Ça va te faire toute une impression.

— Est-ce une promesse?

— Veux-tu que c'en soit une?

— Concentre-toi sur ton rendez-vous de ce soir, lui rappela-t-elle. Et n'oublie pas de sourire devant les photographes.

— Merde, tu es dure! grommela-t-il.

— Dépêche-toi! Ton nom est sur la liste et les journalistes commencent à s'impatienter.

— J'arrive, promit-il.

Elle coupa la communication, remit son téléphone dans son sac et regarda autour d'elle. Il y avait foule. Paradise était-il sur le point de devenir le nouveau centre sportif à la mode? Si seulement les gens se mettaient à s'inscrire, leur succès serait assuré. Cole parlait déjà d'agrandir, d'ajouter une cabine de bronzage et un salon de beauté. «Commençons par voir comment va le gym, avait-elle dit, prudente. Ensuite, on pensera à diversifier.»

Lynda s'approcha avec un verre, un amuse-gueule et son sac à main pailleté.

— Est-ce que ce sera ouvert demain ?

— Non, dans deux jours, répondit Cameron en se demandant pourquoi personne ne l'écoutait.

Elle leur avait répété au moins dix fois que le lendemain de la fête serait jour de nettoyage, mais que tout le monde devait être présent pour répondre aux appels et tout organiser.

— Carlos a un cousin qui fabrique des t-shirts, dit Lynda en enfournant le canapé entre ses lèvres maquillées. Il veut savoir si tu vas lui en commander.

— Carlos a plus de cousins que la reine d'Angleterre !

— Il va imprimer « Paradise » sur les t-shirts, promit la jeune fille. Ce sera adorable ! On pourra les vendre au comptoir de la réception.

— Non, Lynda. Peut-être plus tard.

— Bon, bon. Pas besoin de te fâcher.

— Je ne me fâche pas. J'essaie de me concentrer sur une chose à la fois. Notre priorité en ce moment est d'obtenir des inscriptions, pas de vendre des t-shirts ! Des clients réguliers, voilà ce qui va assurer nos revenus.

— Oh... mon... Dieu, s'exclama Lynda. Regarde qui vient d'entrer. C'est monsieur Langue-Sale lui-même !

— C'est-à-dire ?

— Monsieur Lord Gros-Porc.

— Qui a mis son nom sur la liste ?

— Certainement pas moi ! protesta Lynda, indignée que Cameron ait pu penser une chose pareille.

— Je ne suis même plus son entraîneuse, dit cette dernière. Que diable fait-il ici ?

— Cole lui a peut-être envoyé une invitation ?

— Ça m'étonnerait.

— Veux-tu que je demande à Carlos de le flanquer à la porte ?

— Non, oublie ça. Avec un peu de chance, il va se mêler à la foule.

— Ce serait surprenant, dit Lynda en écarquillant ses yeux bruns expressifs. Attention, il s'en vient par ici !

En effet, il approchait. Le client le plus détestable de tous.

Cameron chercha une façon de l'éviter, ne vit aucune issue et se résolut à l'affronter.

— Cameron, Cameron, Cameron, dit monsieur Lord d'un ton accusateur. Tu m'as laissé tomber comme une vieille chaussette !

Cet homme parvenait toujours à inclure un ou deux clichés dans ses propos. Sa perruque noire était légèrement de travers et ses sourcils broussailleux se rejoignaient pratiquement au centre.

— En fait, dit-elle, déterminée à rester calme, je n'étais pas autorisée à amener des clients de Bounce avec moi. C'est le règlement.

— Je me fiche du règlement ! Tu es mon entraîneuse ! Un jour, tu étais là, sexy et croquante dans ton petit short, celui qui me permettait de reluquer tes seins, et le lendemain, ton petit corps affriolant avait disparu !

Soudain, tout devint clair. Elle n'avait pas à s'énerver, maintenant qu'elle avait son propre studio et ne tentait plus désespérément d'économiser. Elle pouvait lui dire d'aller se faire foutre.

C'était une sensation grisante.

— Monsieur Lord, dit-elle calmement. C'est votre vieux derrière ramolli qui va disparaître. Vous allez ficher le camp d'ici, avec votre langue sale et vos propos sexistes ! Les pervers ne sont pas les bienvenus chez Paradise.

Sur ces paroles satisfaisantes, elle tourna les talons et s'éloigna.

30

Deux heures après le début de la fête, Don arriva enfin. Il fit une entrée remarquée avec Mary Ellen. Mandy et Ryan Richards les suivaient.

En voyant ce dernier, Cameron sentit les battements de son cœur s'accélérer. Pourquoi Don ne lui avait-il pas dit qu'il viendrait avec les Richards? Au moins, elle aurait pu se préparer mentalement.

Arrachant Cole de sa conversation avec le magnat, elle l'entraîna vers les nouveaux arrivants et fit les présentations.

— Hé, il y a beaucoup de monde! déclara Don en regardant autour de lui. Je dois dire que l'endroit est fantastique. Encore mieux que ce à quoi je m'attendais.

— Merci, murmura Cameron, déterminée à ne pas regarder Ryan.

— Tu te souviens de Mandy et Ryan, n'est-ce pas? ajouta Don.

Oh oui, je m'en souviens parfaitement.

— Bien sûr, dit-elle d'un ton détaché, en évitant soigneusement de lever les yeux.

Puis elle ne put résister. Avec un frisson qui lui remonta l'échine, elle constata que les yeux de Ryan étaient plus bleus que jamais, que ses cheveux étaient ébouriffés et que la fossette de son menton lui faisait toujours le même effet.

Elle éprouva un sentiment de désir impuissant pour cet homme qu'elle connaissait à peine.

— Bonjour, dit Mary Ellen.

La jeune femme était radieuse et pleine d'entrain, car il s'agissait de son quatrième rendez-vous avec Don. Les médias parlaient d'eux comme s'ils formaient un couple. Elle espérait que son ex lisait les potins en s'étouffant avec son café matinal, en compagnie de sa copine actrice voleuse de mari.

— Bonjour, répondit Cameron en détachant son regard de l'objet de son désir.

— Je te conseille d'être gentille avec Mandy, lança Don. Si elle décide d'adopter cet endroit, votre succès est assuré !

— Je pense qu'on est déjà sur notre lancée, répliqua Cameron en plissant ses yeux verts. Mon calendrier est déjà rempli. Et toi, Cole ?

— Moi aussi, dit-il en entrant dans le jeu.

— Mais vous allez me faire une place, j'espère ? demanda Mary Ellen. Je recommence bientôt le tournage de mon émission, alors je pensais m'entraîner tôt le matin.

— Je peux m'occuper de vous, promit Cole en posant une main sur son bras. Ce sera avec plaisir.

— Ce serait merveilleux, répondit Mary Ellen.

Elle espérait que l'attention de ce magnifique Afro-Américain allait rendre Don jaloux.

— Voici ma carte, ajouta Cole. Appelez-moi et on fixera l'heure.

— C'est promis, dit Mary Ellen en jetant un coup d'œil à Don pour voir s'il avait remarqué.

— Ce que j'aime, c'est le yoga, déclara Mandy, pendue au bras de Ryan. J'essaie de convaincre mon mari de s'y mettre, mais il résiste. N'est-ce pas, chéri ?

Bon sang ! Ryan détestait quand elle l'appelait chéri. Et il détestait qu'elle s'accroche ainsi à lui. Ce n'était pas le genre de Mandy de jouer à la femme faible, et c'est exactement ce qu'elle faisait en ce moment. Sentait-elle qu'il était désespérément attiré par Cameron ?

— Le yoga est très satisfaisant pour certaines personnes, dit cette dernière en s'efforçant de demeurer professionnelle. Pour ma part, je préfère un entraînement plus vigoureux.

— Ça, c'est vrai ! lança Don en riant. Elle me fait tellement travailler que j'arrive à peine à me traîner jusqu'au studio !

— Mais ça vaut la peine, commenta Mary Ellen en le contemplant avec de grands yeux. Ton corps est musclé.

— Tu peux remercier Cameron, répliqua-t-il. C'est la meilleure !

— Si vous êtes la meilleure, je devrais peut-être faire un essai avec vous, intervint Mandy, sans tenir compte du fait que Cameron avait dit être occupée à plein temps.

— Je suis certaine qu'un de nos entraîneurs pourra s'occuper de vous, madame Richards, déclara cette dernière.

— Touché ! lança Don en riant.

Mandy tira le bras de son mari, sans comprendre ce qui se passait. Don avait insisté pour qu'ils l'accompagnent à l'ouverture de ce nouveau centre sportif, où il se rendait avec Mary Ellen. Et maintenant, il s'avérait que la fille qu'il avait amenée à l'anniversaire de Ryan était l'une des propriétaires de l'endroit.

Hum, songea-t-elle. *Don cherche peut-être une partouze à trois. Ce serait bien son genre...*

— J'ai besoin de boire un verre, annonça-t-elle. Notre maison est remplie d'enfants braillards. Je vous dis que ça fait du bien de s'éloigner un peu de ces petits chenapans !

De quels enfants parle-t-elle ? se demanda Cameron. D'après Ryan, comme Mandy ne pouvait avoir d'enfants, elle ne permettait pas à ceux des autres d'entrer dans sa maison.

— Ma sœur et ses fils vivent chez nous présentement, expliqua Ryan, comme s'il lisait dans ses pensées. Trois petits garçons de moins de huit ans. Je dois admettre qu'ils déplacent de l'air, mais ils mettent de la vie dans la maison.

— Je suis sûre que personne ne s'intéresse à notre situation domestique, intervint Mandy en notant l'arrivée acclamée de Birdy Marvel. Viens, Ryan, on devrait aller saluer Birdy.

— Vas-y, toi. Je dois discuter avec Don.

Mandy hésita. Devait-elle rester auprès de son mari ou aller parler à la très célèbre chanteuse pop qu'elle voulait convaincre de participer à son prochain gala de bienfaisance?

La vedette pop l'emporta. Mandy s'éloigna, laissant Ryan avec Mary Ellen, Don, Cole et Cameron.

— Je vais vous faire visiter, proposa Cole. Il y a un bain de vapeur dernier cri et des fauteuils de massage vibrants dans la salle de détente. Vous allez adorer!

— Avec plaisir, dit Mary Ellen. Tu viens, Don?

— Plus tard. Je dois parler à Ryan.

Il ne resta plus qu'eux trois.

— Satisfaite? demanda Don à Cameron. J'ai dû traverser un barrage de paparazzis pour entrer ici ce soir. Tu vas avoir la couverture médiatique que tu voulais, et je serai monsieur Mary Ellen Evans pour les six prochaines semaines. Comme si j'avais besoin de ça!

— Je l'apprécie vraiment, parvint-elle à dire.

Elle avait la gorge sèche et ne pouvait se résoudre à regarder Ryan. C'était ridicule!

— Cameron m'a obligée à amener Mary Ellen ce soir pour son opération de relations publiques, expliqua Don à son ami. Peux-tu imaginer? Voilà ce que je dois subir pour obtenir un rendez-vous avec cette femme! C'est un véritable tyran, mais elle est incroyable.

Il sourit à la jeune femme et lui prit la main en ajoutant:

— T'ai-je dit que tu as une allure spectaculaire ce soir?

— Merci, murmura-t-elle.

Elle eut chaud, tout à coup, mais la chaleur ne provenait pas de la main de Don.

— N'est-elle pas merveilleuse? demanda ce dernier à Ryan, qui hocha silencieusement la tête.

Natalie de Barge s'approcha, elle-même spectaculaire dans une tenue Versace vert lime au décolleté plongeant.

— Don ! s'exclama-t-elle en l'embrassant sur les deux joues. Puis-je vous l'emprunter un instant ? Ne vous en faites pas, je vous le ramène bientôt.

— J'espère bien ! blagua Don. Sinon, mon meilleur ami risque de se sauver avec ma copine !

— Je croyais que Mary Ellen Evans était ta copine ! dit Natalie.

Don lui fit un clin d'œil.

— C'est une longue histoire.

Natalie passa son bras sous le sien et l'entraîna.

Ryan resta donc seul avec Cameron.

Cette dernière eut envie de s'enfuir, mais se retint. Elle demanda, avec une inquiétude sincère :

— Ta sœur va bien ?

— Maintenant, oui. Il a fallu obtenir une injonction pour que Marty la laisse tranquille.

— Ah bon ?

— Il a été violent une nouvelle fois et j'ai dû emmener Evie et les garçons à la maison. Je n'ose pas encore les faire rentrer chez eux. Marty est trop imprévisible.

— Comment Mandy réagit-elle à leur présence ?

— On peut dire qu'elle fait des efforts.

— Ah.

Un silence s'installa.

Ryan le rompit, mal à l'aise :

— Heu, Cameron, je ne t'ai pas rappelée...

— J'ai remarqué, répliqua-t-elle en avalant sa salive.

— Je voulais te téléphoner, mais je me suis dit que j'avais manqué ma chance, à cause de ce qui se passait entre Don et toi. Et de ma situation familiale, bien sûr.

— Tu n'as pas à te justifier, dit-elle en cherchant un serveur des yeux.

Elle avait désespérément besoin de boire quelque chose.

— Mais oui, insista-t-il. J'avais dit que j'appellerais et je ne l'ai pas fait. Ce n'est pas mon genre. Je tiens générale-ment mes promesses.

— Ne t'inquiète pas, le rassura-t-elle en faisant signe à un serveur. Je comprends. Tu es un homme marié, et je fréquente ton meilleur ami. De plus, rien ne s'est passé entre nous, alors ce n'est pas grave !

Au contraire ! cria-t-elle intérieurement. *Quelque chose s'est produit entre nous. Un lien comme je n'en ai jamais éprouvé avant.*

— Donc, c'est vrai que tu sors avec Don ?

Il aurait voulu qu'elle réponde : «Non, ce n'est pas l'homme qu'il me faut, même s'il le croit. »

— Heu, oui.

— C'est bien, dit-il sèchement.

— Oui.

Elle prit une boisson quelconque sur un plateau. Peu importe ce que c'était, elle avait simplement besoin d'un remontant.

— Tu sais, Don est un gars super, ajouta Ryan, incapable de se retenir. Mais il a été divorcé deux fois. Il a la réputation d'être volage.

— Est-ce un avertissement ? dit-elle froidement. Car si c'est le cas, Don ne serait pas content d'entendre ça, surtout de la part de son meilleur ami.

— Tu es fâchée contre moi, c'est ça ?

— Pourquoi serais-je fâchée ? demanda-t-elle en avalant sa boisson, le spécial Paradise à haute teneur en alcool. J'avais accepté de m'occuper de ton entraînement au moment de ton choix et j'ai déplacé un client régulier pour t'accommoder. Mais ce n'est pas la fin du monde. Toutefois, j'aurais aimé que tu m'appelles pour me prévenir que tu ne donnerais pas suite à notre entente.

— Je suis désolé. Tu as raison, j'aurais dû...

— Ça va, ce n'est pas un problème.

— C'est que...

— Tu vas devoir m'excuser, Ryan, l'interrompit-elle, incapable de supporter cette torture un instant de plus. Il y a une foule de détails dont je dois m'occuper.

S'obligeant à bouger, elle s'éloigna avant de changer d'avis et de prononcer des paroles qu'elle regretterait. Du genre : *« J'attendais désespérément ton appel. J'ai pensé à toi tous les jours. Tu sais comme moi qu'il se passe quelque chose entre nous ! Tu dois le sentir, toi aussi ? »*

Ryan la regarda partir, sortir de sa vie et entrer dans celle de Don.

Il ne pouvait rien y faire, à moins de quitter Mandy. Et en ce moment, ce serait trop compliqué avec Evie et les garçons installés chez eux.

Un sentiment de frustration lui rongea l'estomac. Couchait-elle déjà avec Don ?

Oh, doux Jésus, il ne voulait pas le savoir.

31

—C'est génial qu'il y ait autant de célébrités ! dit Katie en s'approchant du bar où Cameron sirotait un autre verre de Paradise. Et raconte-moi tout : qu'y a-t-il entre toi et le très séduisant Don Verona ?

— Quoi ? dit son amie.

Elle était légèrement étourdie par son quatrième verre, car une seule consommation était généralement sa limite.

— Il est superbe ! Et il n'a pas cessé de te regarder de toute la soirée !

— Ne va rien t'imaginer. Il est avec Mary Ellen Evans.

— Je ne suis pas naïve. Il y a quelque chose entre vous, je le sens !

— Bon, je suppose que Don s'est montré plutôt intéressé, répondit Cameron, volontairement vague.

— Je le savais ! C'est super !

— Mais il n'y a pas de quoi s'emballer. Don est mon client. Je l'entraîne chaque matin.

— Et puis ? la questionna Katie, les yeux brillants de curiosité à l'idée d'en savoir plus.

Cameron haussa les épaules.

— Rien. C'est juste un gars ordinaire.

— Voyons donc ! Quand je pense que tu me racontais tout avant...

— Oui, quand on était jeunes et agitées.

— On dirait que tu fais allusion au feuilleton *The Young and the Restless.*

— Je sais.

— Et alors ?

— Alors..., commença Cameron, qui avait désespérément envie de se confier. Si je te dis un secret, tu dois promettre de le garder pour toi.

— À qui le dirais-je ?

— Jinx.

— Peuh ! pouffa Katie. Pas question !

— Bon... Tu vois l'homme, là-bas, à côté de Don ?

— Oui, répondit son amie en scrutant l'autre côté de la pièce. Je le vois.

— C'est lui, dit Cameron en soupirant.

— Lui quoi ?

Cameron vida son verre et fit signe au barman de lui en servir un autre.

— Il est marié, dit-elle d'un ton morose.

— Qui ça ?

— Mon Dieu, Katie ! s'exclama Cameron en réprimant un hoquet. Fais-tu exprès de ne pas comprendre ? Le gars à côté de Don !

— Oh. Je comprends. Tu es intéressée par l'homme marié. Et d'après ce que je peux voir, il est plutôt attirant. Dis donc, ils sont grands et séduisants, les hommes d'Hollywood !

— Il est marié. Marié, marié, marié.

— Toi aussi, fit remarquer Katie.

— Quoi ? dit Cameron, les sourcils froncés, en hoquetant de nouveau. Je suis mariée ?

— Oh là là ! Je pense que tu as dépassé la limite !

— La limite de quoi ?

— D'alcool! Oh, regarde! Monsieur Verona s'en vient. Il se dirige tout droit vers toi.

Elle accueillit l'animateur en disant:

— Bonjour, je suis Katie, la meilleure amie de Cameron, et...

— Je me sens étourdie, déclara cette dernière en s'appuyant au bar pour reprendre son équilibre. Je crois que je devrais m'étendre.

— Elle a trop bu, expliqua Katie.

— Je vois ça, répliqua Don. Pouvez-vous m'aider à l'emmener dans le bureau?

— Avec plaisir. Et si je peux me permettre, vous êtes plus beau qu'à la télé. Et plus grand. Est-ce qu'on vous dit ça souvent?

— Concentrons-nous sur Cameron avant qu'elle ne s'écroule, dit-il en plaçant son bras sur les épaules de la jeune femme.

— Hé, Don, quoi de neuf? marmonna cette dernière avant de pouffer de rire.

— Salut, Cam, rétorqua-t-il avec un haussement de sourcils amusé. Quelqu'un a remarqué que tu es saoule?

— Saoule? Qui est saoule?

Il essaya de lui enlever son verre des mains, mais elle le tenait si fermement que le liquide en jaillit et arrosa sa robe.

— Oups! gloussa-t-elle. Attention, mamelons en vue!

— Prenez son autre bras, ordonna Don à Katie. On va l'emmener tout doucement.

— Compris, répondit-elle, impressionnée par son assurance.

Ensemble, ils parvinrent à conduire discrètement Cameron dans le bureau.

— Que fait-on maintenant? s'enquit Katie en refermant la porte.

— Allez lui chercher une tasse de café noir et je vais rester avec elle.

La jeune femme hocha la tête. Grand, beau, célèbre, riche, attentionné... Cameron avait-elle perdu la tête ? Si elle disait vrai, elle rejetait cet homme au profit du type marié. Elle était folle !

— Je reviens tout de suite, déclara-t-elle.

— Elle revient tout de suite ! répéta Cameron en riant.

Elle passa soudain les bras autour du cou de Don et appuya ses lèvres sur les siennes.

Faisant appel à toute sa volonté, il se dégagea doucement.

— Qu'est-ce qu'il y a ? lui demanda-t-elle. Je pensais que tu aimais m'embrasser.

— Tu sais, répondit-il en la guidant vers un fauteuil, si je n'étais pas un gentleman, je pourrais profiter de la situation.

Elle lui adressa un sourire hébété.

— Vas-y, mon grand, profite de moi !

— Oh, que tu vas le regretter demain matin ! murmura-t-il en secouant la tête.

— Regretter quoi ?

— Cameron, Cameron, dit-il avec un petit rire. J'ai hâte de sortir avec toi demain soir pour te raconter tout ça ! Comme je te connais, tu seras mortifiée.

— Ouais, ouais, dit-elle en s'adossant au fauteuil, les seins pratiquement sortis de sa robe.

Il ajusta rapidement son décolleté de manière à couvrir sa poitrine.

— Merci, monsieur le policier, dit-elle, soudain étourdie. Mieux vaut couvrir que guérir !

— Hein ?

Elle ferma les yeux, puis s'empressa de les rouvrir.

— Est-on sur un bateau ?

— Non, dit-il patiemment. Pourquoi demandes-tu ça ?

— Parce que ça tangue !

Il la contempla, se disant à quel point elle était belle, même dans cet état. Elle était magnifique. Non, il n'en profiterait pas pour la toucher. Ce ne serait pas bien. Même si c'était très tentant.

Katie revint avec le café.

— Votre petite amie vous cherche, dit-elle à Don. Elle demande à tout le monde où vous êtes passé. Je n'ai rien dit.

— Je n'ai pas de petite amie.

— Je lis les magazines à potins, vous savez. Mary Ellen Evans.

— Oh, elle.

— Oui, elle.

Il sortit son téléphone et appela Ryan.

— Où es-tu ? demanda son ami. Mandy veut partir.

— Ne répète pas ce que je vais te dire, murmura Don. Je suis avec Cameron, qui a un petit problème. Alors, rends-moi service, excuse-moi auprès de Mary Ellen et ramène-la chez elle.

— Sapristi, Don !

— Je sais, mais Cam a besoin de moi. Je vais rester avec elle.

— Que suis-je censé dire à Mary Ellen et Mandy ?

— Dis-leur que j'ai dû retourner au studio pour réenregistrer une partie de l'émission. C'était urgent.

Ryan ne put s'empêcher de demander :

— Cameron va bien ?

— Elle va très bien.

Ryan raccrocha, de mauvaise humeur. La relation entre Don et Cameron n'allait pas être facile à supporter. Mais il savait qu'il devait faire face à la musique. Il n'y avait pas d'autre option.

ANYA

Diana et Seth, le jeune couple qui avait engagé Anya, étaient tous deux des avocats dévoués à leur métier. Chaque matin, la jeune fille arrivait à leur appartement à huit heures précises. Peu de temps après, Diana et Seth partaient ensemble. Quelquefois, Seth revenait le midi, s'enfermait dans le cagibi qui lui servait de bureau et travaillait sur son ordinateur.

Anya se mit à l'étudier attentivement. Au cours de sa jeune vie, elle avait observé de nombreux hommes, et Seth ne ressemblait pas aux clients des bordels où elle avait travaillé. Il était plutôt sérieux, sans arrière-pensée sexuelle, et entièrement préoccupé par son travail.

Parfois, il acceptait son offre de lui préparer un repas. Pendant qu'elle lui faisait un sandwich, il jouait avec le bébé durant quelques minutes et donnait des coups de fil. Ensuite, il mangeait et repartait.

Anya continua de l'observer. Seth Carpenter semblait tendu, pas vraiment heureux.

Lorsqu'elle arrivait tôt, Anya entendait parfois Seth et sa femme se disputer. Cela se produisait plus d'une fois par semaine. Ils se querellaient à propos d'argent et de la mère de Seth, que Diana n'aimait pas. Ils s'engueulaient à cause de la facture de téléphone et du temps qu'il passait devant son ordinateur. Il lui reprochait son choix de vêtements et le temps qu'elle mettait à se préparer. Tout leur était prétexte à se disputer.

À mesure que les jours, les semaines et les mois s'écoulaient, Anya élabora un plan. Elle ne voulait plus jamais que les hommes se servent d'elle. Au contraire, elle se servirait d'eux pour avancer dans la vie. Ils méritaient d'être utilisés, car ils étaient tous des porcs, même s'ils avaient une apparence respectable – comme Seth. Elle savait qu'elle pourrait utiliser Seth quand elle le voudrait. Il était un homme, après tout. Et tous les hommes avaient une faiblesse indéniable, une faiblesse qu'elle avait appris à exploiter à son avantage.

Un après-midi, Seth revint à la maison dans une humeur particulièrement massacrante. Anya vit tout de suite qu'il était en colère.

— Voulez-vous que je vous prépare quelque chose?

— Pas aujourd'hui, Anya, grommela-t-il. J'ai des appels à faire, et ensuite, je dois repartir. Vas-tu au parc avec Ali?

— Je vais emmener le bébé au parc, oui.

— Ce sera bon pour elle de sortir.

— Vous avez l'air fatigué, monsieur Carpenter, dit-elle d'une voix douce.

— Je suis fatigué, admit-il. Je travaille sans arrêt.

— En Russie, j'ai travaillé comme massothérapeute. Enlevez votre veston, je vais vous masser les épaules. Ça vous fera du bien.

— Non, merci.

Toutefois, elle voyait bien qu'il était tenté.

— Ça vous détendrait, l'encouragea-t-elle.

— C'est vrai que j'en aurais bien besoin!

— Vous travaillerez mieux cet après-midi, vous verrez.

— Bon, si tu insistes...

Elle hocha la tête et désigna une chaise au dossier droit dans la cuisine.

Il enleva son veston et alla s'asseoir.

Anya s'approcha et enfonça ses pouces dans les muscles derrière son cou.

— C'est agréable.

— Je vous l'avais dit, répliqua-t-elle. En Russie, on est formées pour ça. Un homme qui travaille fort doit apprendre à se détendre.

— Tu es très douée.

— Merci, monsieur Carpenter.

Elle se rapprocha jusqu'à ce que ses petits seins frôlent son dos. Il ne put retenir une exclamation étouffée.

Oh, que les hommes étaient prévisibles ! Très bientôt, il aurait une érection. Ensuite, elle n'aurait aucun problème à obtenir tout ce qu'elle voulait. Et elle voulait beaucoup de choses. Elle voulait obtenir réparation pour toutes les années où elle avait été traitée comme un morceau de viande sans émotion, passant sans cesse d'un homme à un autre. Elle voulait prendre sa revanche.

32

— Tu vas manger avec ma fille ce midi, annonça Hamilton, d'un ton qui ne tolérait aucune discussion. Mon chauffeur te déposera chez Spago.

— Je connais à peine ta fille, dit Anya, espérant échapper à cette obligation.

Elle sentait bien que Mandy ne l'aimait pas.

— Qu'est-ce que ça peut faire? dit sèchement Hamilton. Mandy va te faire visiter la ville, t'indiquer les meilleurs salons de beauté et boutiques, des trucs de ce genre.

— Je vais y aller, si tu insistes, dit Anya à contrecœur.

— Oui, tu vas y aller. Je passe beaucoup de temps à L. A., alors tu ferais mieux de t'habituer à cette ville.

— Tu pourrais me laisser à New York. Ça ne me dérangerait pas.

— C'est ça! rétorqua-t-il d'une voix pleine de sarcasme. C'est pour cette raison que je t'ai épousée, pour te laisser seule à New York où mes amis milliardaires feraient tout pour te séduire!

— Tu sais que je ne te tromperais jamais, Hamilton.

— Oui, je le sais. Mais eux, le savent-ils?

Hamilton était énormément possessif et jaloux. Il n'aimait pas qu'elle regarde d'autres hommes, encore moins qu'elle leur parle. Elle avait donc appris à ignorer pratiquement tous les hommes lorsqu'ils étaient invités à souper ou assistaient à une soirée de bienfaisance. Peu importe où ils allaient, Hamilton demandait toujours à son assistante de téléphoner au préalable pour s'assurer qu'ils seraient assis ensemble.

Anya ne savait pas de qui il se méfiait le plus : d'elle ou de ses vieux amis en rut ? Car ils étaient assoiffés de sexe, ces milliardaires très riches et très mariés, avec leurs maîtresses et les nombreuses femmes à leur disposition.

Dans ce pays, comme l'avait vite découvert Anya, l'argent pouvait tout acheter. Hamilton le savait et ne souhaitait pas que son exquise jeune femme soit exposée à plus de tentations qu'il n'en fallait. Et comme il comblait déjà amplement ses désirs, Anya se fichait bien de son côté possessif. En fait, elle se fichait de tout sauf de sa collection de chaussures. Oh, comme elle adorait ses chaussures !

Au cours des cinq dernières années, deux ans après son arrivée en Amérique, elle avait accumulé cinq cents paires de souliers, la plupart signés Jimmy Choo. Cette collection était sa possession la plus précieuse. Rien ne pourrait jamais séparer Anya de ses chaussures.

* * *

— Où vous êtes-vous rencontrés, mon père et toi ? demanda Mandy, contrariée d'être forcée à manger avec la nouvelle femme de Hamilton.

Son cher père avait insisté, et il était inutile de refuser quand il voulait quelque chose.

Elle avait demandé l'aide de Lucy et de Mary Ellen, et avait même invité Birdy Marvel, qui n'avait toujours pas fait son apparition. C'était probablement mieux ainsi, puisque la jeune et jolie diva était généralement si abrutie par la drogue qu'elle ne pouvait pas suivre une conversation.

Les quatre femmes étaient assises sur la terrasse de Spago. C'était une belle journée de printemps, que Mandy aurait appréciée en temps normal. Mais pas aujourd'hui, pas avec les trois petits morveux hurlants qui l'attendaient à la maison... Et pas en présence de cette croqueuse de diamants russe qu'elle était obligée de divertir. La situation était loin d'être parfaite.

Anya répondit avec une expression neutre :

— Lors d'une soirée. À New York.

— Chez qui ? insista Mandy.

— Je ne m'en souviens plus, répliqua Anya, qui souhaitait ardemment être ailleurs.

Elle était tout aussi mal à l'aise que la fille de Hamilton. En effet, elle n'avait toujours pas eu l'occasion de communiquer avec Ryan pour savoir s'il avait parlé de son passé honteux à quelqu'un.

Se pouvait-il que Mandy soit au courant ?

Oui, c'était possible.

— Tu ne t'en souviens pas ? demanda Mandy d'une voix remplie d'incrédulité. C'est curieux que tu ne te rappelles pas où tu étais le soir où tu as rencontré ton futur mari...

— Mon Dieu ! s'exclama Lucy en sirotant un mimosa. Je n'oublierai jamais la première fois que j'ai posé les yeux sur Phil ! Il était chez Brett Ratner, assis près de la piscine, dans le Speedo le plus ridicule que vous ayez jamais vu ! Poilu comme un gorille, ses bourrelets étalés au grand jour !

— Charmant, murmura Mandy. Je parie que tu mourais d'envie de l'avoir dans ton lit.

— Après un moment, on s'est mis à discuter, poursuivit Lucy avec un sourire nostalgique. Et il m'a raconté toutes sortes d'histoires incroyables et scandaleuses. Phil est un excellent conteur. Je suis tombée amoureuse de ses paroles.

— J'ai rencontré mon mari, ou plutôt, mon ex-mari, lors d'un rendez-vous arrangé, intervint Mary Ellen. On avait le même gestionnaire, qui nous imaginait bien ensemble.

— Mais ce n'était pas un inconnu ! dit Mandy. Comme vous étiez deux célébrités, vous saviez sûrement déjà tout l'un de l'autre.

— Je suppose que oui.

Mary Ellen ne savait pas pourquoi Mandy l'avait invitée. Elle avait décidé d'accepter parce que ça ferait sûrement plaisir à Don qu'elle fréquente ses amis. Et ce qu'elle voulait par-dessus tout, c'était lui faire plaisir. Don Verona était un si beau parti : séduisant, célibataire, spirituel... Les médias l'adoraient et les voyaient déjà comme un couple. C'était très excitant.

Elle espérait tellement que son ex regrette de l'avoir plaquée devant le monde entier ! Le salaud !

— Bien sûr, elle savait à quoi il ressemblait, souligna Lucy. Mais il aurait quand même pu être ennuyeux à mourir.

— Quoi, au lieu de se révéler infidèle ? lança Mandy.

Mary Ellen vida son verre d'eau pétillante. Ignorant cette insulte, elle répliqua :

— Et toi, comment as-tu rencontré Ryan ?

Les pensées de Mandy se reportèrent sept ans en arrière. Elle avait vingt-cinq ans et souhaitait désespérément épouser quelqu'un que son père n'aurait pas choisi. Hamilton la poussait toujours vers des hommes qu'il pouvait contrôler, et elle passait son temps à les éviter. Instinctivement, elle savait – et son psy l'en avait avertie – qu'elle devait rencontrer un homme qui ne serait pas sous l'influence de son père. Un homme déterminé, capable de se défendre. Qui de mieux que le producteur de films indépendants, Ryan Richards ?

Elle avait suivi sa carrière et aimait ce qu'elle voyait. Il était jeune, beau et populaire. Le candidat idéal. L'antidote parfait à son père.

Après avoir mené quelques recherches sur lui, elle avait mis ses talents de traqueuse à profit. Trois mois plus tard, il l'avait demandée en mariage et elle avait accepté.

Hamilton n'avait pas été heureux de son choix. Tant pis. Elle l'était.

— Ryan a vu ma photo dans *Hollywood Reporter* et a tout fait pour me séduire, répondit-elle, n'hésitant pas à enjoliver la vérité. Comment aurais-je pu résister ?

— Comme c'est romantique, dit Lucy, sans révéler ce que Phil lui avait confié.

Apparemment, Mandy avait abordé Ryan à la première de son deuxième film, et ne l'avait plus lâché par la suite. Selon Phil, le pauvre gars n'avait eu aucune chance. La fille de Hamilton était tout aussi acharnée que son père.

— As-tu eu des nouvelles de Don, ce matin ? demanda cette dernière en se tournant vers Mary Ellen.

— Non, il doit être très occupé, répliqua la jeune femme, déçue qu'il ne l'ait pas ramenée chez elle la veille.

Au moins, il aurait pu lui téléphoner pour s'excuser. Mais non, pas un mot.

— On était tous à l'ouverture d'un nouveau gym hier soir, expliqua Mandy à Lucy. Un peu désorganisé, mais cet endroit vaut peut-être la peine d'être examiné de plus près.

— J'ai besoin d'un nouvel entraîneur, déclara son amie en faisant signe à Wolfgang Puck, qui effectuait sa tournée habituelle des tables.

— J'ai rencontré un entraîneur baraqué, au corps divin, intervint Mary Ellen. Il m'a donné sa carte. C'est un club réservé aux membres et je crois que je vais m'inscrire.

— Donne-moi son numéro, dit Lucy.

Elle fouilla dans son sac pour trouver son BlackBerry, tout en se demandant dans combien de temps elle pourrait s'éclipser. Marlon l'avait prévenue par texto qu'il avait d'autres pages à lui montrer. Elle mourait d'envie de lire ce qu'il avait écrit.

Anya avait le regard perdu au loin. Elle n'avait rien à dire à ces femmes. D'une certaine façon, elles lui rappelaient les actrices de *Sex and the City*. Toutes trois impeccables et soignées, avec leurs cheveux brillants et leur teint parfait ;

leurs vêtements élégants et leurs accessoires ridiculement coûteux ; leurs palabres superficielles qui n'allaient nulle part.

Sex and the City était toujours son émission préférée. Elle avait acheté le coffret DVD et regardait souvent des épisodes.

— De quelle région de la Russie es-tu originaire ? demanda Lucy pour l'inclure dans la conversation.

Elle avait pitié de cette fille, qui était si jeune. Hamilton devait avoir au moins quarante ans de plus qu'elle ! Naturellement, Mandy faisait comme si elle n'existait pas. Cette femme pouvait être tellement garce ! Elle aurait pu laisser une chance à cette pauvre fille.

— De Moscou, dit cette dernière. C'est une ville magnifique. Il y fait très froid l'hiver.

— Une vraie guide touristique, marmonna Mandy.

— Pardon ? demanda Anya.

— Rien, ma chère, dit sa belle-fille d'un air nonchalant. Oh, voilà Birdy ! Maintenant, on va pouvoir s'amuser !

* * *

— Je vais louer une maison pour vous, dit Ryan à sa sœur. Et je ne veux entendre aucun argument.

— C'est ridicule, protesta aussitôt Evie. Pourquoi déménager ? On va retourner à Silverlake. Marty ne pourra pas s'approcher de nous à cause de l'injonction.

— C'est ce que tu crois. J'ai parlé à un de mes amis avocats. Apparemment, tu ne devrais pas te sentir en sécurité juste grâce à un bout de papier. Selon lui, ces injonctions ne valent pas grand-chose, car bien souvent, les gens ne les respectent pas. C'est exactement ce qui se passe quand une tragédie survient.

Evie se tourna vers la fenêtre pour regarder ses trois garçons qui s'amusaient dans la piscine. Était-ce la bonne décision de les priver de leur père ? Devrait-elle donner à Marty une autre occasion de se racheter ?

— Je ne sais pas, dit-elle d'un ton hésitant. Je devrais peut-être lui laisser une dernière chance.

— Pour l'amour du ciel! s'écria-t-il dans un élan de frustration et de colère. Rentre-toi cela dans la tête, tu dois passer à autre chose. Marty ne changera jamais. Dans le fond, tu le sais très bien.

— Je suppose, dit-elle, hésitant à admettre qu'il avait raison.

— Alors, c'est décidé, dit-il fermement. Je vais louer une maison et inscrire les garçons à une école du quartier. Ne t'inquiète pas pour l'argent. Je m'occupe de tout.

À l'insu de sa sœur, il avait déjà appelé un agent immobilier et visité plusieurs maisons à louer. Il ne l'avait pas amenée avec lui parce qu'il savait qu'elle aurait des objections.

C'était très bien d'avoir Evie et les garçons avec eux, mais il avait hâte de retourner au travail. Son dernier film était dans la boîte et sortirait dans un ou deux mois. Il était donc temps de penser à son prochain projet, un drame réaliste se déroulant dans les rues de L. A. Le scénario était pratiquement terminé. Bientôt, il devrait commencer à former son équipe, repérer les lieux de tournage et choisir la distribution. Se remettre à la production était toujours son activité favorite.

En se réveillant ce matin-là, il avait pris la décision de ne plus penser à Cameron Paradise. Il allait se rendre fou en imaginant ce qui aurait pu se passer. C'était destructeur et stupide. Elle était la nouvelle copine de Don, un point c'est tout.

Cameron devait vivre sa relation avec Don jusqu'au bout, et il lui fallait faire la même chose avec Mandy.

C'était la seule décision saine qu'il puisse prendre.

33

L'équipe de nettoyage était en pleine action quand Cameron entra chez Paradise. Cole, Dorian, Lynda, Cherry et Reno étaient assis dans le bureau et mangeaient des pointes de pizza de California Pizza Kitchen, le resto préféré de tous. Pendant ce temps, des employés circulaient avec de grands sacs à ordures pour ramasser les débris d'une soirée d'ouverture extrêmement réussie.

— Elle est ici! Madame Paradise elle-même! s'exclama Dorian en exécutant un salut ironique.

— Pas si fort! grogna Cameron en se tenant la tête. Un peu de considération, s'il vous plaît.

— Oh, madame se sent un peu fragile? s'enquit Dorian d'un ton faussement apitoyé.

— Fragile? s'écria Lynda, dont les seins volumineux tentaient de s'échapper de sa petite camisole orangée. Cette fille ne tenait plus debout! Et ce serait aussi mon cas si j'avais Don Verona à mes pieds toute la soirée.

— Allez-y, soupira sa patronne en souhaitant qu'ils baissent le ton. Comme d'habitude, parlez de moi comme si je n'étais pas là.

— On a fait la une du *L. A. Times,* annonça Cole en brandissant le journal. Une grosse photo de Mary Ellen avec ton ami Don, et une autre de Birdy Marvel saoule, avec son dernier copain tatoué.

— Et Jillian a parlé de nous à *Good Day L. A.* ce matin, ajouta Cherry. Elle a dit que Paradise était le nouveau gym branché pour avoir des abdos de vedette de cinéma ! Dorothy avait hâte d'y aller et Steve a promis de lui emboîter le pas. C'est génial, hein ?

— Natalie a prévu quatre minutes sur nous dans son émission de ce soir, renchérit Cole. Le téléphone ne dérougit pas. Ça démarre vraiment sur les chapeaux de roue !

— Je suis désolée d'avoir manqué tout ça, dit Cameron en s'asseyant. Quelqu'un pourrait me rappeler de ne plus jamais boire ? Jamais !

— Considère-toi comme avertie, lança Dorian avec un sourire moqueur. Mais je dois admettre que tu ne donnes pas ta place quand tu as trop bu. Très libre et décontractée.

— S'il te plaît ! Je ne veux pas le savoir !

Une douleur lancinante lui martelait les tempes. Mon Dieu ! C'était une gaffe monumentale d'avoir trop bu et de s'être comportée comme une idiote. Elle se souvenait vaguement que Don l'avait ramenée à la maison et qu'elle s'était carrément jetée à son cou. Quelle humiliation !

Heureusement que Katie les accompagnait, sinon elle aurait probablement fait des choses qu'elle aurait regrettées ce matin. Mais Katie avait veillé sur elle. Et elle devait reconnaître que Don s'était conduit décemment. Après avoir aidé Katie à la faire entrer dans la maison, il s'était éclipsé.

Quand elle avait ouvert les yeux ce matin, avec l'impression d'être la lie au fond d'une bouteille de vin rouge, Katie se préparait à partir pour l'aéroport.

— J'ai appelé un taxi, l'avait informée son amie. Tu as une mine affreuse. Et si tu ne choisis pas Don Verona, tu as vraiment perdu la boule.

— Oh, avait-elle gémi, en proie à un mal de tête lancinant. Dois-tu vraiment partir ? Il faut que je sache ce que j'ai fait hier soir. Était-ce épouvantable? Est-ce que tout le monde me déteste?

— Tout le monde t'aime, avait répliqué Katie d'un air détaché. J'ai promené les chiens et ramassé le journal. En passant, ton canapé a des ressorts très inconfortables. Et Don t'a envoyé un immense bouquet de roses. Bon, j'y vais, mon taxi m'attend!

— Appelle-moi plus tard.

— Promis.

Katie était partie rejoindre son fiancé future vedette rock, et Cameron s'était rendue chez Paradise.

La jeune femme regarda les visages souriants de ses employés et collègues, et comprit que Cole avait raison. Ils vivaient des débuts très prometteurs.

C'était un peu irréel de voir ses rêves se réaliser. Elle aurait dû savourer ce moment, et non souffrir de la pire gueule de bois de sa vie.

Satané Ryan Richards. C'était sa faute.

Don l'appela vers midi.

— Je suis en train de planifier notre soirée, l'informa-t-il d'un air satisfait.

— Non, je t'en prie, grogna-t-elle.

La simple idée d'aller où que ce soit sauf dans son lit ne lui souriait pas du tout.

— Tu préfères que ce ne soit pas organisé?

— Ce que je veux, c'est juste me blottir dans mon lit et me réveiller demain en me sentant comme un être humain, expliqua-t-elle, espérant qu'il comprendrait.

— Oh, non! dit-il d'un ton d'avertissement.

— Non, quoi?

— Non, tu ne te défileras pas, répliqua-t-il fermement. On a une entente.

— Quelle entente? demanda-t-elle d'un ton innocent, même si elle savait très bien de quoi il parlait.

Un rendez-vous. Leur premier. Bien que techniquement, ce serait leur deuxième puisqu'elle l'avait accompagné à la soirée d'anniversaire de Ryan.

— Mademoiselle Paradise, dit-il sévèrement. Je ne te conseille pas de te foutre de ma gueule.

— Je peux te dire quelque chose, Don ? demanda-t-elle d'une voix douce.

— Vas-y.

— Tu ne veux pas me voir ce soir.

— Tu te trompes.

— J'ai une mine épouvantable et je me sens encore pire.

Elle s'interrompit, espérant qu'il ne l'obligerait pas à tenir sa promesse.

— Crois-moi, ajouta-t-elle, je ne serais pas de bonne compagnie.

— Toi ? dit-il galamment. Voyons donc !

— S'il te plaît, le supplia-t-elle. Peut-on le faire demain à la place ?

— Le faire ? répéta-t-il, amusé.

— Tu sais ce que je veux dire.

— Non, Cameron.

— S'il te plaît, Don.

— Ah, zut. Bon, si tu insistes.

— Merci, dit-elle, reconnaissante.

— Mais on se voit demain matin, n'est-ce pas ?

— Oui, à sept heures précises. Peux-tu faire un effort pour être habillé et prêt quand j'arrive ?

— Oui, madame !

Elle coupa la communication en souriant. Don avait un petit côté très attrayant. C'était peut-être l'homme qu'il lui fallait, alors que Ryan était simplement un béguin ridicule...

Sans trop savoir comment, elle parvint à terminer sa journée. À seize heures, tout le monde se réunit devant le téléviseur du bureau pour regarder l'émission de Natalie.

Cette dernière, ravissante dans sa robe Versace verte au décolleté affriolant, apparut à l'écran. Elle se promenait parmi les célébrités en les questionnant sur leurs programmes d'entraînement et leurs conseils de mise en forme.

La réponse de Don était amusante : « Du moment que j'arrive à sortir du lit le matin, je me considère comme étant en forme. Mais sérieusement, mademoiselle Cameron Paradise est responsable des plus beaux corps en ville. »

Natalie, qui produisait elle-même ce reportage, présenta ensuite des images de l'arrivée de Cameron.

Tout le monde applaudit dans le bureau.

« Voici donc ma recommandation, déclara Natalie en revenant à l'écran. Si votre objectif est de vous remettre en forme rapidement, Paradise est l'endroit qu'il vous faut. »

— C'est super ! s'écria Cole. Ma sœur s'est surpassée !

— Et toi, ma chère, tu étais la plus belle de toutes ! déclara Dorian en se tournant vers sa patronne, la voix remplie d'admiration. Une vraie vedette ! Notre vedette !

Elle ne voulait pas être une vedette. Elle voulait juste rentrer chez elle, se pelotonner sous les couvertures et dire adieu à cette horrible gueule de bois.

Et après l'émission de Natalie, c'est exactement ce qu'elle fit. Elle avala deux Tylenol extra forts et deux grandes bouteilles d'Evian, se blottit sous sa confortable couette et s'endormit aussitôt.

* * *

Pendant ce temps, Cole retrouva sa sœur chez Argo pour célébrer ce succès. Il aurait voulu que Cameron se joigne à eux, mais elle avait refusé, préférant son lit.

— Ton reportage était fantastique ! dit-il à Natalie. Merci ! Tu es la meilleure !

— Il faut bien que j'aide mon petit frère à réussir ! dit-elle en souriant. Où est Cameron ? Je te dis que notre site Web est pris d'assaut ! Tout le monde veut en savoir plus sur elle. Je pourrais même l'interviewer pour mon émission.

— Elle a une terrible gueule de bois, expliqua-t-il. Trop de petits verres de je ne sais quoi.

— Es-tu en train de me dire qu'avec un corps et un visage pareils, elle boit ? demanda sa sœur, surprise.

— Je crois qu'hier soir, elle était d'humeur à boire, répondit-il en portant sa bouteille de bière à ses lèvres. Dis donc, j'ai une question : qui est le mystérieux investisseur qui nous refile de l'argent ?

— Je ne peux pas te le dire, répliqua-t-elle en sirotant son Cosmopolitain.

— Pourquoi pas ? Je suis ton frère. Et pas seulement ça : on fait des affaires ensemble !

— C'est vrai, dit-elle, imperturbable.

— Alors, crache le morceau !

Il prit une autre gorgée de bière.

— Je ne peux pas. Je suis tenue au secret.

— Voyons, Natalie ! Cameron veut le savoir !

— Désolée, frérot. Mais puisqu'il fournit de l'argent et ne demande rien en retour, pourquoi s'en faire ?

— Parce que personne ne veut rien en retour.

— Mon investisseur silencieux ne veut rien. Il est riche et fait ça pour me rendre service, alors ne vous inquiétez pas. Aucune des sommes qu'il investit n'affectera notre entente originale.

— Il doit être complètement fou.

— Peut-être bien.

— Dis-moi, était-il à la soirée d'ouverture ?

— Bien sûr que oui. C'est lui qui payait !

— Bon, dit Cole.

À présent, il était convaincu qu'il s'agissait du petit ami de Natalie, le promoteur. C'était sûrement lui.

Natalie décida de changer de sujet. Elle avait juré à Don de ne révéler son nom en aucune circonstance.

— Toute mon équipe veut s'inscrire au gym, déclara-t-elle. Tu me feras envoyer les formulaires d'inscription.

— D'accord. Leur as-tu mentionné que cela leur coûterait mille dollars par an ?

— Ils prendront leur propre décision en voyant les formulaires.

Elle fit signe à la célèbre Venus et à son mari, Billy Melina, âgé de dix ans de moins qu'elle et lui-même très connu. Le couple se dirigeait vers une table sur la terrasse.

— Ça alors ! s'exclama Cole en se redressant. Tu les connais ?

— Oui, Cole. Je connais tout le monde, et tout le monde me connaît. Du moment qu'ils arrivent à me remettre en contexte.

— Ce qui veut dire...

— Je suis journaliste culturelle à la télé, expliqua Natalie. Alors, quand je les rencontre en entrevue, nous sommes les meilleurs amis du monde. Et quand ils me croisent ailleurs, ils ne sont pas certains de savoir qui je suis. C'est juste un jeu.

— Billy Melina est très sexy, remarqua son frère avec un regard concupiscent vers l'acteur. J'aimerais bien l'aider à raffermir son beau petit cul.

— Arrête de baver devant les hétéros, le réprimanda-t-elle. Cela a toujours été ton problème.

— Il est peut-être secrètement gai.

— Il est marié avec Venus. Ça m'étonnerait.

— On ne sait jamais, insista-t-il, refusant de laisser tomber. Combien de fois dois-je te répéter que ce sont toujours ceux qu'on soupçonne le moins ?

— Pour l'amour du ciel ! soupira-t-elle. Vas-tu finir un jour par trouver l'âme sœur ?

— Et toi ? Tu changes d'homme comme tu changes de chemise !

— Peut-être demain, peut-être jamais... Je ne suis pas pressée.

— Ce doit être de famille, dit-il. Il va falloir continuer de chercher !

— Arrête de regarder Billy Melina. Je te le dis, il n'y a pas plus hétéro que lui.

— Ouais, c'est ça.

— Espèce de fou! lança-t-elle.

— Celui qui le dit...

— ... c'est celui qui l'est! conclut-elle pour lui.

À ces mots, ils éclatèrent de rire.

* * *

Cameron se réveilla en pleine forme. Dix heures de sommeil, deux Tylenol et deux bouteilles d'Evian, et pouf! Sa gueule de bois avait disparu.

Elle resta étendue un moment en repensant aux événements des derniers jours. C'était si excitant de pouvoir enfin concrétiser ses rêves. Paradise existait vraiment! C'était incroyable.

Yoko et Lennon étaient couchés sur le lit, pétant et ronflant comme d'habitude.

— Debout! ordonna-t-elle. Allez, hop!

Les deux chiens bondirent du lit et se mirent aussitôt à aboyer.

— Du calme! dit-elle. On a du pain sur la planche aujourd'hui.

Elle alla prendre une douche en chantonnant, enfila son survêtement et se prépara un bon déjeuner. Puis, avant d'aller chez Don, elle fit courir les chiens autour du pâté de maisons et les déposa chez monsieur Wasabi.

Tel que promis, son client était debout et habillé.

— J'ai même fait du café, annonça-t-il avec un regard entendu. Je me suis dit que tu en aurais besoin.

— Non, je n'en ai pas besoin, pouffa-t-elle joyeusement en se dirigeant vers l'escalier. Je me sens bien aujourd'hui.

— Heureux de l'entendre.

— Et merci pour ton gentil commentaire durant l'émission de Natalie. C'est très apprécié.

— C'était efficace, répliqua-t-il en lui emboîtant le pas. Tout le monde me demande votre numéro pour pouvoir faire un essai.

— C'est merveilleux.

— Tu es un succès instantané, ma belle.

— Grâce à ton appui, et à celui de Natalie, bien sûr. Cette femme est une vraie dynamo !

— En effet. T'ai-je dit que j'allais faire une entrevue avec elle ?

— Elle sera invitée à ton émission ?

— Non. Je vais lui accorder une entrevue exclusive.

— Je croyais que tu n'accordais jamais d'entrevue.

— C'est vrai, mais Natalie a insisté. Comme elle essaie de me convaincre depuis des années, j'ai fini par céder.

— Je ne savais pas que vous étiez si proches.

— Pas vraiment, mais j'ai toujours pensé qu'elle était l'une des meilleures journalistes de divertissement. En plus, elle m'a coincé durant la soirée d'ouverture. Je n'ai pas pu dire non.

— J'espère que tu vas mentionner Paradise ?

— Dis donc ! lança-t-il avec un petit rire. Me prends-tu pour ton agent de publicité ?

— Si ça te fait plaisir.

— Ce qui me fait plaisir, c'est de te voir de si bonne humeur.

— Allez ! dit-elle brusquement. Monte sur le tapis roulant, tu as assez perdu de temps !

— Bon, juste au moment où le soleil se montrait, elle retrouve son côté autoritaire, répliqua-t-il en souriant.

— Je ne suis pas autoritaire, mais organisée.

— Ouais, ouais.

— En passant, je vais cesser mes visites à domicile et demander à tout le monde de venir au gym.

— À part moi, dit-il avec assurance, en montant sur le tapis roulant.

— Eh bien...

— Je suis l'exception, n'est-ce pas ? demanda-t-il avec un de ses sourires ravageurs. Après tout, c'est moi qui suis venu à ta rescousse l'autre soir. Si je ne m'étais pas occupé de toi, tu te serais écroulée sur le sol en chantant l'hymne national avec ta robe remontée à la taille.

— Je n'aurais pas fait ça ! protesta-t-elle en rougissant.

— Tu ne te rappelles pas grand-chose, hein ?

— Je me souviens de bien assez, merci.

— Je parie que non, dit-il pour la narguer.

— Peux-tu changer de sujet ? supplia-t-elle avec une grimace en repensant à la soirée.

— Très bien. Du moment que tu n'oublies pas notre entente.

— Notre entente ?

— Allons, mademoiselle Paradise, ne me dis pas que tu as oublié ! Ce soir. Notre rendez-vous. Je viens te chercher à vingt heures.

— Ah bon ?

— Oui.

— Dans ce cas, je promets de rester sobre.

— Hé ! lança-t-il avec un sourire irrésistible. Moi qui espérais une répétition de l'autre nuit !

— Tais-toi !

Elle se pencha et augmenta la vitesse du tapis roulant au maximum. Il faillit tomber et s'efforça d'accélérer le rythme.

— Bon sang, Cam ! Essaies-tu de me tuer ?

C'était maintenant au tour de la jeune femme de sourire.

— Peut-être bien.

34

—On devrait organiser un souper, déclara Lucy en entrant dans sa grande cuisine, où Phil était attablé devant son déjeuner. On ne reçoit jamais à la maison. Je crois que ce serait une bonne idée.

— Pour quelle occasion ? s'enquit Phil.

Il déposa le *Variety*, sa lecture quotidienne.

— Aucune occasion particulière, dit-elle en haussant les épaules. Je me suis dit que ce serait agréable de s'amuser un peu.

Phil jeta un regard soupçonneux à sa belle épouse ex-vedette de cinéma. Depuis quand voulait-elle recevoir à la maison ? Les parfaites petites soirées n'étaient pas son genre. Elle laissait ce type de réception à son amie Mandy.

— Combien d'invités ? demanda-t-il. Et surtout, combien ça va me coûter ?

— Tu es plein aux as, mon chéri ! Ça n'a pas d'importance !

— Je suis plein aux as parce que je surveille mon argent, grogna-t-il. Je ne veux pas le foutre en l'air !

— Va te faire foutre ! criailla le perroquet en l'entendant jurer.

Phil pouffa de rire.

— J'adore cet oiseau !

— Je sais, dit calmement Lucy. Les enfants aussi. Mais les mères de leurs amis ne l'aiment pas tellement.

Phil était soulagé d'avoir une conversation civilisée avec sa femme. Au cours des derniers mois, elle n'avait pas cessé de lui rebattre les oreilles avec sa stupide carrière. Heureusement, elle semblait avoir oublié ces idioties.

— D'accord pour la réception, dit-il en avalant le reste de son café. Tu peux l'organiser.

— Parfait, répliqua-t-elle, secrètement ravie, car elle lui réservait une surprise.

Phil alla se réfugier dans son bureau, une cabane dans un arbre surplombant la piscine. Il y resterait pour le reste de la journée, refusant qu'on le dérange sous aucun prétexte. Rien ne pouvait s'interposer entre Phil et ses scénarios.

Lucy était habituée à ses manies. Au moins, quand il écrivait, il n'était pas en train de courir les jupons.

Après avoir couvert la cage du perroquet et sorti les chiens de la cuisine, elle téléphona à Marlon.

Elle tomba sur son répondeur et lui laissa un message :

— Marlon ? C'est Lucy. J'ai bien aimé les pages que j'ai lues aujourd'hui. Penses-tu finir bientôt ? J'ai décidé d'organiser une soirée de lancement pour ton scénario, alors continue comme ça !

* * *

Ryan entra dans l'énorme vestiaire de Mandy, où elle était occupée à choisir une paire de souliers de course parmi son imposante collection.

— Bonne nouvelle, annonça-t-il. J'ai trouvé une maison pour Evie et les garçons.

— Dieu merci ! souffla-t-elle, assise en tailleur sur le sol, entourée de boîtes de chaussures. Je n'aurais pas pu supporter une journée de plus avec ces gamins déchaînés dans la maison.

— Ils ne sont pas exactement déchaînés, Mandy, souligna-t-il, irrité qu'elle exagère à ce point. Ils se sont plutôt bien comportés quand on pense qu'ils ont été arrachés de leur foyer.

— Si tu le dis.

— Vas-tu quelque part?

— Oui, répondit-elle en optant pour une nouvelle paire de chaussures de sport Chanel. Mary Ellen passe me prendre pour aller voir ce nouvel endroit d'un peu plus près.

— Quel nouvel endroit?

— Paradise.

Paradise! Elle n'était pas sérieuse? Pourquoi retournait-elle là-bas?

— C'est un nom ridicule, tu ne trouves pas? demanda sa femme. Et la propriétaire semble plutôt stupide. Penses-tu que Don couche avec elle?

— Non, dit-il sèchement, submergé par un mélange d'émotions.

Comment Mandy osait-elle traiter Cameron de stupide? C'était bien le dernier qualificatif qui lui convenait.

— Pauvre Mary Ellen, soupira-t-elle. Elle est convaincue que Don est l'homme qu'il lui faut. Devrais-je lui dire que c'est juste un coureur de jupons qui se laisse guider par sa bite?

— Qu'est-ce que ça te donnerait de lui dire ça? De plus, c'est Phil qui ne peut pas se contrôler, pas Don.

Il se demandait ce qu'elle mijotait. Mandy avait toujours une idée derrière la tête.

— On ne sait jamais, dit-elle. Mary Ellen pourrait bien m'être utile lors d'un de mes événements. Après tout, c'est une vedette! Seulement à la télé, mais si on se fie à la couverture médiatique qu'elle obtient, elle est très populaire. Tu pourrais peut-être la faire jouer dans un de tes films?

Je veux divorcer! criait-il dans sa tête. *Je veux partir. Je n'en peux plus!*

Mais il devait attendre qu'Evie et ses fils soient installés dans leur nouvelle demeure. Merde ! Il y avait toujours un obstacle !

Dès que ce serait fait, il se promettait d'aller de l'avant. Il ne pourrait pas endurer Mandy encore bien longtemps.

* * *

Mademoiselle Dunn, l'assistante qui avait toute la confiance de Hamilton à L. A., s'approcha d'Anya, étendue près de la piscine. Comme la plupart des employés du magnat, elle travaillait pour lui depuis près de vingt ans. Mince, avec des cheveux bruns noués en chignon sévère et une coquetterie dans l'œil, elle entretenait un béguin non partagé pour son impérieux patron. À l'origine, il l'avait fait venir de New York, car il ne voulait pas qu'une de ces poupées superficielles de L. A. travaille pour lui. Les affaires étaient les affaires, et Hamilton aimait que les femmes à son service soient peu attrayantes et très dévouées. Mademoiselle Dunn répondait à ces critères.

— Qu'y a-t-il ? demanda Anya.

Elle se souleva langoureusement sur un coude et leva une main pour protéger ses yeux bleu clair du soleil.

— Monsieur Heckerling m'a demandé de vous remettre ceci, dit l'assistante, en évitant de regarder le corps svelte de la jeune femme, ce corps qui donnait tant de plaisir à son patron.

— Qu'est-ce que c'est ?

— Des cartes de crédit. De Neiman Marcus, Saks et Barneys. Monsieur Heckerling pense que vous devriez les avoir. Et votre nouvelle carte noire d'American Express.

— D'accord, dit Anya en se recouchant. Posez-les sur la table.

Quelle ingratitude, pensa mademoiselle Dunn. *Elle aurait au moins pu dire merci.*

— Monsieur Heckerling a pris l'hélicoptère en direction de Santa Barbara, poursuivit l'employée. Il sera de retour à dix-huit heures.

Anya se redressa. Si Hamilton était à l'extérieur pour la journée, c'était l'occasion idéale de joindre Ryan Richards.

— Pouvez-vous m'obtenir le numéro de téléphone de monsieur Richards ? demanda-t-elle.

— Vous voulez dire celui de la fille de monsieur Heckerling ?

— Non, rétorqua sèchement Anya. Celui de Ryan Richards.

— Comme vous voulez, dit la femme en pinçant les lèvres.

Pourquoi madame Heckerling tenait-elle à communiquer avec le gendre de son patron ?

Tendant la main vers un haut léger pour couvrir son minuscule bikini, Anya ajouta :

— Je vais retourner à l'intérieur avec vous.

— Très bien.

Mademoiselle Dunn ne comprenait pas pourquoi son patron épousait ce genre de femmes. Pourquoi ne se contentait-il pas de coucher avec elles ? Le mariage était un engagement si important, et il réussissait toujours à choisir une femme qui ne lui convenait pas. Celle-ci ne faisait pas exception. En outre, elle était assez jeune pour être sa petite-fille, ce que mademoiselle Dunn trouvait dégoûtant. Ce matin, elle en avait même discuté avec Madge, la fidèle gouvernante écossaise, en prenant le thé dans la cuisine.

— Il les épouse pour rendre ses amis jaloux, lui avait confié Madge, comme si elle détenait des informations privilégiées. Il veut qu'ils l'envient.

— Peut-être que ces filles refusent de coucher avec lui à moins qu'il ne leur passe la bague au doigt ? avait suggéré mademoiselle Dunn.

Madge avait ri de bon cœur.

— À notre époque ? Voyons donc !

L'assistante pria Anya de la suivre dans le bureau tapissé de livres reliés en cuir, puis dans l'antichambre où elle travaillait à portée de voix de son patron. Elle s'approcha de son ordinateur, imprima les coordonnées de Ryan et tendit la feuille à Anya, qui monta aussitôt à l'étage.

Dès que celle-ci eut le dos tourné, l'assistante prit note du déroulement de la journée. Elle remettrait la liste à monsieur Heckerling avant de rentrer chez elle, comme tous les soirs. Cet homme aimait être au courant de tout, particulièrement des activités de ses épouses.

* * *

— Ne t'évanouis surtout pas, dit Lucy au téléphone. J'organise une soirée chez nous.

— Pardon ? fit Mandy, surprise. Tu vas vraiment inviter des gens dans ta maison ? C'est une première !

— Je sais, je sais. J'ai été plutôt négligente sur le plan des invitations. Avec les enfants, les chiens et l'horrible perroquet de Phil qui n'arrête pas de crier des obscénités, ce n'est pas évident !

— Tu vas vraiment le faire ?

— Oui. J'aimerais que tu me dises quel traiteur utiliser.

— Oh, Lucy, Lucy ! Tu es tellement innocente ! soupira Mandy. Tu n'as aucune idée de la façon de faire les choses à Hollywood.

— Est-ce une insulte ?

— Bien sûr ! lança Mandy. Mais c'est plein d'affection !

— Veux-tu qu'on mange ensemble demain midi ? Apporte une liste de ce que je dois faire pour que tout soit réussi.

— Si tu veux...

— Chez Chow ? À treize heures ?

— J'y serai.

* * *

Anya contempla le papier où figuraient les numéros de téléphone de Ryan. Maison. Bureau. Cellulaire. Lequel choisir?

Sûrement pas la maison. Mandy était une femme inquiétante et imposante qu'elle préférait éviter à tout prix.

Au bureau? Peut-être.

Son cellulaire? C'était probablement la meilleure option.

Elle tendit une main hésitante vers le téléphone.

ANYA

Procéder lentement était la meilleure façon, voire la seule, d'embobiner Seth Carpenter. Anya en était persuadée.

Les massages d'après-midi devinrent bientôt une habitude. Seth rentrait à la maison presque chaque midi. Anya était là, à s'occuper du bébé. Elle lui préparait un sandwich et comblait tous ses besoins – enfin, presque. Il était rongé par la culpabilité, car chaque fois qu'elle lui massait les épaules en appuyant ses seins sur son dos, il avait une érection.

Elle faisait mine de ne pas le remarquer. Quand elle avait terminé le massage, il se précipitait dans la salle de bain comme s'il avait un besoin pressant.

Un jour, il lui dit:

— Ce serait mieux de ne pas mentionner à madame Carpenter que je rentre souvent à la maison le midi. Elle se demanderait ce que je branle!

Ou elle croirait que tu te branles, pensa Anya. La télé lui enseignait une foule de nouvelles expressions.

Quand elle rentrait au foyer, Ella insistait toujours pour qu'elles organisent un spectacle porno ensemble.

— Je connais un type qui est intéressé. Il nous paierait cinquante dollars chacune. Qu'en penses-tu?

— Non, répondait Anya.

Cinquante dollars! Elle était en Amérique, maintenant. Les enjeux étaient beaucoup plus élevés.

Après six semaines de ce petit jeu avec Seth, en se comportant comme une fille naïve, innocente et attentionnée, elle finit par le faire craquer.
Elle savait que ce moment était imminent, car les disputes matinales avec sa femme s'étaient intensifiées.
— Anya, dit-il après un massage particulièrement vigoureux. Il faut qu'on arrête!
— Qu'on arrête quoi, monsieur Carpenter? demanda-t-elle, les yeux écarquillés et innocents.
Il se leva et lui fit face.
— Je... J'éprouve des sentiments pour toi, et ce n'est pas bien.
— Des sentiments?
— Oh, mon Dieu, grogna-t-il. Tu es si jeune!
— J'ai dix-sept ans.
— Oui, mais tu as mené une vie protégée. Je peux le lire sur ta figure. Tu es innocente, gentille...
— J'ai eu un copain, murmura-t-elle en espérant que le bébé ne se réveillerait pas. C'était enfin le moment qu'elle attendait, après tous ses efforts.
— Un copain? dit-il, surpris. Tu ne m'en as jamais parlé.
— Il m'a quittée, répondit-elle tristement, en baissant les yeux sur la bosse évidente dans son pantalon.
— Pourquoi donc? demanda-t-il d'une voix rauque de désir.
— Il voulait que je fasse des choses..., dit-elle timidement. Ça ne me semblait pas bien.
— Quelles choses? s'enquit Seth en se léchant les lèvres.
Anya parvint à rougir.
— Des choses que seuls les gens mariés devraient faire...
— Par exemple?
La voix de la jeune femme devint un murmure:
— Du sexe oral.
— Je vois, dit-il, le front couvert de gouttes de sueur.
— Qu'en pensez-vous, monsieur Carpenter? Est-ce mal quand deux personnes s'aiment?
— L'aimais-tu?
— Non.
— As-tu... fait autre chose avec lui?
— Il m'a touché les seins. C'est tout.

— Montre-moi, marmonna Seth, incapable de se contrôler davantage.

Cette fille était un ange, avec son délicat visage si innocent, ses longs cheveux blonds et ses extraordinaires yeux bleu clair.

Elle lui avait été envoyée pour le sauver d'une femme qui le réprimandait et le critiquait sans arrêt.

Plongeant son regard dans le sien, Anya commença à enlever lentement son t-shirt et à se tripoter les mamelons.

— Comme ceci, dit-elle. Voilà comment il me touchait.

Seth Carpenter allait être sa première victime américaine.

35

— Je me suis dit que tu préférerais venir ici plutôt que d'aller au restaurant, expliqua Don en entraînant Cameron vers la terrasse.

Une table était mise pour deux à côté de la piscine à débordement. Tout était prévu pour une soirée romantique : des bougies dans de hauts chandeliers d'argent ; des roses violettes disposées dans de délicats bols en verre ; une nappe écarlate avec des serviettes assorties ; des verres à vin noirs à long pied ; et la pièce de résistance, un trio de musiciens jouant de la musique brésilienne.

Elle réprima une envie de pouffer de rire. C'était tellement prévisible ! Une véritable entreprise de séduction ! Et son lit était probablement couvert de pétales de roses.

Elle ne s'était pas attendue à cela de la part de Don. Non, elle aurait cru qu'il serait plus original.

— Heu... charmant, parvint-elle à dire.

— Intime, répliqua-t-il, tout fier de lui.

Oui, très intime, pensa-t-elle. *Un chef, deux serveurs, deux bonnes et un groupe de musiciens. Était-ce ainsi qu'on recevait à Hollywood ?*

Un des serveurs s'approcha d'elle avec une flûte de champagne.

— Non, merci. Je vais boire de l'eau.

— De l'eau ? s'étonna Don.

— Après l'autre soir...

— Compris, dit-il avant de se tourner vers le serveur. Donnez de l'Evian à mademoiselle Paradise. Température ambiante. Sans glace.

Elle était impressionnée qu'il s'en soit souvenu.

— Asseyons-nous ici, proposa-t-il.

Il lui prit la main et l'entraîna vers deux chaises longues, stratégiquement placées pour profiter de la vue spectaculaire de L. A.

— Don..., commença-t-elle.

— Oui ?

— Ce n'était pas nécessaire.

— Quoi donc ?

— Tout ça, dit-elle en désignant la table, les serveurs et les musiciens. C'est exagéré.

— J'ai pensé que ça te plairait.

— Comment as-tu pu croire ça ? C'est beaucoup trop extravagant.

— C'est mieux qu'au restaurant, où les gens n'arrêtent pas de me harceler pour que je signe des bouts de papier !

Il fronça les sourcils, car l'organisation de ce repas lui avait demandé beaucoup d'efforts – ou plutôt, à son assistante.

— Pour toi, peut-être. Mais pas pour moi. Je ne suis pas du genre guindé.

— Ah non ? dit-il en haussant un sourcil.

— Ça ne paraît pas ?

— Je n'en étais pas certain.

Elle rit doucement.

— Tu sais, Don, tu n'avais pas besoin d'en faire autant pour m'attirer dans ton lit. J'avais déjà décidé que ce soir serait le grand soir.

— Très romantique ! répliqua-t-il, perplexe.

— Que veux-tu? Ce n'est pas mon style, ce genre de petit jeu.

— On dirait bien que non.

Il était totalement abasourdi par son attitude désinvolte.

— Donc, toute cette mise en scène est superflue.

— Vraiment?

— J'en ai bien peur.

— D'accord. Tu ne pourras pas dire que je refuse d'entendre raison. Reste ici. Ne bouge pas!

— Je ne bougerai pas.

— C'est promis?

— Oui, monsieur Verona.

Il entra dans la maison et revint quelques minutes plus tard avec un grand sourire.

— Qu'as-tu fait?

— J'ai dit à tout le monde de déguerpir. Crois-moi, je sais obéir aux ordres.

— Tu as vraiment fait ça?

— Ils seront tous partis dans cinq minutes, dit-il en lui prenant les mains pour la faire lever. Satisfaite?

— Je ne voulais pas...

— Mais oui.

Il se pencha pour lui donner un long baiser.

— Ça ne veut pas dire que tu peux sauter des étapes, l'avertit-elle en se dégageant, hors d'haleine.

— Qui saute des étapes? demanda-t-il en s'approchant pour un autre baiser.

Cette fois, elle ne put résister. En passant les bras autour de son cou pour l'attirer vers elle, elle comprit à quel point ce serait satisfaisant de vivre une véritable relation amoureuse. À présent que Paradise était ouvert, elle se sentait plus en sécurité, prête à aller de l'avant.

Après quelques minutes, il se mit à l'embrasser plus passionnément, explorant sa bouche avec sa langue. Ils sentaient tous deux le désir monter, et n'avaient aucune envie d'arrêter.

Quand ils s'interrompirent pour reprendre leur souffle, tous les employés avaient quitté la maison.

— Tu étais sérieux ! s'exclama-t-elle en reculant d'un pas. Nous sommes seuls !

— Je ne te mentirais pas.

— J'espère bien !

— Bon, pas de musique, pas de nourriture..., dit-il avec un regard entendu. Qu'allons-nous faire ?

— Je me le demande, souffla-t-elle, étourdie et pleine d'attentes.

Ils se remirent à s'embrasser, debout près de la piscine, les lumières de L. A. étalées à leurs pieds.

Il y avait longtemps qu'elle n'avait autant apprécié les baisers d'un homme. C'était une expérience grisante. Elle savourait chaque moment : sa bouche insistante, la douceur de sa langue, l'impression d'absorber son aura.

Elle leva doucement la main pour toucher son visage, caresser son menton rêche. Puis elle remit les mains derrière son cou.

Il était grand, tout comme elle. Leurs corps semblaient fusionner. Elle sentit qu'il durcissait contre sa cuisse, ce qui l'excita.

Combien de fois a-t-il vécu cela ?

Avec combien de femmes a-t-il couché ?

Suis-je une parmi des centaines ? Des milliers ?

Peu importe ! Il embrassait bien, tellement mieux que le trop enthousiaste Marlon, le seul homme qui l'ait touchée depuis son départ d'Hawaï.

Elle savait qu'elle s'exposait à un risque en se lançant dans une aventure avec Don Verona.

Commettait-elle une erreur ?

Les avertissements de Ryan lui revinrent en mémoire : « Don est un gars super, mais il a divorcé deux fois. Il a la réputation d'être volage. »

En ce moment, elle s'en fichait éperdument. Elle avait tellement besoin d'être avec quelqu'un qui l'aimerait vraiment! Don était peut-être cette personne.

Et s'il ne l'était pas? Elle devait bien prendre le risque un jour ou l'autre. Aussi bien plonger maintenant.

Il abaissa lentement les bretelles de sa camisole de soie blanche, exposant ses seins.

— Tu es tellement belle! s'émerveilla-t-il en caressant ses mamelons avec beaucoup d'adresse.

Cette sensation lui coupa le souffle. Elle n'avait couché qu'avec deux hommes, Gregg et Marlon, et aucun n'était intéressé par les préliminaires. Elle ne s'était pas attendue à ce que ce soit si excitant...

Une vague de désir la submergea et elle se mit à déboutonner fiévreusement sa chemise, souhaitant désespérément sentir sa peau contre la sienne.

— Doucement, ordonna-t-il en lui saisissant les poignets. C'est moi l'homme, tu te souviens?

Elle était si habituée de tout diriger avec Marlon qu'elle n'était pas préparée à un homme qui savait exactement ce qu'il faisait. Et Don le savait très bien: ses caresses faisaient courir des frissons d'extase dans tout son corps.

Ses mains expérimentées descendirent à sa taille et s'attaquèrent à la fermeture éclair de son pantalon de soie blanc.

— Ce n'est pas juste, murmura-t-elle. Je ne vais pas rester là toute nue pendant que tu es encore habillé.

— Je rêve de te voir toute nue depuis que tu es arrivée chez moi, un matin inoubliable, dit-il d'une voix rauque. En te voyant apparaître à ma porte ce jour-là, j'étais fichu. Ce fut un moment décisif pour moi.

Et quand j'ai vu Ryan faire les cent pas devant chez Chow, ce fut un moment décisif pour moi.

Ne pense pas à ça, Cameron. Tu es sur le point de céder à cet homme.

Cet homme deux fois divorcé et volage ?
Tais-toi, Ryan. Tu es marié. Ça ne te regarde pas.
Bon, bon.

— Déshabille-toi, ordonna-t-elle en enlevant ses chaussures et en retirant son pantalon.

— Toujours aussi autoritaire ! dit-il en obtempérant.

— Es-tu content que je t'aie obligé à renvoyer tout le monde ? murmura-t-elle.

— Je dois admettre que tu excelles dans la prise de décisions, répondit-il en lui obéissant.

— Il va nous falloir un condom, parvint-elle à dire en admirant son corps musclé et son érection impressionnante.

— Ce n'est pas nécessaire, j'ai passé des tests, répliqua-t-il en contemplant le moindre centimètre carré de son corps parfait. Tu n'as pas à t'inquiéter.

Elle avait passé le point de non-retour. Condom ou pas. Peu importe.

Ils ne purent attendre une seconde de plus. La renversant sur une des chaises longues, il la couvrit de son corps et la pénétra aussitôt. Elle changea de position et le chevaucha. C'était tellement *bon !*

Leurs ébats furent passionnés, frénétiques et charnels. Ils étaient tous les deux au comble de l'excitation. Ils continuèrent ainsi jusqu'à atteindre l'orgasme en même temps.

— Fiou ! s'exclama Don. Tu surpasses toutes mes attentes !

— Et toi, tu dois sûrement t'entraîner, murmura-t-elle, le corps parcouru de frémissements. Je suis impressionnée par ton énergie !

— Donne-moi dix minutes, rétorqua-t-il avec un sourire langoureux. C'est grâce à mon entraîneuse. Elle me garde en forme !

— Ça paraît. Elle doit être excellente.

— Oh, oui, elle l'est !

Ils éclatèrent de rire.

Après un moment, il se leva et l'attira vers lui. Elle se sentait revigorée, et des fourmillements de plaisir intense parcouraient toujours sa peau.

— Tu es magnifique, soupira-t-il. Pourquoi m'as-tu fait attendre aussi longtemps ?

— Parce que je le pouvais, blagua-t-elle.

Ryan avait temporairement disparu de son esprit.

— Mon Dieu, Cam...

— Quoi ?

— Je crois que je suis en train de tomber...

— N'allons pas trop vite, lança-t-elle d'un ton léger en se souvenant que cet homme était un tombeur.

Il fallait procéder avec prudence, ne pas perdre la tête. Elle ne voulait pas souffrir.

— Je vais essayer, dit-il. Je ne te promets rien.

Avait-il la tête remplie de phrases toutes faites ? Ou était-il sincère ?

Elle ne le savait pas encore.

Dans un soudain élan d'énergie, elle courut vers la piscine.

— Le dernier à l'eau est une poule mouillée ! cria-t-elle avant de plonger.

Quand elle remonta à la surface, il était à ses côtés. Leurs ébats reprirent aussitôt.

Ce genre d'activité n'était pas évident dans une piscine, mais ils étaient très motivés. Ils faillirent se noyer en jouissant ensemble, dans un enchevêtrement de bras et de jambes. Ils émergèrent en crachotant et en s'étouffant, puis sortirent de la piscine, trempés et hilares.

— Ouf ! fit-elle. Je dois dire que tu es plutôt actif pour un vieux.

— Comment ça, vieux ?

Il alla chercher deux grandes serviettes de plage et lui en lança une.

— Quel âge as-tu donc ? demanda-t-elle en enveloppant la serviette autour de son corps comme un pagne.

— Trente-neuf ans. Et toi ?

— Vingt-cinq.

— Ça me semble parfait, dit-il en s'asséchant les cheveux.

— Parfait pour quoi ?

— Pour qu'on soit ensemble, toi et moi.

— Ouais, ouais.

Elle n'était pas certaine de comprendre. Ce n'est pas comme si elle allait s'installer chez lui.

Il lui jeta un regard interrogateur. Quelque chose lui disait que la poursuite ne faisait que commencer. Cameron était évasive ; il devait y aller prudemment pour l'amener à s'abandonner. N'était-ce pas ironique, puisqu'il était lui-même perçu comme un homme évitant de s'engager à tout prix ? C'était généralement lui qui se sauvait en courant une fois que tout était consommé.

Comme le temps se rafraîchissait, ils rentrèrent à l'intérieur.

— Où est Butch ? demanda-t-elle.

— J'ai dû l'enfermer dans la salle d'exercices.

— Pourquoi donc ?

— Parce qu'il sautait sur le comptoir de la cuisine et mangeait la nourriture du chef. C'est un Français qui déteste les chiens.

— Super ! dit Cameron en fronçant les sourcils. Peux-tu le sortir, s'il te plaît ? Ce n'est pas juste de l'enfermer ainsi.

— Oui, madame.

— Peux-tu arrêter de dire ça ?

— Avoue que tu es autoritaire !

— Mais non, c'est faux !

— Si tu le dis.

— Va chercher ton chien.

— Oui, m...

— Ne le dis pas !

Il partit en riant libérer Butch.

— Je vais prendre une douche, d'accord ? lança-t-elle.

— Pas de problème ! cria-t-il par-dessus son épaule. Je te rejoins dans une minute.

Hum... Était-il insatiable ou simplement doué ?

Elle ne put s'empêcher de sourire. Le sexe était sensationnel et elle était très à l'aise avec lui. C'était une agréable surprise.

Ne le prends pas trop au sérieux. Ce gars est un dragueur invétéré. Divorcé deux fois. Un homme inconstant.

Je ne cherche pas une relation sérieuse.

Bien sûr que oui.

Sa douche était ultra sophistiquée, avec des jets d'eau provenant de huit angles différents et un téléviseur encastré.

Un téléviseur dans la douche ! Quelle extravagance !

Quand il la rejoignit, il était prêt à recommencer.

— Serais-tu un adepte du Viagra ? demanda-t-elle, à bout de souffle.

Il se mit à lui frotter le corps avec un savon au parfum irrésistible, qu'il affirma avoir importé du sud de la France.

— J'ai juste de la chance, dit-il en savonnant ses mamelons, une caresse qui lui fit perdre tous ses moyens. J'ai déjà essayé le Viagra et je me suis retrouvé avec une érection qui a duré trois jours.

— Chanceux, murmura-t-elle.

— Pas tant que ça ! J'ai dû aller à l'hôpital où une infirmière me l'a rabattue brusquement.

— Ça devait faire mal !

— Oh, oui !

Il la poussa doucement vers la paroi de blocs de verre et la pénétra. Après quelques minutes, elle ne put plus se retenir.

— Oh ! gémit-elle, jouissant pour la troisième fois de la soirée. Tu es...

— Quoi ?

— In-croya-ble.

Plus tard, enveloppés dans des peignoirs de bain blancs, ils allèrent dans la cuisine voir ce que le chef leur avait laissé. Ils y trouvèrent toutes sortes de hors-d'oeuvre, dont de petites pommes de terre fourrées au caviar, des mini pizzas et des crêpes miniatures au canard avec de la sauce aux prunes.

Don prit une bouteille de vin rouge et mit le tout sur un plateau, qu'ils emportèrent au salon. Ils s'installèrent devant l'âtre, Butch étendu confortablement à leurs pieds.

— C'est la meilleure soirée que j'aie passée depuis longtemps, dit Don en l'enlaçant. Tu dois reconnaître qu'on est compatibles, Cam. Le sens-tu autant que moi?

— Comment expliques-tu ça?

— Je sens que tu n'attends rien de moi, contrairement à la plupart des gens.

— Que veulent-ils?

— Oh, tu sais, mon argent, ma célébrité... et mon corps! ajouta-t-il avec un rire forcé. Mais ça, tu l'as déjà.

— Ah oui? dit-elle en se blottissant contre lui.

— Si tu le veux.

— Je vais le prendre en location, répliqua-t-elle en grignotant une crêpe.

— En location?

— Ainsi, il n'y aura rien de permanent.

— Ah bon? Donc, tu ne veux rien de permanent?

— Et toi? rétorqua-t-elle du tac au tac.

— Tu es vraiment étrange, dit-il en lui jetant un long regard scrutateur.

— Étrange?

— Mystérieuse. Différente des autres femmes. Te rends-tu compte que je ne sais rien de toi? Ce que tu aimes, ce que tu détestes, tes expériences amoureuses... La plupart des femmes ne peuvent s'empêcher de raconter toutes ces banalités.

— C'est parce que je vis dans le présent, et non dans le passé, répondit-elle prudemment.

— Ça me convient tout à fait.

Il la contempla longuement et se dit qu'elle était assurément la femme parfaite.

36

— **C**omment s'est passée ta visite au gym? demanda Ryan tout en se rasant, incapable de réprimer sa curiosité.

Il avait travaillé tard la veille. À son retour à la maison, Mandy était partie à une de ses réunions de bienfaisance. Ce matin, elle venait d'entrer dans sa salle de bain comme si elle voulait lui demander quelque chose. Quel soulagement il aurait éprouvé si ses paroles avaient été : « *Je veux divorcer* »!

Il pouvait toujours rêver, non?

— Je n'y suis pas allée, répondit sa femme. Mary Ellen a été appelée au studio.

— C'est probablement mieux ainsi, dit-il d'une voix neutre.

— Pourquoi?

— Les centres sportifs ne sont pas ton genre. Tu préfères le yoga, n'est-ce pas?

— J'aime tout ce qui m'aide à rester belle, répliqua-t-elle en regardant son reflet dans le miroir par-dessus son épaule.

Il savait qu'il aurait dû répondre : *Tu es toujours belle, ma chérie.* Mais il ne s'en sentait pas la force.

Il détestait ressentir autant d'animosité envers elle. Ce n'était pas sa faute si elle n'avait jamais été capable d'avoir d'enfant.

Mon Dieu! Était-ce la véritable raison de l'échec de leur mariage? Le fait qu'il voulait des enfants et qu'elle ne pouvait les lui donner? Ce n'était pas faute d'avoir essayé. Deux fausses couches et un bébé mort-né auraient été une tragédie pour n'importe qui.

— J'ai réfléchi, dit Mandy en s'éloignant du miroir.

— À quoi?

— Je me disais qu'on devrait partir quelques jours, dans un endroit relaxant, avant que tu ne sois débordé par ton prochain film.

— Mandy..., dit-il en sentant son ventre se contracter. J'ai réfléchi, moi aussi, et...

Avant qu'il puisse terminer sa phrase, le plus jeune de ses neveux, Benji, fit irruption dans la pièce.

— Oncle Ryan! Oncle Ryan! cria le garçon, tout excité. Maman dit qu'il y a un panier de basket dans la nouvelle maison. C'est super, oncle Ryan! Tu vas jouer avec nous, hein?

Mandy jeta un regard dédaigneux au garçon.

— Tu n'as jamais appris à frapper avant d'entrer? dit-elle froidement.

Benji l'ignora, à moins qu'il ne l'ait pas entendue.

— On part quand, oncle Ryan? insista-t-il, ses longs cheveux retombant dans ses yeux. J'ai déjà fait mes bagages.

— Bientôt, Benji, dit Ryan. Où est ta mère?

— Je ne sais pas.

— Va la retrouver. J'arrive dans une minute.

Benji partit en criant:

— Maman! Maman!

— Ces enfants sont tellement mal élevés, se plaignit Mandy.

— Benji a cinq ans, fit remarquer son mari.

— Il n'est jamais trop tôt pour apprendre les bonnes manières !

Le téléphone de Mandy sonna, et Benji revint en courant avec un de ses frères. Peu de temps après, Ryan installa tout le monde dans sa voiture et les emmena à la demeure qu'il avait louée. Elle était située à deux pâtés de maisons de là, sur Alpine.

Evie et ses fils découvrirent leur nouveau logis avec enthousiasme. Les garçons couraient d'une pièce à l'autre en poussant des cris de ravissement. C'était une maison familiale de quatre chambres, avec une piscine et un mini terrain de basketball.

— Ça doit coûter une fortune ! s'exclama Evie. Je ne pourrai jamais te rembourser !

— Ne t'inquiète pas pour ça, la rassura Ryan, heureux de pouvoir enfin faire quelque chose pour sa sœur.

— Dès que les garçons seront retournés à l'école, je pourrai commencer à travailler sur ton prochain film, si tu es d'accord.

— Tu sais bien que oui, répondit-il avec sincérité.

Evie était une scénographe de talent, l'une des meilleures. Elle avait rencontré Marty lors d'un tournage en Arizona. Au moins, ce mariage lui aurait donné trois beaux garçons, mais c'était à peu près tout.

Depuis l'injonction, Marty semblait s'être volatilisé. Il n'était pas à la maison de Silverlake, et personne n'avait de ses nouvelles. Ryan prévoyait mettre Evie en contact avec un avocat spécialisé en divorce le plus tôt possible.

Après les avoir installés, il partit au bureau, où Kara lui remit sa liste de messages.

En la parcourant, un nom attira son attention : madame Heckerling.

Que voulait-elle ?

En fait, il savait ce qu'elle voulait, mais n'était pas d'humeur à s'en occuper. De plus, son bref message disait de ne pas téléphoner, car elle rappellerait.

Super. Comme s'il avait besoin de ça ! Anya qui refaisait surface sept ans plus tard, mariée à son beau-père. Ça ne semblait pas possible. Et pourtant, ce l'était.

Une bonne action ne reste jamais impunie.

Un célèbre dicton. Tellement vrai.

Il se demanda si Hamilton connaissait son passé. Lui avait-elle parlé de ses activités à Amsterdam ? Il en doutait.

Kara l'appela à l'interphone :

— N'oubliez pas votre repas de ce midi avec Don Verona et Phil Standard.

— D'accord.

Pourvu que Don n'ait pas envie de lui raconter des détails qu'il ne tenait pas du tout à entendre.

* * *

Cameron s'apprêtait à s'asseoir dans le bureau de Paradise avec Cole pour faire une mise au point quand Katie téléphona. Elle répondit, une tasse de thé vert et une rôtie de blé entier à la main.

— As-tu vu les foutus magazines à potins ? cria son amie, au comble de l'excitation.

— Non. Que se passe-t-il ?

— Va tout de suite les acheter. On parle de toi partout !

— Qu'est-ce que tu racontes ? demanda Cameron en prenant une bouchée de pain grillé.

— Toi, Mary Ellen Evans et Don Verona. Ils en font toute une histoire !

— Je... je ne comprends pas, bredouilla Cameron, qui faillit s'étouffer avec sa rôtie.

— Ils ont des photos de Don qui arrive chez Paradise avec Mary Ellen. Et une de toi accrochée à lui en sortant. Il t'aide à monter dans sa voiture et vous avez l'air très intimes. Je n'ai pas vu de photographes en partant, et toi ?

— Oh, mon Dieu ! C'est épouvantable !

— Les gros titres disent : « Double trempette pour Don Verona, l'homme à femmes ».

— Hein ?

— Je ne sais pas ce qu'ils insinuent, mais si j'étais Mary Ellen, je serais en furie. Ils disent qu'elle se fait toujours plaquer. Impossible de ne pas avoir pitié d'elle.

— Sapristi ! Pourquoi font-ils ça ?

— N'importe quoi pour un scandale croustillant, répondit Katie. Tu sais bien que Mary Ellen est la proie favorite des magazines, tout comme Don.

— Oui, mais pourquoi me mêler à cette histoire ? demanda Cameron, irritée. Je ne suis pas une personnalité publique.

— Parce que tu étais là. Moi aussi, d'ailleurs, mais ils ont réussi à me couper de la photo ! ajouta-t-elle, plutôt froissée.

— Je vais te rappeler plus tard.

— J'espère bien.

Dès qu'elle eut raccroché, Cole s'enquit :

— Qu'y a-t-il ? Tu as l'air catastrophée.

— Apparemment, ma photo est dans les magazines à potins, expliqua-t-elle en secouant la tête.

— Toi ?

— Oui, moi.

— En train de faire quoi ? demanda-t-il, comme s'il avait du mal à la croire.

— Selon Katie, en train de me faire transporter hors d'ici par Don.

— Merde ! Ce n'est pas bon pour le gym !

— Je ne te le fais pas dire, répliqua-t-elle en tentant de se remémorer son départ du club.

Était-ce seulement il y a trois jours ? Il s'était passé tellement de choses depuis ! Le succès de Paradise montait en flèche et la veille, elle avait couché avec Don. Des ébats sexuels incroyables, passionnés, bien différents de son expérience avec Marlon. Et non, elle était déterminée à ne pas penser à Ryan. Il ne faisait plus partie du tableau.

La soirée d'hier avait été merveilleuse, tellement qu'elle avait failli dormir chez Don. Mais comme elle ne voulait pas aller trop vite, elle lui avait demandé de la ramener chez elle. Ce qu'il avait fait à contrecœur. Ils étaient passés chercher Yoko et Lennon, puis avaient bavardé jusqu'à trois heures du matin. Il avait fini par passer la nuit dans son lit, avait partagé sa brosse à dents le lendemain et n'était parti qu'à huit heures.

— Pas d'entraînement aujourd'hui, avait-il déclaré d'un ton triomphant, tout heureux de se permettre un petit écart.

Elle avait déjà décidé que si elle couchait avec lui, ce serait quelqu'un d'autre qui l'entraînerait. Peut-être Reno ou Dorian. Elle ne le lui avait pas annoncé, certaine qu'il protesterait. Puisque sa devise était de ne jamais mélanger travail et plaisir, et que Don était devenu un plaisir, elle n'avait pas le choix.

— Je vais envoyer Penni chercher les journaux, dit Cole, ramenant ses pensées au présent.

Penni, une fille enthousiaste de seize ans au corps mince et aux grands yeux de biche, était la nièce de Carlos. Ils l'avaient embauchée comme assistante afin qu'elle s'occupe de tout ce qu'ils n'avaient pas le temps de faire.

À la demande de Cole, Penni se précipita pour aller chercher les revues en question.

Cameron se demanda si elle devait avertir Don, puis se dit qu'il était probablement au studio. Quelqu'un l'avait sûrement déjà mis au courant.

Alors, pourquoi ne l'avait-il pas appelée ?

Hum... peut-être que Don Verona aimait juste conquérir. Maintenant qu'ils étaient passés à l'acte...

Non ! se dit-elle fermement. *Don n'est pas comme ça.*

Ah non ? Le connais-tu vraiment ?

Penni revint avec trois magazines hebdomadaires. Don et Mary Ellen faisaient la une des trois journaux, avec des gros titres accrocheurs. Une petite photo montrait Don en compagnie de Cameron. À son grand dam, elle était pendue à son cou.

— Comment est-ce arrivé? demanda-t-elle en fixant les photos.

— C'est toi qui le sais, répliqua Cole au lieu de l'aider.

* * *

— Tu es censée contrôler ce genre de conneries! cria Don à Fanny, l'agente publicitaire de son émission.

Cette femme évoluait depuis trop longtemps dans le milieu pour accepter de se faire malmener par quiconque, même Don Verona.

Elle répliqua avec un geste impuissant:

— *People, Esquire, US,* ce sont des publications que je peux contrôler jusqu'à un certain point. Mais les revues à potins, pas du tout.

Elle aurait voulu ajouter: «*Arrête de coucher avec deux femmes à la fois et ce genre de chose n'arrivera pas.*» Mais elle se retint pour ne pas l'irriter davantage. Surtout que Jerry Mann lui jetait un regard d'avertissement.

— Je déteste ces satanés journaux, grommela Don. Ils s'insinuent dans la vie privée des gens, impriment une tonne de faussetés et font tout pour nous nuire.

— C'est un paquet de conneries, fit remarquer Jerry. Personne ne lit ces torchons.

— Tu veux dire que personne n'avoue les lire, rectifia Don. C'est comme *Playboy,* que les hommes prétendent acheter pour les articles et les entrevues. Mais on sait très bien qu'ils se masturbent sur la demoiselle de janvier trois fois par nuit!

— Trois fois? dit Jerry avec un gros rire. C'est impressionnant!

— Pas moi, idiot! rétorqua Don en souriant.

Il repensa à sa soirée d'hier avec Cameron. Ça s'était effectivement produit trois fois, plus mémorables l'une que l'autre.

— Tu souris, remarqua Jerry. C'est bon signe. À présent, peut-on discuter des invités de ce soir ?

— Bien sûr. Mais d'abord, quelqu'un pourrait dire à mon assistante d'envoyer deux douzaines de roses à Mary Ellen Evans ? Avec une note disant quelque chose comme : « Désolé pour les journaux à potins, je t'appelle bientôt. »

— Pas des roses, intervint Fanny.

— Ah non ?

— Pas si tu n'as pas l'intention de la revoir.

— Tu as raison. Quoi, alors ?

— Des orchidées. C'est dispendieux et tout à fait approprié.

— D'accord. Peux-tu t'en occuper, ma chérie ?

— Ma chérie ? répéta Fanny en haussant ses sourcils soulignés au crayon.

— Tu sais que je t'aime, répliqua Don, plus charmeur que jamais. Peux-tu me rendre ce petit service ?

— Pendant que je m'occupe de ton sale boulot, que feras-tu pour l'autre ? demanda Fanny, incapable de résister.

— L'autre quoi ?

— L'autre femme avec qui tu es photographié.

— Heu... ne t'en fais pas pour elle. Je m'en occupe personnellement.

Fanny et Jerry échangèrent un regard entendu.

— Des roses ! s'écrièrent-ils en chœur.

— Allez vous faire foutre ! rétorqua Don, dont le sourire refit surface.

— À plus tard, lança Fanny en se dirigeant vers la porte.

— Fais-moi plaisir, dit Jerry après son départ. Essaie de ne pas baiser les invitées, puis de les planter là. Ça complique la tâche quand on veut les convier de nouveau. Et ce problème retombe toujours sur mes épaules.

— Qui vient ce soir ? demanda l'animateur en ignorant sa requête. Si tu me proposes une autre de ces stupides starlettes en herbe, je vais t'étrangler !

— Tu vas être content. Don Rickles.

— Enfin ! Quelqu'un à qui je peux parler.

— Ouais, dit Jerry. Quelqu'un que tu ne pourras pas sauter. Ça va faire du bien, pour une fois !

37

M unie d'une liste de suggestions pour la soirée de Lucy, Mandy se présenta chez Chow dix minutes à l'avance. Elle était d'excellente humeur, sachant qu'Evie et ses fils auraient quitté la maison à son retour. Quel cauchemar ç'avait été, ces trois garçons turbulents qui couraient dans la maison en criant et en brisant des objets ! Cela n'avait pas semblé déranger Ryan, mais il est vrai qu'il avait toujours adoré les enfants.

Parfois, elle se sentait coupable de n'avoir pu lui donner d'héritier. Tout le monde savait que c'était le souhait de tous les hommes, d'avoir une petite réplique d'eux-mêmes. Mais le destin en avait décidé autrement. Au moins, elle avait essayé. Ce n'était pas sa faute si ça n'avait pas fonctionné. Toutefois, quand elle y réfléchissait – ce qu'elle évitait généralement –, elle avait peut-être des torts.

Dès le début de leur mariage, Ryan avait déclaré vouloir des enfants. Quant à elle, avoir un bébé était loin de faire partie de ses priorités, mais elle s'était bien gardée de le lui dire. Au lieu de cela, après un an de mariage, elle lui avait annoncé qu'elle était enceinte – ce qui était faux. Puis, huit semaines plus tard, elle l'avait tristement informé qu'elle avait eu une fausse couche – un autre mensonge.

Il avait été si attentionné par la suite que leur mariage s'en était trouvé amélioré. Les hommes étaient tellement naïfs et malléables que c'en était ridicule.

Dix-huit mois plus tard, alors qu'elle s'apprêtait à lui raconter la même histoire, elle avait découvert à sa grande horreur qu'elle était véritablement enceinte. Elle fut prise de panique, car elle ne voulait d'enfant sous aucun prétexte. Non, non, non! Elle avait vu ce que les grossesses avaient fait à certaines de ses connaissances. Aucune de ces femmes n'avait retrouvé sa silhouette après l'accouchement. De plus, malgré la succession de bonnes d'enfants, les pauvres étaient toujours épuisées et en manque de sommeil. Franchement, la maternité les avait rendues terriblement ennuyeuses.

Mandy avait comploté un autre de ses plans retors. Après avoir fait part de la bonne nouvelle à Ryan, elle avait supporté la situation quelques semaines, en savourant l'attention et l'amour qu'il lui témoignait. Peu de temps après, il avait dû partir en tournage pour quatre jours. Elle en avait profité pour se précipiter chez un médecin de Mexico afin de subir un avortement.

À son retour, Ryan l'avait trouvée au lit, avec une autre annonce de fausse couche. La déception se lisait sur son visage, mais une fois encore, il s'était ressaisi et avait pris soin d'elle.

Puis, il y a trois ans, Hamilton l'avait convoquée et lui avait dit sans ambages qu'il voulait un petit-fils. Si elle n'avait pas un bébé dans l'année qui suivait, il épouserait une femme assez jeune pour lui donner tous les enfants qu'il désirait. Et elle devrait partager son héritage avec ces enfants.

Tomber enceinte ou partager son propre héritage? Non, impossible. Après ample réflexion, elle avait conclu qu'elle ferait mieux d'avoir un bébé, et vite. Elle s'était aussitôt consacrée à ce projet avec détermination.

Trois mois plus tard, elle était enceinte. Triomphante, elle avait traversé huit mois et demi pénibles d'inconfort et de frustration, avant de donner naissance à leur enfant. Malheureusement, leur fils était mort-né.

Elle avait été atterrée. Après tout ce qu'elle avait enduré, le résultat était un bébé mort dans son ventre.

Au cours des mois suivants, elle n'avait pu s'empêcher de s'interroger. Cela avait-il un lien avec l'avortement dont elle n'avait touché mot à quiconque? Surtout que son médecin l'avait informée qu'en raison de complications, elle ne pourrait plus jamais avoir d'enfants.

Était-ce Dieu qui la punissait? Elle avait refusé de l'envisager.

Cette fois encore, Ryan avait été aux petits soins pour elle, mais cela n'avait pas suffi. Ils s'étaient peu à peu éloignés l'un de l'autre, jusqu'au soir où il avait suggéré, dans la voiture, le recours à une thérapie conjugale. Tout le monde savait que les thérapies de couple étaient le début de la fin. Mandy était déterminée à arranger les choses, mais ce ne serait pas facile. Ryan était de plus en plus distant. Malgré tous ses efforts, elle n'arrivait pas à se rapprocher de lui.

La situation était problématique. Pour une fois, elle ne savait pas quelle attitude adopter.

Il devait bien y avoir une solution. Il y en avait toujours une.

* * *

Pour sa deuxième journée, Paradise était bondé. En observant le gymnase rempli de clients, Cameron éprouva un frisson de joie. Elle avait réussi! Elle avait concrétisé son projet, lancé sa propre entreprise qui connaissait déjà un franc succès. Quelle sensation enivrante!

Qui aurait cru que tout démarrerait en trombe dès le premier jour? Ils n'étaient ouverts que depuis deux jours, et chaque entraîneur avait des rendez-vous mur à mur pour la semaine. C'était incroyable ce qu'un peu de publicité pouvait accomplir. Par contre, elle se serait bien passée de ces maudites revues à potins !

Cole travaillait avec une actrice ; Dorian observait Roger, son client acteur secrètement homosexuel, qui soulevait des haltères ; Cherry sautillait sur place avec un jeune couple ; et Reno donnait un cours de cardio-vélo sur la terrasse.

À la réception, Lynda tentait vaillamment de répondre au téléphone, qui ne cessait de sonner. Elle essayait également de classer les formulaires d'inscription.

Cameron voyait bien que la jeune femme avait désespérément besoin d'aide et que Penni n'était pas la personne qui convenait. L'adolescente était parfaite pour faire des courses, servir le café et aller chercher les journaux – un détail que Cameron voulait oublier. Il était donc évident qu'ils devaient embaucher quelqu'un d'autre.

Jetant un coup d'œil à sa montre, Cameron vit qu'il était midi et que Don n'avait toujours pas appelé. S'attendait-elle à ce qu'il le fasse ?

Oui. Ils avaient couché ensemble, après tout. Ils avaient passé la nuit dans son lit. C'était une première.

Elle tenta de se remémorer leurs derniers moments.

Ils étaient assis dans la cuisine en buvant un café quand il avait regardé par la fenêtre et s'était écrié : « Hé ! Je vais avoir une contravention ! Je ne peux pas le croire ! » Là-dessus, il lui avait envoyé un baiser et s'était précipité vers sa précieuse Ferrari.

Adieu, Don Verona.

Maintenant, elle savait comment Mary Ellen se sentait. N'est-ce pas ? La pauvre Mary Ellen était étalée à la une des revues une fois de plus, présentée comme une paumée pathétique. Ce n'était pas très gentil. Et Cameron était partiellement responsable.

Cependant, ce n'était pas comme si elle le lui avait volé. Don lui avait signifié clairement que Mary Ellen et lui n'étaient pas en couple, bien qu'elle ait vu l'actrice sortir de sa chambre un matin.

Avec un soupir, elle se demanda si elle avait commis une erreur. Pendant qu'elle réfléchissait, trois douzaines de roses violettes arrivèrent avec ce message : « Tu n'es pas autoritaire, mais organisée. Et je suis assurément en train de craquer. On se voit plus tard ? D. »

Pourquoi ce point d'interrogation ? Était-elle censée lui téléphoner ?

Je t'avais dit de ne pas t'engager avec lui. Je t'avais avertie que ce serait une distraction. N'était-ce pas mieux avec Marlon, quand ce n'était que du sexe pour du sexe ?

Non. Je n'ai aucun regret. Je savais exactement ce que je faisais.

Avant de pousser sa réflexion plus loin, elle vit Charlene Lewis entrer, suivie d'un homme au teint cireux. Ce devait être un garde du corps – il fallait bien que quelqu'un surveille les diamants !

— Comme ça, vous êtes trop occupée pour venir me voir ? la réprimanda Charlene, très maquillée et resplendissante dans un léotard vert lime.

Des nuages d'*Angel* enveloppaient tous ceux qui s'approchaient à moins de cinquante centimètres. Elle agita un doigt en direction de Cameron, debout devant le comptoir à contempler ses fleurs et la note de Don.

— Je vais faire un essai ici, déclara Charlene. Mais vous savez à quel point je tiens à mon intimité.

Son énorme bague en diamant étincela sous la lumière, éblouissant Lynda. Cette dernière fronça les sourcils. Charlene était la cliente qu'elle appréciait le moins.

— Êtes-vous Cameron Paradise ? demanda le garde du corps en contournant Charlene.

— Oui, répondit la propriétaire, surprise par son impolitesse. Si vous voulez attendre...

Avant qu'elle puisse terminer sa phrase, il lui tendit un document officiel.

— La requête a été signifiée, dit-il avant de tourner les talons.

* * *

C'était un midi occupé au Grill. Ryan dut s'arrêter à pratiquement toutes les tables avant de pouvoir rejoindre Phil et Don, assis au fond.

— Tu es en retard, déclara Don en tapotant sa montre. Je ne peux rester qu'une heure, car je dois retourner au studio. Don Rickles est mon invité ce soir, et je dois me préparer.

— Rickles est exceptionnel, commenta Phil avec admiration. Un véritable original. Je suppose que tu es prêt à te faire insulter en long et en large?

— Plus que prêt! répondit Don.

Il envoya la main à un autre animateur, Craig Ferguson, assis à une table voisine. Son émission de fin de soirée et celle de Jon Stewart étaient les seules qu'il s'efforçait de regarder – leurs monologues étaient toujours perspicaces, voire brillants.

— Quoi de neuf? demanda Ryan.

Don lui semblait particulièrement détendu, un signe évident qu'il s'était récemment envoyé en l'air.

— Ce qu'il y a de neuf, c'est que ma femme insiste pour organiser un de ces stupides soupers que vous semblez tellement apprécier, se plaignit Phil. Des gens qui se baladent partout dans ta maison, qui chient dans tes toilettes, qui dérangent tes animaux... Par-dessus le marché, je dois nourrir un groupe d'ingrats. Je vous le dis, ça ne me fait pas du tout plaisir...

— Mais tu as accepté, l'interrompit Don avec un sourire entendu. Elle te tenait par les couilles, et avant qu'elle ne serre trop fort...

— J'ai dit oui, admit Phil en caressant sa barbe, qui avait bien besoin d'être taillée. Qu'est-ce qu'un homme ne ferait pas pour jouir de la vie en toute tranquillité!

— Je croyais que tu jouissais tous les matins avec ton assistante! blagua Don.

— J'ai dû la congédier, grommela Phil. Lucy n'aimait pas que je la trompe avec le personnel.

— Comment réussis-tu cela ? demanda Ryan en commandant un Jack Daniel's.

— Tu bois au milieu de la journée ? s'étonna Don en haussant un sourcil. Qu'est-ce qui se passe ?

— Tu parles comme un parrain des AA, dit Ryan d'un ton sec. Et comme je ne suis pas alcoolique, tu peux garder tes conseils pour toi.

— Quelqu'un a besoin de baiser, on dirait ! pouffa Phil.

— Laisse-le donc tranquille, dit Don avec bonne humeur. Il a un problème à régler. N'est-ce pas, mon ami ?

Merde ! songea Ryan. *Il a couché avec elle. Je le sais. C'est écrit sur sa belle figure de séducteur.*

Ce salaud.

Quel enfoiré.

Pourquoi diable devait-il ajouter Cameron à sa longue liste de conquêtes ?

Pourquoi, *merde* ?

* * *

— Combien de gens penses-tu inviter ? demanda Mandy.

Elle trempa une crevette dans la sauce aux prunes avant de la porter à sa bouche.

— Je ne sais pas encore, répondit Lucy.

— Eh bien, décide-toi ! riposta son amie d'un ton autoritaire. Je ne peux pas te conseiller si je ne connais pas le nombre d'invités.

Lucy fronça les sourcils. Elle voulait lancer son scénario, sans que le groupe soit trop imposant.

— Hum... Peut-être douze avec Phil et moi. Notre grande table peut asseoir douze personnes.

— Alors, deux chefs, trois serveurs, deux assistants, un barman et un voiturier, déclara Mandy en comptant sur ses doigts. Je vais t'envoyer le numéro de mon organisatrice par courriel. Elle s'occupera de tout.

— Mon Dieu! s'exclama Lucy en imaginant l'expression de Phil devant les factures. Ça semble coûteux! Phil ne sera pas content, il déteste dépenser.

— Comme tous les hommes! Ils sont généralement radins, sauf les rares qui sont de grands dépensiers. Il n'y en a pas beaucoup dans cette ville!

— C'est vrai.

— As-tu déjà vu un acteur s'emparer de la facture? poursuivit Mandy. Crois-moi, c'est rare, à moins de sortir avec Michael Caine.

— J'ai déjà travaillé avec lui, dit Lucy en se remémorant l'acteur anglais et sa ravissante femme à la beauté exotique, Shakira. C'est un homme adorable qui m'a beaucoup appris.

— Et comme je le disais, il est très généreux.

Lucy hocha vaguement la tête, en se demandant qui elle inviterait à la soirée. Les Richards, bien sûr. Don et une amie, Hamilton et sa nouvelle épouse – mieux valait ne pas le dire tout de suite à Mandy, car on ne pouvait pas savoir quelle serait sa réaction. Elle inviterait également un ou deux producteurs qui pourraient être intéressés par son scénario. Peut-être Anne et Arnold Kopelson, producteurs de films à succès comme *Seven* et *The Fugitive*. Ou les Bruckheimer, même si Jerry risquait de ne pas être disponible en raison du triomphe de ses émissions de télé, dont la série *CSI*.

Marlon serait son invité-surprise. Elle le ferait entrer au dessert et le présenterait à tout le monde, avant de distribuer des exemplaires du scénario.

Elle pourrait même lire des passages. Oui, c'était une idée géniale. Mais elle aurait besoin d'un acteur pour lui donner la réplique. Hum... quelqu'un qui ne rendrait pas Phil fou de jalousie.

Il ne lui vint même pas à l'idée que Marlon pouvait déclencher la hargne de son mari possessif.

— Tu es bien silencieuse, remarqua Mandy. Ne me dis pas que tu t'inquiètes à propos de l'argent de Phil. Cet homme est plein aux as ! Pourquoi économise-t-il son fric ? C'est amusant de recevoir à la maison. Si tu m'écoutes et embauches les bonnes personnes, ta soirée sera un succès.

Lucy acquiesça. Oui, elle ferait tout pour que ce soit réussi.

ANYA

Au début, Anya ne savait pas ce qu'elle voulait obtenir de Seth. Son argent?
Non, car il n'était certainement pas riche.
Son pouvoir?
Il n'avait pas de pouvoir. Ce n'était qu'un avocat travaillant pour un cabinet prestigieux.
Sa vie?
Ah... Être une épouse américaine prenant soin d'un bébé et de son mari. Était-ce son rêve?
Elle n'avait plus de rêves. Ils avaient tous été saccagés le jour où elle avait vu les soldats trancher la gorge de Svetlana et tirer une balle dans la tête de ses tuteurs. Elle s'était recroquevillée dans un coin en gémissant de terreur pendant qu'ils mettaient le feu à la maison. Par la suite, plus aucun rêve ne l'avait visitée quand elle passait d'un homme à l'autre sans relâche. Finis les rêves...
Seth Carpenter serait son tremplin vers une vie meilleure. Elle devait commencer quelque part, et il était le point de départ.
Avant que Velma ne l'abandonne cruellement, la laissant aux mains de Joe, elle lui avait martelé les trois choses à répéter à un homme pour le garder dans ses filets aussi longtemps qu'elle le souhaiterait.
Anya n'avait jamais oublié les sages paroles de Velma:
«Ta bite est tellement grosse.

Tu es le meilleur amant du monde.

Tu me fais jouir comme une folle.»

Elle fit l'essai d'une de ces phrases auprès de Seth la première fois qu'ils firent l'amour sur le lit conjugal, pendant que le bébé dormait dans la pièce voisine. C'était le midi et il pleuvait à torrents. Elle avait écarté les jambes et l'avait accueilli en elle comme s'il était le premier homme à qui elle permettait d'entrer dans cet endroit sacré.

La tension sexuelle montait entre eux depuis des semaines. Seth avait pris l'habitude de rentrer à la maison presque chaque midi. Peu à peu, elle l'avait émoustillé jusqu'à ce qu'il la désire au point de ne pouvoir attendre un instant de plus.

— Ta queue est si grosse, murmura-t-elle.

Son admiration le fit se rengorger de fierté.

En fait, son pénis n'était pas très remarquable, mais Anya voyait que ses paroles avaient un effet magique.

Après la première fois, il lui fut facile de semer des indices dans l'appartement: une boucle d'oreille dans le lit, des petites culottes de dentelle noire dans la chambre...

Diana n'était pas stupide. Il ne lui fallut pas longtemps pour découvrir ce qui se tramait.

À ce moment-là, Anya tenait Seth au creux de sa main. Il était fou d'elle et ne pouvait imaginer passer une journée sans la voir. Alors, quand Diana la congédia et jeta son mari à la porte, Seth fit exactement ce qu'Anya espérait: il proposa de louer un appartement afin qu'elle quitte le foyer et vienne vivre avec lui.

La première étape était accomplie. Elle avait un homme américain bien à elle.

C'était un début prometteur.

38

S ans trop savoir comment, Ryan parvint à se rendre à la fin du repas en évitant de poser des questions à Don. Il était furieux de voir son ami se pavaner comme un paon. Don semblait si content de lui que c'en était écœurant. Évidemment, il ne put s'empêcher de mentionner sa plus récente conquête:

— Je vais amener Cameron à ton souper, annonça-t-il à Phil. Sois averti! Garde tes sales mains à leur place! Ce n'est pas le genre de femme qui a envie de se faire caresser.

— Qui est Cameron? demanda Phil.

— Une femme que je fréquente, répondit-il avec un sourire satisfait.

Ryan ressentit une aigreur au creux de l'estomac. Qu'y avait-il au juste entre eux? Cameron n'était-elle qu'une autre de ses conquêtes? Ou bien s'agissait-il d'une véritable relation?

— Qu'est-il arrivé à la fille de la télé? demanda Phil en s'attaquant à son énorme steak et à une pile de frites.

— Cette fille n'était pas pour moi, déclara Don en écartant Mary Ellen du revers de la main.

— Et cette nouvelle femme l'est? voulut savoir Phil.

— Peut-être. Ryan l'a rencontrée. Cameron est magnifique, hein ?

Son ami émit un grognement. Il n'allait certainement pas encourager cette liaison naissante. Au fond, il souhaitait que ça se termine le plus vite possible.

— Tu vois, il est séduit, lui aussi ! s'exclama Don en riant. Sérieusement, Phil, elle est spéciale. Tu verras.

— L'as-tu sautée ? claironna Phil, toujours aussi grossier.

— Voyons ! protesta Don en secouant la tête. Si je l'avais fait, tu serais le dernier à qui je le dirais.

— Tu ne t'en es jamais privé avant.

— Espèce de vieux cochon !

— Qui se ressemble s'assemble ! répliqua Phil en mâchonnant sa bouchée de steak.

* * *

— Tu dois te débarrasser des enfants et des animaux pour la soirée, déclara Mandy, autoritaire et en contrôle. Tu pourrais les envoyer chez ta mère.

— Ma mère vit à Palm Springs avec un paysagiste de vingt-six ans au chômage, dit sèchement Lucy. Ça m'étonnerait qu'elle ait envie de garder.

— Vraiment ? Tu ne me l'avais jamais dit !

— Tu ne l'as pas demandé. Et pourquoi mentionnerais-je cette femme après qu'elle a écrit ce torchon sur moi, rempli de mensonges dégoûtants ?

Mandy se souvint vaguement d'un livre scandaleux sur la célèbre Lucy Lyons, qui avait fait sensation à l'époque.

— C'était il y a des années, non ? Avant ton mariage avec Phil ?

— Dix ans, répondit Lucy en tentant de réprimer sa colère. J'étais à l'apogée de ma carrière et la garce n'a pu s'empêcher d'en tirer profit.

L'impression d'avoir été trahie la submergeait chaque fois qu'elle pensait à cet horrible livre.

— Ah, les mères ! soupira son amie. Je n'en ai jamais eu. Juste une série de belles-mères, toutes plus énervantes les unes que les autres !

— Tu as peut-être eu de la chance, dit amèrement Lucy. La mienne n'est pas le genre de mère dont on rêve. Plutôt du genre cauchemardesque.

Mandy, qui en avait marre de parler de mères, décida de changer de sujet :

— Dans ce cas, tu n'as pas une voisine qui pourrait s'occuper des enfants ?

— Je ne pourrais pas juste dire à la nounou de les garder en haut ?

— Absolument pas. Les enfants dérangent toujours. Ils vont arriver en courant et commencer à énerver les invités. En plus, les serveurs détestent avoir des enfants dans les jambes. Cela nuit à leur travail.

Lucy se demanda comment son amie savait tout cela, puisqu'elle n'avait pas d'enfant.

— Je pourrais voir avec la nounou si elle peut les emmener chez sa tante, dit-elle.

— Avec les animaux, lui rappela Mandy. Oh, et n'oublie pas d'appeler une équipe d'entretien pour nettoyer la maison.

— Pourquoi ?

— C'est ce qu'on fait quand on n'a pas reçu depuis je ne sais combien de temps. Je ne me souviens pas de la dernière fois où tu as eu des invités chez toi.

— C'est parce qu'on n'a accueilli personne à la maison depuis le soir de notre mariage, avoua Lucy. Phil était trop radin pour tenir la réception ailleurs.

— Oh, mon Dieu ! Ça fait si longtemps que ça ?

— Le temps passe vite quand on s'amuse ! répliqua Lucy avec un gloussement.

— Je couchais avec ce chef allemand sexy que mon père détestait, se souvint Mandy, les yeux brillants de nostalgie. Je n'avais pas encore rencontré Ryan. Était-il là, au fait ?

— Il était en tournage, mais Don était venu avec sa première femme, la ballerine. Tu te souviens d'elle ?

— Comment l'oublier ? Tous les hommes salivaient en la regardant. Elle avait des jambes incroyablement longues et son numéro de la soirée était de faire le grand écart. Quelle frimeuse !

— Avoue qu'elle était superbe. Don était très heureux.

— Pas pour longtemps.

— Tu as raison. N'a-t-il pas divorcé un an plus tard quand elle l'a trompé avec leur entrepreneur en construction ?

— Oui ! glapit Mandy. Qui pourrait oublier ça ?

— Il était tellement furieux !

— Ça n'a pas dû être bon pour son ego, même s'il s'est relevé rapidement. Don rebondit toujours. Bon, comme je te le disais, tes enfants doivent partir, ainsi que tes animaux ! Trouve une solution.

— Je vais essayer, dit Lucy d'un ton hésitant. Je suis sûre que Phil n'aimera pas du tout être séparé de son perroquet pour une nuit. Il est fou de cet oiseau !

— Celui qui crie : « Va te faire foutre » sans arrêt ?

— Exactement.

— S'il était dans ma maison, je fusillerais ce volatile, déclara Mandy en tapotant de ses ongles fraîchement vernis sur la table.

— Si je faisais ça, Phil me fusillerait !

— Ah, mais pense à toute la publicité s'il le faisait ! lança Mandy avec un petit rire. Tu serais à la une de tous les journaux.

— Merci, Mandy, dit sèchement Lucy. Je crois qu'il y a de meilleurs moyens d'y arriver.

— Mary Ellen vient nous rejoindre pour le café. Après le repas, on va aller essayer ce nouveau gym, Paradise. Veux-tu nous accompagner ?

— Pourquoi pas ?

Si elle devait reprendre sa carrière, ce serait préférable de retrouver une forme d'enfer.

S'inscrire à un gym était clairement au sommet de sa liste de priorités.

* * *

— Salut, fit Don au téléphone, depuis sa voiture.

— Salut, répondit Cameron après un coup d'œil à sa montre.

Il était presque quinze heures et Don daignait enfin se manifester.

Elle détestait être le genre de fille qui attend qu'un homme l'appelle au lieu de prendre le téléphone pour le faire elle-même. Ils avaient eu des rapports sexuels fantastiques. Il s'était sauvé de chez elle tôt le matin. Il aurait dû téléphoner bien avant.

— Comment vas-tu aujourd'hui? demanda-t-il.

— Très bien, répondit-elle d'un ton caustique. Surtout que je viens de recevoir une assignation de la part de monsieur Autobronzant.

— Qui est monsieur Autobronzant? s'enquit-il d'un ton amusé.

— Le salaud à qui je louais un espace de travail. Il nous poursuit parce qu'il prétend qu'on lui a enlevé des clients.

— Avais-tu signé une entente avec ce type?

— Non, dit-elle avec impatience. Comme je te l'ai dit, je louais simplement un espace dans son gym et je lui versais une commission.

— Alors, il n'y a pas de problème. Je vais mettre mon super avocat là-dessus.

Elle savait qu'elle aurait dû répondre: «Non, je vais régler ça moi-même.» Mais l'avocat de Don semblait une meilleure option.

— D'accord, répondit-elle en espérant ne pas avoir trop l'air d'une mauviette.

— Je vais envoyer un messager chercher les documents.

— Tu es certain?

— Pour toi, n'importe quand ! dit-il galamment. Au fait, as-tu reçu mes fleurs ?

— Elles sont superbes. Oh, et j'ai aussi vu les journaux à potins.

— Ignore-les, répliqua-t-il d'un ton désinvolte, comme si cela n'avait aucune importance. Ce sont des mensonges. Ils ne citent jamais les faits correctement.

— Pauvre Mary Ellen ! Je me sens mal pour elle.

— Ce n'est pas ton problème.

— Je sais, mais ne devrais-tu pas lui téléphoner ?

— Pourquoi ?

— Pour t'expliquer.

— Bon, je vais lui passer un coup de fil, dit-il, sans aucune intention de tenir sa promesse.

Il n'avait pas obligé Mary Ellen à venir dans son lit. Elle l'avait fait de son plein gré. Ce n'était la faute de personne s'il n'y avait pas d'atomes crochus entre eux. En outre, il lui avait envoyé une coûteuse orchidée en guise de prix de consolation.

— On mange ensemble ce soir ? reprit-il en changeant abruptement de sujet.

— Je ne sais pas, dit Cameron d'un ton hésitant.

— C'est toi qui décides.

Pourquoi devait-elle décider ? N'aurait-il pas dû dire : « J'ai envie de te voir. La nuit dernière était merveilleuse » ?

Oui, il aurait dû.

— C'était une journée plutôt mouvementée, rétorqua-t-elle d'un ton nonchalant. Je crois que je vais me coucher tôt.

— Tu crois, hein ?

— Ça ne te dérange pas, j'espère ?

— Pas du tout. Mais je me disais que cette fin de semaine, on pourrait relaxer avec tes chiens et le mien à ma maison de Malibu. Est-ce que ça te tente ?

Oui, cela la tentait.

— Ce serait super.

— De toute façon, je te verrai demain matin. On planifiera tout ça. Essaie de regarder mon émission ce soir. Don Rickles est invité, et ça promet d'être hilarant. C'est le gars le plus drôle en ville.

— Si je suis réveillée.

— Tu n'as pas entendu parler de TiVo[6]?

— Je n'en ai pas.

Elle raccrocha, étrangement déçue. À quoi s'était-elle attendue? C'était Don Verona, pas un homme ordinaire.

Le lendemain matin, elle enverrait Reno pour l'entraîner à sa place. Don ne serait probablement pas content, mais si elle voulait continuer de le voir, c'était la seule solution.

Bon, au moins, elle pouvait rêver en pensant à la fin de semaine. Il serait peut-être plus ouvert à ce moment-là, plus chaleureux et amoureux.

Amoureux? C'est ça que tu veux?

Absolument pas.

Je t'avais avertie de ne pas t'engager.

Oh, la ferme!

* * *

De retour au studio, Don repensa à sa conversation avec Cameron. Elle lui avait paru plutôt froide, pas aussi entichée de lui qu'il l'aurait cru après leur soirée de la veille. Déterminé à ne pas l'effaroucher, il avait adopté une attitude désinvolte pour ne pas avoir l'air trop insistant. Même si, depuis cette soirée de sexe exceptionnel et de conversation passionnante, il était pratiquement sur le point de lui demander d'emménager chez lui.

C'était complètement insensé. Il était Don Verona, pour l'amour du ciel! Pas un pauvre type avec une érection et un sérieux béguin!

---

6   Enregistreur multitélés.

Pourtant... il ne pouvait s'empêcher de penser à elle. À sa beauté, son odeur, son comportement au lit... Tout chez elle lui paraissait excitant.

Le faire attendre n'avait eu pour effet que d'exacerber son attirance. Il était complètement sous le charme. Et il adorait ça.

Vraiment?

Zut! Elle semait vraiment la confusion dans son esprit et nuisait à sa concentration. Il n'avait pas besoin de ça!

Jerry entra dans son bureau en répandant une odeur de cigare et d'ail – un mélange déplaisant.

— Ce sera une émission géniale ce soir. Tout le monde est excité par la présence de Rickles.

— Je sais, répondit Don. C'était une bonne idée de lui consacrer les trois segments. On va bien s'amuser, tous les deux.

— Pas de starlette qui te montre sa petite culotte – ou sa nudité! lança Jerry en gloussant. Déçu?

— Tu veux rire? La blonde idiote d'hier soir a envoyé sa coiffeuse à ma loge avec une carte. Elle avait inscrit son numéro de téléphone et ce message: «Appelle-moi pour continuer cette entrevue dans ma chambre.»

— Lui as-tu téléphoné? demanda Jerry en écarquillant les yeux.

— Jerry, je fréquente quelqu'un. Et même si ce n'était pas le cas, les actrices désespérées aux faux seins ne sont pas mon genre.

— Avec qui sors-tu?

— Tu ne la connais pas.

— Si tu lisais les journaux à potins, tu le saurais! lança Jill Kohner en entrant dans le bureau avec la liste de questions pour l'entrevue de Rickles.

— J'ai lu les journaux à potins, répliqua Jerry. Ce n'est aucune de ces deux-là.

— Comment le sais-tu? demanda Jill en tendant la liasse de feuilles à Don.

— Parce qu'elles ont toutes les deux reçu un bouquet d'adieu.

— Allez-y, discutez de ma vie amoureuse ! protesta Don. Ne vous gênez pas !

Jill éclata de rire.

— Et que faisais-tu avec notre amie lesbienne, au juste ?

Pendant un instant, il fut pris au dépourvu. Ça ne lui ressemblait pas. Mais Jill dépassait vraiment les bornes, alors tant pis...

— Cameron n'est pas lesbienne, déclara-t-il d'un ton ferme. Et même si elle l'était, je n'aime pas que tu utilises le mot « lesbienne » comme si c'était honteux.

— Désolée ! s'exclama Jill en échangeant un regard surpris avec Jerry. Je ne savais pas...

— Qu'est-ce que tu ne savais pas ? dit-il en la toisant sévèrement.

Jill savait exactement quand se taire.

39

Mary Ellen arriva chez Chow, suivie d'une meute de paparazzis féroces qui se virent aussitôt interdire l'entrée. Malgré leurs plaintes et protestations, ils furent contraints de rester à l'extérieur pendant que l'actrice se précipitait dans le restaurant pour aller retrouver Mandy et Lucy.

Elle semblait stressée, même si elle avait fait un effort pour être au sommet de l'élégance dans une courte robe blanche Donna Karan et un veston bleu clair signé Richard Tyler. Ses yeux étaient dissimulés derrière d'énormes verres fumés Dolce & Gabbana. Elle ne cessait de se tordre les mains d'un air agité.

— Que se passe-t-il ? lui demanda Mandy.

— Ton ami, Don Verona ! C'est un salaud minable et un menteur ! Je le déteste !

— Oh, mon Dieu ! Qu'a-t-il fait encore ? s'écria Mandy, avide de détails.

— Eh bien, je pensais qu'on commençait une relation sérieuse, répondit la jeune femme, toujours nerveuse. Mais apparemment, il voyait ça autrement.

— Ça lui ressemble bien ! lança Mandy, comme si elle le connaissait mieux que quiconque.

Plongeant la main dans son énorme sac Prada, Mary Ellen sortit une page déchirée du *Truth and Fact* et entreprit de lire le gros titre : « Double trempette pour Don Verona, l'homme à femmes ». Elle rejeta la page d'un air dégoûté.

— « Double trempette » ! Quelle impression ça donne de moi ?

— Plutôt mauvaise, dit Lucy d'un air compatissant.

— Exactement ! ragea Mary Ellen, oubliant complètement son image de fille sympa. Don Verona est un enfoiré et un menteur. Tout comme cette garce, cette salope de Cameron !

— Dis-nous comment tu te sens vraiment, murmura Lucy.

— Elle se sent comme de la merde ! répliqua Mandy en prenant la page pour lire l'article. Et franchement, je la comprends. Pas toi ?

— Je pensais que c'était le bon, dit tristement la jeune femme, une larme surgissant de sous ses lunettes et coulant sur sa joue. Et voilà comment il me traite.

— As-tu couché avec lui ? s'enquit Mandy, prête à entendre tous les détails croustillants.

— Évidemment qu'elle a couché avec lui ! dit Lucy d'un ton méprisant. Qui ne le ferait pas ? Cet homme est beau comme un dieu.

— Est-il aussi doué au lit que ce qu'on raconte ? demanda Mandy.

Depuis le temps qu'elle mourait d'envie d'en savoir plus sur les prouesses sexuelles de Don ! C'était l'occasion idéale.

— Oui, marmonna la jeune femme éplorée. Sauf que je lui ai fait une fellation durant quinze minutes et qu'il ne m'a pas rendu la pareille.

— Inacceptable, décréta Mandy.

— Ha ! s'exclama Lucy. Tu devrais coucher avec Phil, c'est tout ce qu'il veut faire !

C'était du nouveau pour Mandy. Elle verrait Phil d'un autre œil dorénavant. Les hommes qui aimaient vraiment s'adonner au cunnilingus étaient plutôt rares. Depuis sa première grossesse fictive, elle n'avait pas vu Ryan se livrer à ce genre de caresse. Peu lui importait. Le sexe n'était pas son activité préférée même si elle pouvait être une participante enthousiaste lorsqu'elle le décidait. À quinze ans, elle avait perfectionné l'art d'administrer une pipe parfaite, juste pour être appréciée des garçons.

Cela avait fonctionné. Elle avait mis le grappin sur Ryan, n'est-ce pas ?

— Je crois que je vais devenir lesbienne, ajouta Mary Ellen. Comme ça, ces torchons pourront s'en donner à cœur joie !

— Un choix intéressant, murmura Lucy. As-tu vu comme les actrices sont belles dans l'émission *The L Word,* sur Showtime ?

— Elle blaguait, intervint Mandy en lui jetant un regard courroucé. N'est-ce pas, ma chère ?

— Si on veut aller à ce nouveau gym, on ferait mieux de se dépêcher, dit son amie après un coup d'œil à sa montre. Je dois rencontrer un scénariste à seize heures.

— Quel scénariste ? demanda Mandy.

— Un jeune homme dont j'ai retenu les services.

Lucy se demanda si Marlon essaierait encore de l'embrasser. Sa première tentative ne lui avait pas vraiment déplu. Ça faisait du bien d'être désirée par quelqu'un d'autre que son mari. Et Marlon la désirait, c'était évident.

— Je ne peux pas aller à ce gym, dit Mary Ellen avec colère. C'est là où travaille cette femme.

— Quelle femme ? s'enquit Lucy, sans faire le lien.

— La menteuse qui s'est jetée au cou de Don ! La salope qui a prétendu être seulement son entraîneuse.

— C'est peut-être tout ce qu'elle est, suggéra Lucy.

— C'est ça ! répliqua la jeune femme avec une grimace malveillante. Elle entraîne son membre viril à se diriger tout droit vers son sexe gourmand !

* * *

— Madame Heckerling est en ligne, dit Kara à l'interphone.

Ryan était dans son bureau avec son producteur délégué.

— Donne-moi une minute, Keith. Je dois prendre cet appel.

Keith sortit de la pièce pendant que Ryan répondait au téléphone. Il n'était pas obligé de le faire, mais il avait hâte d'entendre ce qu'Anya voulait lui dire après sept ans.

— Il faut que je te voie, dit cette dernière d'une voix basse et feutrée.

— Pourquoi?

— J'ai besoin de te parler. Hamilton s'en va au Japon samedi prochain. Je pourrai te voir à ce moment-là. Y a-t-il un endroit discret où on pourrait se rencontrer?

Discret? pensa Ryan. À L.A.? La jeune épouse d'un magnat et le gendre de ce dernier. Rien de discret là-dedans. TMZ et Perez Hilton en feraient leurs choux gras.

Il réfléchit.

Une chambre d'hôtel?

Non, surtout pas!

Un motel à un endroit comme Culver City?

Encore pire!

Un bar?

Pas question.

Puis il trouva. La maison d'un ami. Un lieu entièrement privé.

La maison de Don.

Ironiquement, Ryan sentait que Don lui devait bien ça.

* * *

Lorsque Cameron quitta Paradise avec Cole, elle ne s'attendait pas à un tel assaut de photographes. Ils se précipitèrent en actionnant leurs flashs tout en vociférant une foule de questions:

« Êtes-vous en couple avec Don ? »

« Vous connaissez-vous depuis longtemps ? »

« Quand allez-vous vous revoir ? »

« Que pensez-vous de Mary Ellen ? »

« Êtes-vous des rivales ? »

La jeune femme se cramponna au bras de Cole.

— C'est ridicule, chuchota-t-elle. Je ne suis pas connue. Pourquoi font-ils ça ?

— Je suppose que tu es connue à présent, répondit-il, moins désarçonné qu'elle l'aurait cru.

— Je vais courir vers ma voiture, l'informa-t-elle.

— Bonne chance. Essaie de ne pas paniquer. Je vais t'appeler plus tard.

Après avoir plaqué un baiser sur sa joue, il se dirigea vers sa motocyclette.

Elle avança vers sa Mustang, toujours suivie par les photographes. C'était horrible. Elle n'était pas habituée à toute cette attention et elle n'aimait pas ça. En fait, elle détestait ça. Si sa relation avec Don avait de telles conséquences, ça ne l'intéressait plus.

Quand elle arriva chez elle, deux hommes et une camionnette bloquaient l'entrée de son garage. Elle klaxonna et l'un des hommes s'approcha de sa fenêtre ouverte.

— Vous me bloquez le chemin, dit-elle.

— Êtes-vous mademoiselle Paradise ?

Oh, merde ! Pas une autre requête !

— Pourquoi voulez-vous le savoir ? demanda-t-elle, méfiante.

— J'ai une livraison pour Cameron Paradise.

— Quelle livraison ?

— Un TiVo et un téléviseur. De la part de monsieur Verona. Si vous nous laissez entrer, nous allons tout installer pour vous.

Une heure plus tard, elle contemplait un nouveau téléviseur haute définition à écran plat et un TiVo compliqué, qu'elle ne savait pas comment utiliser.

Était-ce une récompense pour avoir couché avec Don Verona? Envoyait-il un téléviseur à chacune de ses amantes?

Tout cela lui semblait irréel. Elle ne voulait pas de ses cadeaux et aurait préféré un coup de fil plus intime. Mais apparemment, cela n'allait pas se produire. Elle devait se contenter d'un téléviseur et d'un TiVo, qu'elle en veuille ou non.

* * *

Pendant que Cameron essayait de comprendre pourquoi Don lui avait envoyé ce singulier cadeau, ce dernier se préparait à son entrevue avec Natalie de Barge. Cette perspective était loin de l'enchanter, mais comme il avait donné sa parole, il ne pouvait plus reculer.

Fanny, la responsable des relations publiques de son émission, était perplexe.

— Tu détestes te faire interviewer. Pourquoi le fais-tu?

— J'ai promis, signifia-t-il avec désinvolture. En outre, Natalie de Barge est disciplinée. Elle ne me posera pas de questions auxquelles je ne veux pas répondre.

— Ce n'est pas elle qui décide, marmonna Fanny d'un air morose. C'est son producteur. Tu le sais très bien.

Mais personne ne contredisait Don quand il avait pris une décision. Fanny l'accompagna donc au studio où Natalie enregistrait sa populaire émission quotidienne à potins.

Natalie accueillit Don en l'étreignant.

— Comment trouves-tu notre investissement jusqu'ici? chuchota-t-elle. Tu dois avoir une touche magique!

— C'est ce qu'on me dit.

— Hum..., fit-elle avec un sourire enjôleur. Je vais m'interroger là-dessus toute la journée.

— Sur quoi?

— Ta touche magique.

— Ah bon ? répliqua-t-il en lui rendant son sourire.

— As-tu besoin de passer au maquillage ? Les maquilleuses meurent d'envie de te rencontrer.

— Désolé, mais je n'en mets jamais.

— Même pas pour ton émission ?

— Non.

— La plupart des hommes à la télé ont besoin de plus de maquillage que Marie Osmond, blagua Natalie. J'aurais dû savoir que tu étais le genre à plonger à nu...

— Ça aussi ! dit Don en souriant.

— Bon, si on commençait ? déclara Fanny de sa meilleure voix d'agente publicitaire autoritaire. Monsieur Verona a un horaire très chargé.

— Ça ne m'étonne pas, murmura Natalie en pensant à quel point elle détestait les agentes publicitaires.

Elles se mêlaient toujours de tout et tenaient à ajouter leur grain de sel en essayant de contrôler leurs clients. Certaines étaient compétentes, mais ce n'était pas le cas de Fanny, selon Natalie. Au fil des ans, elles avaient eu plusieurs prises de bec. Cette fois, pensa Natalie, Fanny ne gagnerait pas, surtout que Don lui avait promis cette entrevue.

— Si tu es prêt, Don, on peut aller directement au studio, dit-elle en le prenant par le bras.

Cela eut pour effet d'exclure Fanny, qui fulmina silencieusement en se voyant obligée de marcher derrière eux.

— Tu pourras regarder de la salle verte ! lança Natalie par-dessus son épaule.

— Non, merci, répondit Fanny en serrant les dents. Je préfère être sur le plateau.

— Ça te va, Don ? demanda Natalie.

— Bien sûr, dit-il, impatient d'en finir avec cette corvée.

D'habitude, c'est lui qui posait les questions, et non l'inverse.

— D'accord, Fanny, dit la journaliste. Tu peux venir sur le plateau.

Petite salope noire, pensa Fanny.

Vieille Blanche frustrée! se dit Natalie.

L'entrevue se déroula sans anicroche jusqu'à ce que Natalie décide d'entrer dans des détails plus personnels. En fait, elle ne le décida pas, car c'était l'idée de son producteur qui lui donnait des directives dans l'écouteur fixé à son oreille. Comme l'histoire de Don et des deux femmes avait été étalée à la une de tous les journaux, il estimait que c'était son devoir de journaliste de le questionner là-dessus.

L'animateur venait de terminer une amusante anecdote à propos du passage de Warren Beatty et Justin Timberlake à son émission, quand l'intervieweuse aborda le sujet de sa vie amoureuse. «Pourquoi deux divorces? Qui fréquentez-vous en ce moment? Ce qu'on a lu dans les magazines est-il vrai? Que se passe-t-il avec Mary Ellen Evans? Pourquoi a-t-elle autant de malchance avec les hommes?»

Irrité qu'elle ne respecte pas les limites qu'il avait fixées, Don parvint à détourner la plupart de ses questions avec tact et charme. Mais celles concernant Mary Ellen le prirent au dépourvu. C'était une relation qu'il n'aurait jamais dû amorcer.

Quand ce fut enfin terminé, il partit abruptement avec Fanny. L'agente se plut à rappeler qu'elle l'avait averti et qu'il n'aurait jamais dû participer à une émission alimentée par des ragots.

Il est trop tard maintenant, pensa-t-il, désabusé.

Selon la façon dont Natalie monterait l'entrevue, il aurait l'air soit d'un salaud sans cœur, soit d'un dragueur uniquement avide de collectionner les femmes.

Dans un cas comme dans l'autre, il serait perdant.

Heureusement que Cameron n'était pas friande de télévision.

* * *

En rentrant chez lui, Ryan s'arrêta chez Evie pour voir comment les garçons s'habituaient à leur nouvelle demeure.

— Ils sont aux anges ! lui dit-elle. Une piscine et un terrain de basket, c'est beaucoup trop !

— La semaine prochaine, tu vas rencontrer un avocat, dit-il sévèrement.

Et moi aussi, pensa-t-il.

Evie hocha la tête à contrecœur. Elle était finalement parvenue à la conclusion que son frère avait raison. Elle devait couper les ponts avec Marty et repartir à zéro. Mais ce ne serait pas facile.

Les garçons furent ravis de voir leur oncle. Il joua au basket quelques instants avec eux avant de rentrer chez lui. Il avait décidé que le moment était venu d'avoir une conversation avec Mandy.

Mais une fois de plus, cela se révéla impossible. Elle avait invité six copines et un gourou indien pour que ce dernier leur enseigne le sens de la vie.

Le sens de la vie ! Mandy n'y connaissait rien ; elle se plaisait simplement à suivre les modes, et la dernière tendance était la spiritualité.

Les femmes scandaient des chants. Plusieurs se ressemblaient étrangement, avec leurs longs cheveux blonds lisses, leur teint lumineux et leur visage sans rides. L'uniforme commun semblait être un jean griffé, un t-shirt blanc de James Perse et un sac de cuir pastel Birkin.

Les épouses de Hollywood. Nouvelle génération.

Ryan alla directement en haut et appela Don. Il avait hâte de régler les détails de sa rencontre avec Anya.

Don ne répondit pas.

Il l'imagina en compagnie de Cameron quelque part. Peut-être au lit... en train de faire l'amour à Cameron...

Sapristi ! Il connaissait à peine cette fille et il était littéralement envoûté. Follement, complètement subjugué.

40

Pour diverses raisons, tout le monde avait hâte à la fin de semaine. Cameron, parce qu'elle était curieuse de passer plus de temps en compagnie de Don, sans compter qu'elle avait envie de s'évader pour prendre une pause. À sa grande joie, le succès de Paradise ne se démentait pas. Le gym avait été bondé toute la semaine.

Quant à Ryan, il s'apprêtait à rencontrer Anya et à apprendre ce qu'elle avait à lui dire. Don l'avait rappelé et avait accepté de lui prêter sa maison. Évidemment, son ami pensait qu'il l'utiliserait pour tromper Mandy.

— Profites-en ! l'avait-il encouragé. Il était temps !

Ryan était curieux de savoir comment Anya avait rencontré Hamilton et pourquoi ce dernier l'avait épousée sans la soumettre à une enquête en bonne et due forme. C'était étonnant de la part de Hamilton, qui était généralement sourcilleux sur les petits détails.

Lucy se préparait à la soirée de lancement de son scénario, qui aurait lieu le samedi suivant. Elle était très excitée, contrairement à Phil.

Mandy était heureuse de retrouver sa maison, sans enfants bruyants qui couraient partout.

Et Don était impatient de passer une longue fin de semaine à son chalet avec Cameron.

Que pouvait-il espérer de mieux ?

Il ne s'était pas senti ainsi depuis longtemps. L'avenir lui semblait rempli de promesses.

* * *

Le samedi matin, Yoko et Lennon sentaient que quelque chose se tramait. Fraîchement lavés, ils se promenaient dans la maison, prêts à aller folâtrer sur la plage. Cameron aurait juré qu'ils avaient compris ses paroles lorsqu'elle avait mentionné leur escapade. Il y avait donc de l'excitation dans l'air. Elle espérait que ses chiens s'entendraient bien avec Butch, le labrador de Don.

Wow! pensa-t-elle avec un petit sourire, en terminant son sac de voyage. *C'est un peu comme si on avait des enfants qui allaient se rencontrer pour la première fois ! Vont-ils bien s'entendre ? S'aimeront-ils ?*

Elle avait eu quelques jours pour se remettre du choc des journaux à potins et des photographes importuns. Ravis, Dorian et Lynda n'avaient cessé de sortir de l'immeuble pour voir combien de caméramans étaient aux aguets. Ils avaient insisté pour accompagner Cameron à sa voiture, dans l'espoir de se retrouver dans la photo !

Le vendredi, les photographes étaient partis. Don Verona ne s'étant pas présenté chez Paradise, leur intérêt s'était tari. Si Lynda et Dorian étaient déçus, Cameron s'était réjouie de ne plus être au centre de l'attention.

Elle n'avait pas revu Don depuis leur soirée romantique, même s'ils s'étaient parlé au téléphone chaque jour. Il n'était pas content de devoir s'entraîner avec Reno.

— C'est toi que je veux, s'était-il plaint.

— Tu connais ma devise, avait-elle répliqué. Je ne mélange jamais travail et plaisir !

— Oui, oui, je sais. Dois-je en conclure que je suis devenu un plaisir pour toi ?

— Plus ou moins.

— Plus ou moins ? Tu devrais saliver à l'idée d'en avoir davantage !

— N'exagérons rien.

Le samedi midi, il vint la chercher, vêtu d'un pantalon kaki, d'un t-shirt noir et d'une casquette de baseball blanche. La jeune femme dut admettre qu'il avait fière allure.

Ce sentiment était partagé.

— Hé ! dit-il en la serrant dans ses bras. Comme tu es belle !

— Aimerais-tu voir mon TiVo ? demanda-t-elle d'un air ironique.

— Ce n'est pas ce que j'avais en tête, mais je veux bien. En es-tu satisfaite ?

— Je n'ai aucune idée du fonctionnement de ce truc !

— Je vais te montrer.

— Pas maintenant. Yoko et Lennon me rendent folle. Ils savent qu'une surprise les attend.

— Et toi ? demanda-t-il en lui bécotant le cou. Est-ce qu'une surprise t'attend ?

— Ah, monsieur Verona ! Je dirais que ça dépend de toi !

Il lui sourit. Elle s'aperçut qu'elle était heureuse de le revoir.

— Allons-y, dit-il, avant que j'aie une contravention sur cette rue merdique ou que quelqu'un kidnappe Butch. Il attend dans la voiture.

— S'il te plaît, ne dis pas que ma rue est merdique. C'est une agréable rue dans un quartier sympathique.

— Où j'ai eu une agréable et sympathique contravention l'autre jour !

— Donc, tu n'aurais pas dû dormir ici.

— La prochaine fois, on passera la nuit chez moi, déclara-t-il avec assurance.

— Qu'est-ce qui te fait croire qu'il y aura une prochaine fois ? rétorqua-t-elle.

Ils se taquinèrent jusqu'à la voiture, un VUS noir où Butch attendait, la tête sortie par la fenêtre entrouverte. En les voyant arriver, il se mit à aboyer en se pressant contre la vitre, outré de voir son maître avec deux autres chiens.

Yoko et Lennon répliquèrent en jappant frénétiquement.

— Ce n'était peut-être pas une bonne idée, dit Cameron, incertaine. Lennon est très protecteur envers Yoko en présence d'un autre mâle.

— Et c'est maintenant que tu le dis?

— Désolée, je n'y avais pas pensé.

— Butch n'est pas agressif, ajouta Don. Mais ce serait préférable de ne pas faire les présentations dans la voiture.

— Que proposes-tu?

— Ramène-les chez toi et fais-les courir dans la cour. Ensuite, je sortirai Butch. Une fois qu'ils auront fini de se renifler, tout ira bien.

— Bonne idée, dit-elle en lui tendant son sac.

Elle repartit vers la maison avec ses chiens.

Don jeta un coup d'œil des deux côtés de la rue. Aucun paparazzi en vue. Heureusement qu'ils n'avaient pas encore découvert l'adresse de Cameron. Elle était déjà assez irritée de les voir traîner autour de Paradise! Ce serait un comble s'ils se mettaient à camper devant sa maison! La dernière chose qu'il souhaitait, c'était de lui faire peur dès le début de leur relation, laquelle risquait de devenir beaucoup plus qu'une liaison passagère.

En arrivant, il avait remarqué un homme qui rôdait près de l'intersection. Mais l'inconnu avait gardé ses distances et ne semblait pas avoir d'appareil photo.

Au fil des ans, Don avait reçu plusieurs menaces de mort. À un moment donné, une supposée admiratrice hystérique s'était mise à lui adresser des lettres passionnées qui s'étaient transformées en courrier haineux devant son refus de lui répondre. Elle s'était introduite deux fois dans sa maison et lui avait envoyé une foule de cadeaux étranges. Un jour, elle s'était présentée à son bureau et avait poignardé son assistante avec un coupe-papier. Heureusement, la blessure n'était pas fatale. Depuis cet incident, il était extrêmement prudent et examinait toujours soigneusement les alentours.

Aussitôt qu'il ouvrit la porte de la voiture, Butch en surgit comme s'il avait une fusée au derrière. Il y avait de nouveaux amis, et le labrador enthousiaste avait hâte de les connaître !

En approchant de la maison, Don déplora le fait que la porte donne directement sur la rue, sans barrière de sécurité ni protection. De plus, il n'avait pas d'endroit où stationner sa voiture, car le minuscule garage de Cameron ne pouvait accueillir que sa précieuse Mustang.

Note à lui-même : *Acheter une voiture convenable pour cette fille.*

Deuxième note : *Demander d'abord sa permission, car elle est difficile.*

Du coin de l'œil, il remarqua que l'homme de tout à l'heure se dirigeait vers la maison.

Merde ! Était-ce un journaliste ? Un admirateur cinglé ? Une menace ?

Interrompant les pensées de Don, l'homme s'avança vers lui et demanda :

— Excuse-moi, l'ami, je peux te poser une question ?

Don recula instinctivement d'un pas. Il mesurait près d'un mètre quatre-vingt-cinq, mais ce type était plus grand que lui. Plutôt costaud, il avait des cheveux blond-roux et un visage buriné et bronzé. C'était peut-être un touriste puisqu'il avait un accent australien.

— Bien sûr, répondit Don en gardant une distance raisonnable.

— Je cherche le boulevard Sunset. Est-ce près d'ici ?

Bingo ! Un touriste. Don éprouva une sensation de soulagement. Il donna des directives à l'homme, puis remonta l'allée vers la maison de Cameron.

— Excuse ma curiosité, lança l'homme. J'ai entendu dire que les filles étaient jolies à L. A., mais celle avec qui tu étais plus tôt est une vraie beauté ! C'est ta petite amie ?

Un touriste ou un journaliste en quête de ragots ?

Don n'en était plus certain. Où était Fanny quand il avait besoin d'elle ?

— C'est ma sœur, dit-il d'un ton désinvolte, la main sur la poignée.

L'inconnu ne voulait pas lâcher prise.

— Est-elle mariée ? Parce que sinon, j'aimerais bien l'inviter à sortir !

Ignorant cet étranger importun, Don entra dans la maison et referma la porte derrière lui.

Quel énergumène ! Il avait vraiment du culot !

Butch traversa la petite maison au galop et alla dans la cour, où il s'intéressa aussitôt à Yoko d'un peu trop près.

Lennon grogna et avança d'un air menaçant vers l'intrus.

Oubliant le journaliste-touriste, Don se plaça près de Cameron pour regarder les chiens faire connaissance.

Une demi-heure plus tard, ils étaient en route vers Malibu.

* * *

— Où vas-tu ? demanda Mandy.

Voir la pute adolescente que j'ai sauvée et que ton père a épousée.

— Chez Evie, répondit-il calmement. J'ai promis aux garçons de les emmener manger. Veux-tu nous accompagner ?

Cela la désarçonna.

— Non, merci. J'ai assez vu ces petits monstres pour un bout de temps.

Il se demanda quel genre de mère elle aurait été s'ils avaient eu la chance d'avoir des enfants. Probablement pas la meilleure.

— Bon, tu ne pourras pas dire que je ne te l'ai pas offert.

— Si c'était juste nous deux sur la terrasse de Spago, ça me ferait plaisir, répliqua-t-elle pour le faire se sentir coupable, son activité préférée.

— Non. C'est avec les garçons, cette fois!

— Dommage.

Puis il eut une idée. Puisqu'il avait tant de mal à trouver l'occasion de parler de divorce, pourquoi ne pas souper en tête à tête chez Spago? Ainsi, ils seraient dans un lieu public et il y aurait moins de risques que Mandy lui fasse une scène.

Il n'arrivait pas à comprendre pourquoi il hésitait tant à lui dire que tout était fini. Mandy était intelligente; elle devait bien s'en douter?

— Et si on allait chez Spago ce soir, toi et moi? s'empressa-t-il de proposer avant de changer d'idée. N'invite personne d'autre!

Une fois de plus, Mandy fut prise au dépourvu. Elle ne se souvenait pas de la dernière fois où ils étaient allés seuls au restaurant. Était-ce un effort pour être romantique? Ou avait-il l'intention de lui reparler de thérapie de couple?

Hum... Malgré sa méfiance, elle répondit d'un air détaché:

— Excellente idée. Je vais réserver une table.

Elle était déjà en train de préparer ses arguments. Il n'était pas question qu'elle accepte de suivre une thérapie conjugale.

Oh, que non!

* * *

C'est uniquement par hasard que Lucy surprit Phil en train de baiser son assistante, Suki. La même assistante qu'il était censé avoir congédiée des semaines plus tôt.

Lucy ne se rendait jamais à la cabane dans l'arbre où Phil aimait s'enfermer pour écrire. Mais ce samedi-là, elle croyait sincèrement qu'il était sorti.

Elle s'était dit que ce serait l'endroit idéal pour mettre les animaux durant la réception. Du moins, le perroquet et les chiens. Peut-être pas le cochon. Mais auparavant, elle voulait constater l'état des lieux, puisque Phil en refusait l'accès aux femmes de ménage. Cette maisonnette était son domaine. Il l'avait conçue lui-même et l'avait fait construire pour s'en servir comme refuge. Il affirmait que c'était le seul endroit où son inspiration coulait à flots.

Et aujourd'hui, elle coulait! Elle coulait à flots sur la poitrine plate de Suki, après que Phil se fut retiré avec un grognement, éjaculant sur les seins inexistants de son assistante.

Lucy resta figée comme une statue dans l'entrée, trop surprise pour bouger. Oui, elle savait que son mari la trompait. Qui n'était pas au courant des exploits sexuels de Phil Standard? Mais elle ne se serait jamais attendue à le trouver avec une autre femme dans leur propriété.

— Espèce de vieux fornicateur sans scrupule! cria-t-elle.

Elle n'avait jamais utilisé le terme «fornicateur» auparavant, sauf dans un de ses films. Il semblait tout à fait indiqué pour l'occasion.

Le derrière poilu de Phil bondit dans les airs quand il sursauta et se releva de mademoiselle Suki avec un grognement courroucé.

— Que diable fais-tu ici? s'écria-t-il. Tu sais que tu n'as pas le droit d'entrer! C'est interdit!

— Va te faire foutre, et ta monture avec! lança Lucy.

C'était une autre réplique d'un de ses films, à moins qu'elle ne provienne d'un western de Clint Eastwood.

Comment osait-il se fâcher contre elle? Psychologie inversée. La réaction habituelle de Phil.

Suki se redressa sur le canapé, la poitrine couverte de sperme. Lucy remarqua qu'elle avait non seulement des seins minuscules, mais des mamelons étirés et brunâtres peu attrayants.

— Au cas où mon mari aurait oublié de te le dire, tu es congédiée, déclara Lucy d'une voix glaciale.

Là-dessus, elle tourna les talons et se dirigea vers sa voiture, la nouvelle Mercedes que Phil lui avait offerte la semaine précédente.

Elle démarra avant que quiconque puisse l'arrêter. Même si personne n'essaya.

Elle était seule avec sa colère, et en ce moment, cela lui convenait parfaitement.

ANYA

Après avoir vécu quelques mois avec Seth, en lui répétant qu'il était l'homme le plus merveilleux du monde, Anya fit en sorte qu'il demande le divorce. Quelques semaines plus tard, il l'emmena à Niagara Falls, où ils se marièrent. Lorsqu'elle eut la bague au doigt, son attitude changea du tout au tout. Elle n'aimait pas Seth et ne l'avait jamais aimé. Il était un homme, après tout, et tous les hommes étaient des ennemis. Ils voulaient du sexe jour et nuit. Contrôlés par leur pénis, ils devenaient souvent violents. Comme les soldats russes qui l'avaient violée. Comme Avide Boris et Igor. Comme tous les hommes auxquels elle avait été obligée de se soumettre depuis l'âge de quatorze ans.

Et surtout, comme Joe. Ce souteneur d'Amsterdam qui l'avait dégradée plus que quiconque.

Joe était l'homme de ses cauchemars. Il figurait toujours dans ses rêves, avec son visage anguleux, ses yeux méchants et ses cheveux huileux.

Les choses qu'il l'avait forcée à faire la remplissaient de honte : les spectacles pornographiques, les orgies, les animaux, les perversions...

Joe avait pratiquement anéanti son goût de vivre.

Une fois encore, elle avait survécu, grâce à un inconnu qui l'avait prise en pitié et lui avait permis de prendre un nouveau départ. Un homme. Oui, un homme qu'elle ne connaissait pas, et qui ne l'intéressait donc pas.

Seth jurait qu'il l'aimait, mais elle ne le croyait pas. Pourquoi l'aurait-il aimée?

Ce qu'il aimait, c'est ce qu'il ressentait quand il la pénétrait et qu'elle bougeait son bassin, lui procurant des sensations qu'il n'avait encore jamais éprouvées.

Il aimait qu'elle le prenne dans sa bouche et le suce jusqu'à ce qu'il jouisse avec une intensité qu'il n'aurait pas crue possible.

Il l'aimait parce qu'elle lui permettait d'introduire sa verge bandée partout où il le souhaitait, pendant qu'elle soupirait, criait son nom et faisait mine d'être au septième ciel.

Voilà pourquoi il l'aimait. C'était la seule raison.

Dès que le divorce de Seth avait été prononcé, Anya avait entrepris de l'éloigner de son ex-femme et de son enfant. C'était facile. Une fois qu'on détenait la clé des désirs sexuels d'un homme, tout était possible. Velma le lui avait enseigné. La même Velma qui l'avait plantée là, l'abandonnant aux mains de Joe.

Velma s'était-elle vraiment enfuie?

Dans les rêves d'Anya, Velma apparaissait parfois nue, trempée et tourmentée. Ses longs cheveux emmêlés retombaient sur sa figure boueuse et meurtrie, et sa bouche entrouverte révélait ses dents cassées.

— Il m'a noyée! criait son amie, les yeux écarquillés. Joe m'a noyée!

Anya détestait ces cauchemars qui lui paraissaient trop réels.

Après un certain temps, elle se mit à croire que ces rêves saisissants reflétaient la vérité. Joe avait tué Velma.

C'était logique, car elle n'avait jamais cru que Velma aurait pu l'abandonner. Elles étaient trop proches, avaient partagé trop d'expériences. De plus, Velma avait laissé ses vêtements et ses affaires dont Joe s'était rapidement débarrassé.

Plus Seth rampait devant elle, plus Anya devenait froide à son égard. Elle cessa de lui dire qu'il était merveilleux. Elle arrêta de lui accorder des faveurs sexuelles sur demande.

Elle lui soutira le plus d'argent possible et commença sa précieuse collection de chaussures.

Plus elle était glaciale envers lui, plus il la désirait. Cela lui fit comprendre que les hommes ne s'intéressaient qu'à deux choses en matière de femmes : le sexe débridé et le plaisir de la poursuite.

Après un an de mariage, Seth obtint une promotion à son cabinet d'avocats. Il fut invité à une soirée officielle organisée par le partenaire principal de l'entreprise.

Il remit de l'argent à Anya pour qu'elle aille acheter une tenue élégante à la hauteur d'une telle occasion.

Elle revint avec un bustier de cuir noir et une jupe extrêmement courte, assortis à des escarpins Jimmy Choo hauts de quinze centimètres.

Seth fut horrifié. Sa délicate et ravissante épouse avait l'air d'une prostituée vêtue ainsi.

Il lui demanda de se changer. Elle refusa.

Quand ils arrivèrent à la soirée, tous les yeux se tournèrent vers Anya. Elle ressemblait à une jeune fille portant les vêtements de quelqu'un d'autre. La plupart des hommes étaient hypnotisés par son allure de fillette aguichante. Les femmes la détestèrent sur-le-champ.

Seth était au comble de l'embarras. Comment pouvait-elle lui faire aussi honte ?

Anya l'apaisa en lui murmurant des promesses de jeux sexuels à leur retour à la maison.

Un peu plus tard, elle voulut savoir qui était son patron.

Il le lui indiqua et elle se dirigea vers lui sans hésiter.

Le patron, Elliott Von Morton, fut étonné de voir Anya s'approcher et se présenter comme l'épouse d'un de ses jeunes associés. Après sa surprise initiale, Elliott se redressa et l'observa avec attention. Malgré les vêtements voyants et le maquillage excessif, il pouvait discerner qu'Anya était une véritable beauté.

— Que puis-je faire pour vous, madame Carpenter ? demanda cet homme grand et mince, aux paupières tombantes et à la moustache clairsemée.

— Je me demandais plutôt ce que je pouvais faire pour vous, répliqua la jeune femme en le fixant de ses yeux bleu clair, ses doigts effleurant la bordure de cuir souple de son bustier.

Le grand patron regarda autour de lui pour repérer sa femme. Madame Von Morton parlait à des amis de l'autre côté de la pièce.

Cette fille lui faisait des avances, il en était convaincu.

Où était son mari?

Il approchait justement.

— Appelez-moi au bureau, s'empressa de dire Elliott en tendant sa carte à Anya. Je suis certain que je trouverai quelque chose...

Seth, mortifié et le visage écarlate, se précipita vers eux.

— Heu, excusez-moi, monsieur Von Morton, balbutia-t-il. Anya n'a jamais assisté à ce genre de soirée. J'espère qu'elle ne vous dérange pas trop?

— Pas du tout, répliqua Elliott avec un sourire de crocodile. Votre femme est charmante. Tout à fait charmante.

Ses yeux s'attardèrent sur chaque centimètre du décolleté de cuir noir d'Anya, pendant qu'il imaginait cette fille au visage d'ange le chevaucher et lui assener des coups de fouet.

Six semaines plus tard, Anya quitta Seth et emménagea dans l'appartement d'Elliott Von Morton sur l'avenue Park.

Elle était sur la bonne voie.

41

Nonchalamment étendue sur une chaise longue en bikini, Cameron regardait Don faire griller des hamburgers et des épis de maïs sur le barbecue. Les trois chiens épuisés étaient couchés sur la terrasse auprès d'elle, se prélassant au soleil. Après une bataille de dominance de dix minutes avec Lennon, Butch avait abandonné, satisfait de ne pas être le chien alpha.

— Tu sais, dit la jeune femme, tu devrais avoir un compagnon pour Butch. Regarde comme il est heureux.

— C'est moi, son compagnon! lança Don. Il m'accompagne au studio et prend du bon temps avec deux caniches sur le site. Crois-moi, il s'amuse. En parlant de prendre du bon temps, devine quel ami reçoit chez moi aujourd'hui?

— Chez toi? Pendant que tu es absent? demanda-t-elle en saisissant le tube d'écran solaire.

— Je ne parle pas exactement d'une réception. Plutôt d'une rencontre intime avec une autre femme que la sienne.

Cameron sentit son ventre se crisper. Il parlait de Ryan, elle en était certaine.

— Qui donc? demanda-t-elle d'une voix calme, en étalant de la lotion sur ses jambes.

— Ryan, répondit Don d'un air triomphant. Il s'offre enfin le cadeau que je lui conseille depuis des années.

Elle demeura silencieuse un moment. Ryan n'était pas comme ça. Mais le connaissait-elle vraiment ? Pas du tout. Pourtant, elle avait l'impression de le connaître depuis des années.

— Et... qui est son invitée ? s'enquit-elle d'un ton faussement désinvolte, même si elle voulait désespérément le savoir.

— Aucune idée, répliqua Don en retournant adroitement la viande sur le gril. Ryan est un gars plutôt discret. Mais il a été vu avec une superbe A. M. l'autre matin. J'avoue que ça m'a étonné.

— Qu'est-ce qu'une A. M. ?

— Actrice-mannequin. Parfois escorte quand les temps sont durs.

— Escorte n'est-il pas le mot poli pour prostituée ?

— Allons, Cam ! Ryan ne paierait jamais pour ça. Les femmes se battent pour s'approcher de lui, même s'il ne le remarque jamais. Jusqu'à maintenant, du moins.

— Je suppose que tu es content qu'il trompe sa femme ?

— Ne sois pas si coincée, dit-il avec un regard surpris. Tu as rencontré Mandy. Elle est toujours sur son dos. J'espère que cet épisode est annonciateur de la fin de son mariage. Ryan mérite de vivre sans le boulet Mandy. C'est un bon gars.

— Je te crois, murmura-t-elle.

Elle s'imagina Ryan dans la maison de Don, en train de faire l'amour à une superbe jeune femme, en échange d'un paiement ou non. Elle détestait l'idée qu'il soit comme les autres hommes. Elle avait espéré qu'il serait différent, un homme avec des principes moraux inflexibles. Comme elle s'était trompée !

— Tu préfères ton hamburger avec ou sans fromage ?

— Peu importe, répondit-elle vaguement.

Elle n'avait plus d'appétit, mais il faudrait bien qu'elle l'avale d'une façon ou d'une autre.

* * *

Brûlant plusieurs feux rouges, Lucy roula vers Venice et Marlon dans un état d'esprit téméraire. Phil Standard baisait à gauche et à droite, tout le monde le savait. Mais dans sa maison, avec son assistante moche qu'il avait juré avoir mise à la porte ? C'en était trop !

L'épouse ex-vedette de cinéma était dans une colère noire.

Au quatrième feu rouge, elle vit avec indifférence une voiture de police sortir d'une rue transversale et lui faire signe d'arrêter.

Elle rangea sa nouvelle Mercedes en bordure de la route et freina brusquement.

Le policier sortit de sa voiture et s'approcha de sa fenêtre d'une démarche arrogante.

— Votre permis et certificat d'immatriculation, dit-il en la regardant à peine.

Elle lui jeta un coup d'œil. Trente-six ou trente-sept ans. Quelques kilos en trop. Blanc. Blasé. Faisant simplement son boulot.

Elle allait bientôt changer ça.

— Je suis tellement désolée, monsieur l'agent, minauda-t-elle. J'ai surpris mon mari avec une autre femme, et comme vous vous en doutez, je suis extrêmement bouleversée.

Elle s'interrompit, le temps qu'il digère cette information. Puis, soulevant ses lunettes de soleil pour révéler son visage, elle assena le coup de grâce :

— Je suis Lucy Lyons. Vous m'avez probablement vue dans *Bleu saphir*. La plupart des gens l'ont vu.

Cela éveilla l'attention du policier. Penchant la tête pour mieux l'observer, il se lécha les lèvres et avala sa salive.

— Heu... oui, je l'ai vu.

Comment aurait-il pu oublier cette paire de nichons ? Lucy Lyons était bien pourvue en cette matière. Et elle était toujours séduisante, même s'il n'entrevoyait que sa figure et ses longs cheveux noirs. Comme ses autres actrices préférées, Sharon Stone et Demi Moore, elle était bien conservée.

— Vous avez brûlé un feu rouge, ajouta-t-il en toussotant.

— Une fois encore, je suis désolée, murmura-t-elle d'une voix sexy. Je vous promets que ça ne se reproduira plus.

— Je vais passer l'éponge pour cette fois. Mais vous faites mieux de ne pas recommencer !

— Bien sûr, monsieur l'agent. Merci beaucoup !

Elle redémarra, un peu plus calme.

Au moins, elle n'avait pas perdu la main. Lucy Lyons était encore capable de faire son petit effet. Pas de contravention pour elle.

* * *

Comme Anya ne conduisait pas, elle demanda au chauffeur de Hamilton de la déposer chez Barneys et de revenir la prendre chez Neiman trois heures plus tard.

Après le départ du chauffeur, elle marcha jusqu'à l'hôtel Beverly Wilshire, traversa le hall et émergea par la porte arrière. Puis elle monta dans un taxi en donnant l'adresse de Don.

La jeune femme était nerveuse à l'idée de revoir cet homme qui en savait autant sur son passé. Et que savait-elle de lui ?

Pas grand-chose. Les seules informations dont elle disposait provenaient de Hamilton et de la biographie d'IMDB[7], consultée sur l'ordinateur de mademoiselle Dunn.

Après avoir vérifié sa filmographie, elle avait conclu qu'il réalisait de longs métrages importants. Hamilton l'avait qualifié de raté au grand cœur. Mais tout ce qu'elle savait, c'est qu'il avait été bon pour elle.

---

7   *Internet Movie Database* : littéralement « base de données cinématographiques d'Internet ».

Maintenant qu'elle était mariée à son beau-père, Ryan Richards continuerait-il de garder ses secrets?

Il était crucial de s'en assurer.

* * *

Avant midi, Ryan passa chez Evie pour vérifier si tout allait bien. Sa mère était là, prête à le sermonner pour ne pas l'avoir prévenue des problèmes entre Evie et son mari alcoolique.

— Pourquoi ne m'as-tu rien dit? demanda Noreen, comme s'il avait six ans.

— Désolé, maman, je ne voulais pas t'inquiéter.

Elle secoua la tête et le réprimanda de plus belle.

Était-ce le moment de lui annoncer qu'il comptait divorcer de Mandy? Non, il valait mieux attendre encore un peu.

Après avoir bavardé avec sa mère et sa sœur, et tiré quelques ballons au panier avec les garçons – leur passe-temps favori –, il partit chez Don. Son ami, convaincu qu'il avait un rendez-vous galant, lui avait laissé du champagne et cinq cents grammes de caviar dans le réfrigérateur.

Du caviar et du sexe. Ça ne semblait pas aller ensemble... Mais c'était peut-être le cas dans l'excitante vie de célibataire que menait Don.

Ryan erra dans la maison en attendant qu'Anya arrive. Cette demeure n'était pas très chaleureuse, avec son abondance de verre et de chrome, ses meubles de cuir beige, ses tableaux modernes et son excès de technologie. Tout était impeccable et ordonné, comme le préférait Don.

Ryan repensa à leurs années d'université, quand ils partageaient un minuscule appartement. Même à l'époque, son copain était un maniaque de la propreté qui passait son temps à ranger derrière lui. Qui aurait cru qu'il deviendrait une si grande vedette?

Ryan entra dans la chambre, cherchant des indices du passage de Cameron. Avait-elle dormi ici ? Que ressentait-elle au juste pour Don ? Avait-elle l'intention de vivre avec lui ? *Merde !* Pourquoi se torturait-il ainsi ?

Elle était la nouvelle petite amie de Don, et il ferait mieux de l'accepter.

* * *

— C'est la journée la plus relaxante que j'aie passée depuis longtemps ! annonça Don en s'installant dans la chaise longue à côté de Cameron.

— Moi aussi, murmura-t-elle, le menton levé vers le soleil.

— Quoi de plus apaisant que le bruit des vagues ? dit-il en se penchant pour caresser son ventre du bout des doigts. C'est un effet presque hypnotique, qui me fait entrer dans un état second.

— Je comprends ce que tu veux dire, répliqua-t-elle, complètement détendue.

— J'avais l'habitude d'aller au bord de la mer toutes les fins de semaine avec Ryan quand on était à l'université, ajouta-t-il en riant. Deux jeunes gars en quête d'aventures, sans le sou et des idées plein la tête !

— Vous deviez former tout un duo !

— Je me suis toujours promis d'avoir un chalet au bord de la mer. Maintenant, je suis ici avec toi ! J'ai le chalet et la fille. Pas mal, non ?

— Pas tout à fait, dit-elle froidement.

— Tu aimes te faire désirer, toi !

— Tu n'es pas habitué à ça, hein ?

— Non.

— Tu parles beaucoup de Ryan, reprit-elle, revenant au sujet qui l'intéressait.

— Pourquoi pas ? C'est mon meilleur ami et j'aimerais le voir heureux, avec une femme qui l'apprécie vraiment.

— Ce n'est pas le cas de Mandy ?

— Tu veux rire ? Mandy a ses propres priorités.

— Pourquoi reste-t-il avec elle, alors ?

— La culpabilité. Elle a mis le paquet avec les fausses couches et la mort de leur bébé. D'une manière perverse, elle fait tout pour que Ryan se sente coupable. Crois-moi, elle l'encourage à penser ainsi. Mais assez parlé de Ryan et Mandy. Il est temps de s'occuper de nous deux.

Il commença à lui caresser la cuisse, remontant sa main de plus en plus haut.

— Est-ce mon imagination ou il y a un lien très fort entre nous ? murmura-t-il. Je le sens. Pas toi ?

* * *

La femme qui entra dans la maison de Don Verona était à des années-lumière de la pitoyable prostituée adolescente au regard vitreux et à l'air vaincu que Ryan avait tirée d'une vie de misère et de déchéance. Cette jeune femme était sûre d'elle, confiante. Du moins, c'est l'image qu'elle projetait.

— À qui est cette maison ? demanda-t-elle en entrant.

— Un de mes amis.

— Ça ressemble à un décor de magazine, dit-elle en observant la vue spectaculaire par les portes-fenêtres. Ça me plaît.

— Heureux de voir que tu approuves ! lança-t-il d'un ton légèrement sarcastique.

— C'est très beau. Hamilton préfère un style plus traditionnel.

Sapristi ! Était-ce la raison de cette rencontre ? Une discussion sur la décoration ? Il n'avait pas de temps à perdre.

— Anya..., commença-t-il.

— Mon nom est Pola maintenant. Anya a cessé d'exister il y a des années.

— Vraiment ?

— Oui. C'est tout ce qu'il y a de plus légal. J'ai changé mon nom quand j'ai épousé mon deuxième mari.

— Hamilton est ton deuxième mari ?

— Mon troisième, rétorqua-t-elle d'un air détaché. Et je suis maintenant une citoyenne américaine.

— Félicitations, dit-il, pris de court.

Elle avait fait du chemin en sept ans : trois mariages et une citoyenneté. Pas étonnant qu'elle veuille s'assurer que tout ne s'écroule pas autour d'elle à cause de lui. Elle avait beau s'appeler madame Hamilton J. Heckerling, ses souvenirs d'elle étaient limpides. La jeune fille forcée de se livrer à un spectacle pornographique. La fille sur laquelle les hommes urinaient, celle qu'ils humiliaient et traitaient comme si elle était inférieure. La jeune prostituée tristement assise dans une vitrine du célèbre quartier chaud d'Amsterdam, offrant son corps aux passants.

Il n'oublierait jamais ses yeux remplis de douleur, de tristesse et de désespoir.

À présent, son regard était différent. Il lui paraissait observateur, méfiant, calculateur. Empreint de dureté.

— Je comprends pourquoi tu tenais à me voir, dit-il. Tu as peur que je révèle où je t'ai vue, ce que tu faisais et comment je t'ai aidée.

Anya lui jeta un long regard perçant.

— C'est dans la nature humaine de dévoiler des secrets. As-tu parlé de moi à Mandy ? Est-elle au courant ?

— Absolument pas ! Je n'en ai parlé à personne et ce n'est pas mon intention. Tu as refait ta vie, Anya. Je dois t'en féliciter. Je suis heureux que tu aies pu tourner la page et oublier ce qui t'est arrivé dans le passé. Vraiment, c'est remarquable. Ce n'est pas tout le monde qui réussit à surmonter ce genre d'épreuves.

Avec un petit sourire, elle s'avança vers lui.

— C'est grâce à toi, dit-elle d'une voix douce. Et maintenant, le moment est venu de te remercier.

— Tu n'as pas besoin de me remercier, protesta-t-il en reculant d'un pas.

— Oui, insista-t-elle. Et je sais comment.

Avant qu'il puisse l'en empêcher, elle retira sa robe. Debout devant lui, elle ne portait qu'un tanga de dentelle noire et des talons aiguilles Christian Louboutin.

C'était la dernière chose à laquelle il s'était attendu.

— Ça alors ! s'exclama-t-il. Non, Anya ! Remets tes vêtements tout de suite.

— Pourquoi ? Tu sais que tu as envie de moi, dit-elle en léchant son index, qu'elle porta à son mamelon gauche.

— Non, protesta-t-il en essayant de ne pas regarder son petit corps parfait.

Tout était proportionnel à sa taille, car sans ses vertigineux talons, elle ne mesurait certainement pas plus d'un mètre cinquante-cinq.

Il éprouva une sensation dans un endroit où il n'aurait pas dû. Une fois de plus, il exigea qu'elle se rhabille.

Elle baissa les yeux sur son entrejambe et ne fut pas étonnée de constater l'effet qu'elle exerçait sur lui.

Les hommes étaient des proies si faciles ! Une fois qu'ils étaient bandés, rien d'autre ne comptait.

— Aimes-tu mes seins ? murmura-t-elle en les caressant. Ils sont vrais, tu sais. Pas comme ces femmes américaines qui ont l'air de dindes farcies avec leurs sacs de silicone dans la poitrine.

Ryan se mordilla la lèvre inférieure jusqu'au sang, ordonnant à son érection de disparaître.

Pas question qu'il tombe dans ce piège. Surtout pas.

42

L'homme qui rôdait sur la rue de Cameron l'avait vue sortir de sa maison à deux reprises. La première fois, elle était avec deux chiens et transportait un sac de voyage. La deuxième fois, elle était en compagnie du type qu'il avait accosté devant chez elle. Le beau gars qui conduisait le VUS noir. Don Verona, voilà comment il s'appelait. Selon ce qu'il avait lu à son sujet, Don Verona était une vedette de la télévision.

C'était bien le genre de Cameron de viser le sommet, sans une pensée pour le mari qu'elle avait laissé à Hawaï.

Cette salope agissait comme si le passé n'existait pas.

Eh bien, elle avait un passé, et Gregg était à Los Angeles pour le prouver.

Gregg Kingston. Son mari. Le mari qu'elle avait laissé étendu par terre dans leur condo de Maui. La tête fracassée par une lampe, baignant dans son sang, il était resté inconscient durant six heures. La femme de ménage avait découvert son corps inanimé à huit heures le lendemain matin, et s'était empressée d'appeler une ambulance.

Il était demeuré dans le coma près de trois mois. Tout le monde avait perdu espoir, mais un jour, il avait ouvert les yeux et réintégré péniblement le monde des vivants.

Gregg était fort. C'était un survivant. Un survivant en colère. Il voulait que sa foutue femme sache qu'elle ne lui échapperait jamais, malgré tous ses efforts.

Et la garce en avait fait des efforts ! Elle avait quitté Hawaï et s'était volatilisée. Pouf ! Elle avait disparu et personne n'avait pu l'aider à découvrir où elle se trouvait. Comme elle avait emporté leur carnet d'adresses, il n'avait personne vers qui se tourner. Elle pouvait être allée n'importe où : aux États-Unis, en Australie, en Thaïlande. Ou ailleurs dans le monde. C'était une voyageuse aguerrie.

Gregg n'avait eu d'autre choix que de prendre son mal en patience, en espérant qu'un jour elle se manifesterait. Il le fallait. Connaissant Cameron, il savait qu'elle finirait par vouloir un divorce. Et la seule façon de l'obtenir serait de revenir à Hawaï pour lui faire face.

À moins qu'elle ne pense l'avoir tué...

Bon sang ! Était-ce ce qu'elle croyait ? Juste parce qu'il l'avait légèrement malmenée, elle s'imaginait qu'elle pouvait se permettre de le tuer ?

Ça ne se passerait pas comme ça. Pas question. Il la rattraperait et la punirait. Il en ferait sa priorité.

Puis un jour, par pur hasard, il avait découvert où elle se trouvait.

Le destin était une chose merveilleuse et étrange. Après son repos forcé, il avait repris son emploi à l'hôtel luxueux de Maui, un établissement fréquenté par des familles, couples et femmes en vacances.

Ah... les femmes ! Célibataires, provocantes, en quête d'une aventure de vacances. Et qui de mieux pour les satisfaire que le roi de la plage, le pro du surf, Gregg Kingston lui-même ?

Il en baisait trois ou quatre par mois. Elles débarquaient sur l'île avec beaucoup d'attentes, et il ne les décevait pas.

Depuis sa sortie de l'hôpital, son appétit sexuel semblait avoir décuplé. Il était déterminé à avoir du plaisir dans la vie.

Le seul problème, c'est qu'aucune de ces femmes n'arrivait à la cheville de Cameron. Aucune n'était aussi belle, sexy ou intelligente que sa foutue femme meurtrière.

Il s'ennuyait d'elle.

Il la détestait.

Il voulait la punir.

Un après-midi qu'il se faisait sucer par une enseignante en vacances prête à lui tailler une pipe trois fois par jour, il avait aperçu une revue sur la table de chevet. La couverture montrait une femme ressemblant exactement à Cameron. En fait, c'était Cameron.

S'extirpant aussitôt de la bouche de l'enseignante, il s'était emparé du magazine.

— Qu'y a-t-il? avait gémi sa partenaire. Qu'est-ce que j'ai fait?

Sans lui prêter attention, il avait parcouru l'article, dévorant chaque détail concernant sa femme. Elle portait maintenant le nom de Cameron Paradise, était entre les griffes d'un célèbre animateur américain et avait ouvert son propre centre d'entraînement appelé « Paradise ».

Il n'en croyait pas ses yeux. La voilà, poursuivant sa vie comme si elle n'avait aucun souci. Elle l'avait laissé pour mort, puis avait refait sa vie comme s'il n'avait jamais existé.

Une grande colère l'avait submergé. Une rage intense, une irrésistible envie de la retrouver, la ramener et la forcer à payer pour ce qu'elle lui avait fait.

Deux jours plus tard, il avait pris congé de son travail. Il était maintenant à Hollywood où une petite enquête avait suffi à retracer sa femme.

À présent qu'il l'avait dans sa mire, il décida qu'il n'était pas pressé. Tout d'abord, il voulait tout savoir sur elle. Il s'était donc installé près de chez elle pour observer ses allées et venues. Elle avait deux chiens et un petit ami riche et célèbre. Le couple semblait s'apprêter à partir pour la fin de semaine.

Le Fameux Fumier savait-il qu'elle lui appartenait ? Qu'elle était madame Gregg Kingston ? S'il ne le savait pas, il l'apprendrait bientôt.

Après le départ du VUS noir, Gregg s'approcha de la maison, la contourna et utilisa une carte de crédit pour ouvrir la porte latérale menant à ce qui semblait être la chambre de Cameron. Sa femme n'avait jamais accordé d'importance à la sécurité. Il était même étonné que la porte soit verrouillée. Évidemment, il n'y avait pas de système d'alarme.

La petite maison était propre et en ordre. Une chambre, une salle de bain, un salon et cuisine combinés donnant sur la rue.

Gregg se dit que ce n'était sûrement pas le genre de maison où le Fameux Fumier aimait passer du temps.

Il prit son temps pour tout examiner, fouilla dans le placard, lut le courrier et ouvrit tous les tiroirs. Il s'empara même de quelques tangas qu'il glissa dans sa poche. Ils lui seraient peut-être utiles plus tard.

Son inspection terminée, il ressortit de la même façon qu'il était entré et se dirigea vers sa voiture de location, garée dans la rue voisine. Puis il partit vers les collines surplombant Sunset, où vivait le Fameux Fumier. C'était facile de trouver l'adresse des gens de nos jours. Quand on ne pouvait pas la dénicher sur Internet, il suffisait d'acheter une carte « Où vivent les stars ». Gregg avait choisi les deux options, et savait donc qu'il avait le bon emplacement.

À présent qu'il était à Los Angeles, près de Cameron, il éprouvait un profond sentiment de satisfaction.

Il savait exactement où elle était et ce qu'elle faisait.

Et le plus beau, c'est qu'elle ne s'en doutait pas.

Tant pis pour toi, salope, je m'en viens.

43

Jamais Ryan ne s'était senti aussi piégé. Il ne s'était pas attendu à ce qu'Anya se déshabille et tente de le séduire ! S'il avait voulu coucher avec elle, il l'aurait fait à Amsterdam, quand ses services étaient à vendre. Mais au contraire, il l'avait secourue ! Croyait-elle vraiment que c'était la meilleure façon de le remercier ?

Elle se trompait. Sur toute la ligne.

Après avoir enfin compris qu'elle n'arriverait à rien avec lui, Anya avait remis sa robe à contrecœur et lui avait demandé s'il était gai.

— Tu n'es pas sérieuse ? s'écria-t-il en secouant la tête, sidéré qu'elle puisse penser une chose pareille.

— Tous les hommes veulent du sexe.

— Avec la femme appropriée, oui.

— Et je ne suis pas cette femme ? demanda-t-elle d'un ton boudeur.

— Je suis marié, et toi aussi. Tu n'as pas besoin de me remercier.

— Tu es différent des autres hommes.

— Et toi, tu es une femme mariée qui devrait avoir plus de respect pour elle-même, dit-il dans un nouvel effort pour la convaincre. Rien ne t'oblige à agir ainsi. Tu es libre, maintenant.

Elle haussa les épaules, comme si ses paroles importaient peu.

— Hamilton me respecte-t-il quand il ramène d'autres femmes pour qu'elles couchent avec moi pendant qu'il nous regarde en se masturbant ? Dis-moi, est-ce du respect ?

Ryan leva la main.

— Pas de détails sur ta vie conjugale, je t'en prie ! Ça ne m'intéresse pas. Nous sommes en Amérique, tu sais. Tu peux refuser de faire des trucs qui ne te plaisent pas. Tu n'es plus derrière une vitrine avec un proxénète qui contrôle tes moindres gestes.

Elle le contempla un long moment avec un air pensif.

— Tu es quelqu'un de bien, Ryan Richards, finit-elle par dire.

Puis, au grand soulagement de Ryan, elle lui demanda d'appeler un taxi. Peu de temps après, elle quittait la maison.

Anya. Pola. Une femme compliquée. Si jeune et si meurtrie. Le pire, c'est que comme tous les hommes avant lui, Hamilton se servait d'elle.

* * *

— Voilà ce qui est arrivé, expliqua Don, heureux de parler de sa carrière avec Cameron, tout en déambulant sur la plage. Mon apparence physique m'a permis de travailler à la télé locale, pas en tant qu'employé permanent, mais comme reporter au bulletin de nouvelles. Un soir, le présentateur était malade et comme ils ne trouvaient personne d'autre, je l'ai remplacé pour quelques soirs. C'est ainsi que tout a commencé. Ma personnalité agressive m'a ouvert la voie, jusqu'à ce que j'obtienne ma propre émission. Je n'ai jamais regardé en arrière.

— Jamais ? demanda-t-elle en observant les trois chiens folâtrer dans les vagues. Tu n'as aucun regret ?

— Eh bien..., dit-il en écartant une pile d'algues. Mon ambition était de devenir correspondant de guerre pour couvrir tous les points chauds du globe.

— Ça me paraît très intéressant.

— Je sais. Le hic, c'est que ça ne s'est jamais présenté. Au lieu d'être au front en Irak, je me suis retrouvé derrière un bureau en train de papoter avec Charlize Theron et Jessica Alba.

— Allons ! dit-elle, étonnée de sa franchise. Ne te dénigre pas. La plupart des hommes tueraient pour être à ta place.

— Je ne suis pas la plupart des hommes, Cam, déclara-t-il avec une expression sérieuse.

— Non, tu as raison.

Elle se dit que si Ryan n'existait pas, Don et elle auraient peut-être une chance.

— Tu sais, dit-il soudain en s'immobilisant pour lui prendre les mains. Je sais que c'est rapide et que tu vas sûrement refuser, mais... que dirais-tu d'emménager chez moi ?

Les choses allaient beaucoup trop vite. Même si elle aimait bien Don, elle n'était certainement pas prête, après une relation aussi brève, à s'installer chez lui. Ce n'était pas logique. En outre, elle avait une demeure confortable, ainsi qu'une entreprise prospère à diriger.

— Tu n'as pas besoin de répondre tout de suite, mais prends le temps d'y réfléchir, ajouta-t-il. Pense à tout l'argent que tu économiserais si tu ne payais pas de loyer !

— Qu'est-ce qui te fait croire que je ne suis pas propriétaire de ma maison ? dit-elle froidement.

Hum... Ce ne serait pas une bonne idée de lui laisser savoir qu'il avait mené sa petite enquête.

— Est-ce le cas ? demanda-t-il avec désinvolture. Alors, pense au profit que tu ferais en la vendant. Le marché est très favorable en ce moment.

— En fait, je loue ma maison, admit-elle.

— Eh bien, voilà! Tu économiserais une fortune chaque mois.

Yoko courut vers eux et les éclaboussa en se secouant énergiquement.

— Et si je n'en ai pas envie? dit-elle en portant la main à ses yeux pour se protéger du soleil.

— Et si tu y réfléchissais?

Il se pencha et essuya son pantalon, qu'il avait roulé sur ses chevilles.

— Un peu d'eau ne va pas gâcher ta journée, n'est-ce pas? demanda-t-elle d'un air narquois, heureuse de la diversion.

— Ce n'est pas à cause de l'eau, dit-il en scrutant les alentours. On approche du territoire de Paris Hilton, ce qui veut dire que les paparazzis seront aux aguets.

— Tu crois?

— Ouais, ils sont partout et se cachent comme des coquerelles. Jusqu'ici, ils n'ont pas découvert que j'avais une maison dans le coin. Alors, soyons prudents et retournons dans l'autre direction.

— Tu sais, Don, c'est pour cette raison que je ne pourrais jamais vivre avec toi.

— C'est-à-dire? demanda-t-il, surpris de la voir refuser son offre.

— Toute l'attention médiatique, les photographes, les admiratrices qui t'abordent... Je ne pourrais jamais être une de ces femmes qui accompagnent leur célèbre conjoint aux premières et restent plantées là avec un sourire figé pendant qu'il accorde des entrevues. Elles ont juste l'air d'être des accessoires!

— Ma chère, tu n'auras jamais l'air d'un accessoire, dit-il galamment. De plus, je déteste les premières. J'y vais seulement à l'occasion, pour rendre service à des amis.

Là-dessus, il se pencha pour lui donner un long baiser, habile et langoureux. Elle le lui rendit avec ardeur, se sentant totalement libre et comblée. Cette fin de semaine de repos était exactement ce qu'il lui fallait.

— Il est temps de rebrousser chemin, dit-il en s'écartant. Viens, on fait la course jusqu'à la maison ! Le premier arrivé choisit ce qu'on fait ce soir !

— D'accord ! lança-t-elle.

Il ne se doutait pas à quelle vitesse elle pouvait courir...

* * *

Marlon était sur la promenade devant chez lui à nettoyer les roues de son vélo quand Lucy arriva.

Bronzé et musclé, il ne portait qu'un short en jean délavé et déchiré à taille basse.

Deux adolescentes en bikinis minuscules rôdaient aux alentours. Lucy ne savait pas si elles le connaissaient ou si elles traînaient dans le coin dans l'espoir d'attirer son attention.

— Lucy ? s'exclama le jeune homme, ravi de la voir. Je ne t'attendais pas aujourd'hui. Qu'est-ce qui se passe ?

Ce qui se passe, c'est que j'ai surpris Phil en train de sauter son assistante chez moi et que j'ai envie de le tuer.

— Pas grand-chose, dit-elle en haussant les épaules. Je suis juste passée pour m'assurer que le scénario serait terminé à la fin de la semaine prochaine.

— Bien sûr que oui, répondit Marlon, une longue mèche de cheveux blonds retombant sur ses yeux. J'ai promis, non ? Le lancement est seulement samedi, alors il reste beaucoup de temps.

— Une semaine, ce n'est pas beaucoup, le réprimanda-t-elle.

— On se voit plus tard, Marlon ? lança une des filles en bikini. On devrait se retrouver chez Villa. J'ai réglé mon problème de carte et il y aura une fête chez Kim plus tard. Ses parents sont en voyage. Ça va être fou ! Viendras-tu ?

— Peut-être, répondit-il avec un geste nonchalant de la main.

— J'espère que je n'ai rien interrompu, dit Lucy en contemplant ses abdominaux fermes et dorés.

— Non, déclara le jeune homme en s'étirant. Veux-tu entrer boire un jus?

— D'accord.

Elle était incapable de détourner les yeux de son corps. C'était une véritable œuvre d'art, avec ces jeunes muscles bien découpés et pas un gramme de gras. Contrairement à Phil, qui s'était laissé aller depuis des années.

Elle revit le gros derrière poilu de son mari au-dessus de Suki, et cette image aviva sa colère.

Quel salaud! Il fallait qu'elle prenne sa revanche, et pas plus tard qu'aujourd'hui.

* * *

— Lucy est-elle avec Mandy? demanda Phil d'un ton nerveux.

Ryan sortit de chez Don, le téléphone à l'oreille.

— Je n'en ai aucune idée, répondit-il. Devaient-elles se voir?

— Qu'est-ce que j'en sais? marmonna son ami. On a eu une... altercation. Elle est partie en furie.

— Ce n'est pas grave, elle va revenir.

— Donne-moi le numéro de Mandy.

— Est-ce si important que ça?

— Oui.

— Quel était le sujet de votre dispute?

— Elle m'a surpris les culottes baissées.

— Et puis?

— Mon sexe se trouvait à l'intérieur de Suki à ce moment-là.

— Merde, Phil! Je pensais que tu l'avais virée!

— Je l'ai fait, grogna Phil. Mais je lui devais un chèque et elle est passée le chercher. Et de fil en aiguille, mon pénis s'est retrouvé dans son...

— Ça va, je comprends, l'interrompit Ryan, peu désireux d'entendre les détails.

Il avait bien assez de problèmes comme ça!

— Non, tu ne comprends pas ! Lucy ne m'a jamais pris en flagrant délit auparavant. C'est une situation explosive. Ma femme a tout un caractère. Elle est capable de tout !

— Elle ne va sûrement pas se tuer, c'est certain, dit sèchement Ryan. Elle est peut-être en train d'acheter une arme pour te trouer la peau.

— Ce n'est pas drôle ! Où est Don ? Il ne répond pas à son téléphone.

— Oh, tu n'aimes pas mes conseils, alors tu veux ceux de Don ?

— Ne le prends pas mal. Tu es trop marié. Don a souvent fait affaire avec des femmes névrosées.

— C'est ça, comme si Mandy n'était pas névrosée ! répliqua Ryan avec un rire forcé.

Phil poussa un grognement.

— Prends le numéro de Mandy en note, j'ai un autre appel, ajouta Ryan avant de rompre la communication.

Sa mère, affolée et pratiquement hystérique, lui avait laissé ce message :

— Viens ici en vitesse ! Il est arrivé quelque chose de terrible.

ANYA

Vivre sur l'avenue Park, dans le luxueux appartement d'Elliott Von Morton, était bien différent de la vie avec Seth dans leur petit logement de la rue Lexington. Elliott était beaucoup plus âgé que Seth et ses goûts bien plus raffinés. Toutefois, les hommes étaient tous les mêmes. Anya était habituée à répondre à des besoins de tout genre.

Elliott aimait les fouets, les chaînes et les châtiments. Il adorait se faire mettre en collier et en laisse pendant qu'Anya le faisait avancer à quatre pattes dans leur appartement chic. Elle devait porter des vêtements de cuir noir moulant et des talons de quinze centimètres. Parfois, il exigeait qu'elle soit masquée. Il aimait subir une vigoureuse raclée, et la jeune femme s'exécutait avec plaisir.

Elliott était le partenaire le plus important d'un important cabinet d'avocats new-yorkais. Il s'occupait de clients influents. D'une certaine façon, c'était lui qui contrôlait leurs vies. Il n'était donc pas surprenant que sa principale source de détente consiste à abandonner toute forme de pouvoir.

Anya était tellement plus accommodante que sa femme. Cette dernière avait toujours refusé de prendre part à ses perversions, le forçant à fréquenter un lieu de mauvaise vie sur la 47e Rue. Il n'avait jamais été à l'aise dans cet endroit, craignant la présence de caméras cachées ou d'espions qui révéleraient ses activités à la presse. Même s'il n'était pas célèbre, il était puissant. Ses ennemis n'auraient pas demandé mieux que de le traîner dans la boue.

Un seul regard à Anya lui avait suffi, ce soir inoubliable où elle était arrivée avec Seth Carpenter, un jeune associé du cabinet. Elliott avait aussitôt senti que cette fille serait en mesure de combler tous ses besoins.

Il ne s'était pas trompé. La jeune femme était une diablesse avec son fouet, une démone sans merci.

Après leur troisième rendez-vous clandestin, il avait informé sa femme qu'il voulait une séparation immédiate. Celle-ci n'en avait pas été surprise, car elle connaissait les exigences sexuelles de son époux, auxquelles elle n'avait jamais voulu donner suite.

Heureusement, ils n'avaient pas d'enfants et n'avaient dû partager que leur appartement de New York, une magnifique demeure dans les Hamptons et une flotte de voitures de luxe.

Elliott avait gardé l'appartement et sa femme, la maison des Hamptons.

Se débarrasser de Seth avait été moins civilisé. Il s'était écroulé en sanglotant comme une âme en peine quand Anya lui avait annoncé qu'elle le quittait, sans lui révéler qu'elle emménageait chez son patron.

Lorsque Seth avait découvert leur liaison, il s'était précipité dans le bureau d'Elliott, qui l'avait congédié sur-le-champ. Plus tard ce soir-là, il était allé dans un bar, s'était saoulé la gueule et s'était fait accoster par une inconnue. Cette femme l'avait entraîné dans une ruelle, où son souteneur l'avait cambriolé, puis poignardé à mort quand il avait tenté de se défendre.

En apprenant la mort prématurée de son mari, Anya n'avait pas versé une larme. La mort avait été trop présente dans sa vie pour qu'elle en soit bouleversée.

Même si Elliott appréciait ses tenues provocantes dans l'intimité de leur demeure, il ne tenait pas à se montrer en public avec une femme vêtue comme une traînée. Anya était très belle, mais ne savait pas se mettre en valeur. Il avait donc fait appel à une styliste pour lui montrer comment s'habiller, se maquiller et se coiffer.

Il voulait être fier de sa compagne quand il l'emmenait dans des soirées, et non être la risée de tous. Son plus grand souhait était de susciter l'envie de ses pairs, coincés avec leurs épouses de longue date.

Une fois que la métamorphose d'Anya fut accomplie, incluant le nouveau nom de Pola, choisi par la jeune femme, les autres hommes furent effectivement jaloux. Anya-Pola était si belle, raffinée et délicate dans ses vêtements Chanel et Valentino, ses superbes robes de soirée et ses élégants bijoux.

Elliott se plaisait à la gâter, et en retour, elle le battait régulièrement en se réjouissant secrètement de sa douleur.

Elle ne l'aimait pas.

Anya ne savait pas ce qu'était l'amour.

44

Marlon correspondait aux attentes de Lucy, et pourtant, il n'était pas Phil. Il était jeune, fort, ferme et passionné, mais il n'était pas Phil. Ses baisers étaient inexpérimentés. Ses tâtonnements maladroits étaient juvéniles. Les préliminaires ? Apparemment, il n'en avait jamais entendu parler.

Juste au moment où il allait passer à l'acte, elle décida de tout arrêter. Elle ne pouvait tout simplement pas continuer. Aussi coupable que soit Phil, elle l'aimait et ne pouvait se résoudre à le tromper. De plus, le contact de son ventre velu et de ses bourrelets rassurants lui manquait. Tout comme son haleine de cigare et ses baisers habiles. Sa façon particulière de la toucher, de la caresser avec sa langue et de la faire jouir de mille et une façons. Elle s'ennuyait de son amour enveloppant, de sa chaleur réconfortante et de son rire tonitruant.

Ce satané Phil Standard. Ce mari menteur et infidèle ! Mais c'était son mari menteur et infidèle.

— Je ne peux pas, dit-elle à Marlon en repoussant son jeune corps musclé.

Il en resta bouche bée.

— Quoi ? marmonna-t-il, sidéré.

— Ce n'est pas bien. Je suis désolée.

Elle se leva d'un bond et commença à se rhabiller.

Le jeune homme garda les yeux fixés sur sa poitrine, ces seins qui l'avaient fait fantasmer depuis le jour où il avait regardé *Bleu saphir* dix fois de suite sur son lecteur DVD. C'était une des plus belles poitrines qu'il ait vues, de gros seins encore fermes et bien ronds. Il avait juste envie d'y enfouir sa tête pour ne plus jamais en ressortir.

Et elle refusait de continuer après l'avoir rendu prêt à l'action ! Les couilles bleues, ce n'était vraiment pas la joie...

— Je... heu... je t'aime, bredouilla-t-il.

Cette phrase fonctionnait toujours, surtout auprès des surfeuses qui s'arrêtaient régulièrement chez lui.

— Ne dis pas de bêtises, rétorqua sèchement Lucy en agrafant son soutien-gorge, supprimant ces beaux seins de son champ de vision.

— Mais c'est vrai ! protesta-t-il, toujours aussi dur que le roc.

— Va te branler et reprends tes esprits. Il faut travailler sur le scénario.

Marlon se dirigea vers la salle de bain, vaincu.

Les femmes plus âgées étaient loin d'être aussi faciles que les jeunes.

* * *

— Je ne peux pas croire que tu m'aies battu, grommela Don en montant les marches de la terrasse derrière Cameron.

— Et moi, je ne peux pas croire que tu t'attendais à gagner ! lança-t-elle avant de s'écrouler sur une chaise longue. Je suis une entraîneuse, tout de même. Sans compter que je suis plus jeune que toi.

— Oh, tu joues la carte de l'âge, maintenant ?

Il se laissa tomber de tout son long sur elle.

412

— Je suis pleine de sable et de sueur ! protesta-t-elle en tentant de le repousser. J'ai besoin de prendre une douche.

— Non, tu as besoin de moi. Maintenant. Tout de suite.

— Sur la terrasse ? Et les paparazzis ?

— On s'en fiche !

* * *

Dans le taxi qui la ramenait au Beverly Wilshire, Anya repensa à l'attitude de Ryan. Quelle sorte d'homme était-il donc ? Il avait refusé de coucher avec elle, ce qui n'était pas normal. Au fil des ans, elle avait appris qu'en proposant son corps aux hommes, elle pouvait tout obtenir d'eux – y compris le mariage. Elle avait même persuadé Hamilton J. Heckerling de l'épouser, et il n'était pas facile à convaincre.

Évidemment, il ne savait pas qu'elle avait un passé chargé et avait été violentée par les hommes depuis son adolescence. S'il avait su le nombre d'hommes qui s'étaient servis de son corps, il n'aurait jamais accepté de l'épouser et se serait enfui à toutes jambes.

Était-ce pour cette raison que Ryan n'était pas intéressé ? Parce qu'il y avait eu trop d'hommes avant lui ?

Oui, se dit-elle. C'était sûrement ça.

Mais si elle n'avait aucune emprise sur lui, comment pourrait-elle s'assurer de son silence ?

C'était un problème.

Pouvait-elle lui faire confiance ?

Peut-être. Peut-être pas.

Elle décida de continuer ses manœuvres de séduction. Ryan Richards n'était pas fait en bois. Elle finirait bien par le faire craquer.

Le taxi se gara derrière l'hôtel et elle paya le chauffeur. Puis elle marcha jusqu'à Neiman Marcus, où elle alla directement au rayon des chaussures.

* * *

— Puisque tu as gagné la course, c'est toi qui choisis le programme de la soirée, déclara Don. On mange ici ou on sort?

Cameron fit mine d'hésiter pour le taquiner. Elle savait qu'il préférait demeurer ici, tout comme elle, mais avait envie de s'amuser un peu à ses dépens.

— Hum... Quel restaurant suggères-tu?

— Nobu ou la Taverna Tony. Il y a beaucoup de choix par ici. Ou bien...

— Quoi?

— On pourrait faire livrer notre repas, s'asseoir dehors pour regarder le coucher de soleil, se coucher tôt et...

— Vendu!

— Hein?

— On reste ici.

Il sourit.

— Je savais que tu étais mon type de fille!

* * *

— Pola?

Pendant un instant, Anya ne répondit pas. Elle oubliait parfois qu'elle avait changé de nom.

— Pola!

La main chargée de bagues de Mandy s'abattit sur son épaule, la faisant sursauter.

— Que fais-tu ici? Tu dépenses l'argent de mon père?

— Pardon? rétorqua Anya, qui n'appréciait pas le ton de sa belle-fille.

— Je blaguais, dit cette dernière avec un petit rire forcé. Après tout, cet argent est autant à toi qu'à lui.

S'asseyant près d'elle, elle prit un des escarpins qu'Anya était en train d'essayer.

— Belles chaussures..., dit-elle avant de vérifier le prix. Huit cents dollars? Tu as des goûts de luxe!

Anya reprit silencieusement la chaussure. Il était évident que Mandy la détestait. Avec un frisson de satisfaction, l'idée lui vint qu'elle la détesterait encore plus en apprenant qu'elle s'était dévêtue devant son mari.

Si seulement Ryan avait cédé à ses avances...

— Dis-moi, Hamilton t'a-t-il fait signer une entente pré-nuptiale ? demanda Mandy.

— Qu'est-ce que c'est ? s'enquit Anya, même si elle le savait parfaitement.

— En Amérique, il existe un document appelé contrat de mariage. Les hommes le font signer à leur fiancée. Ainsi, au moment du divorce... oups, désolée ! Je voulais dire, en cas de divorce, leur argent est protégé.

— Je n'ai rien signé, déclara Anya, ravie de voir son expression de colère et de frustration.

La vérité, c'est qu'elle avait signé une entente. Elle lui garantissait un demi-million de dollars pour chaque année de mariage avec Hamilton.

Elle avait l'intention de rester mariée très, très longtemps.

Un demi-million de dollars par an ne suffisait pas à Anya.

* * *

Ryan descendit les collines vers la maison d'Evie en un temps record. Il maugréa tout le long du trajet. Pourquoi sa mère lui laissait-elle un message alarmant sans répondre à son téléphone quand il tentait de la joindre ? Voulait-elle lui faire subir une crise cardiaque, pour l'amour du ciel ? Ne comprenait-elle pas qu'il avait quarante ans, et que c'était sacrément vieux ?

Il était déprimé. Anya l'avait démoralisé avec sa mala-droite tentative de séduction. Il avait honte d'avoir failli tomber dans le piège. Mais le sexe étant inexistant entre Mandy et lui, ce n'était pas sa faute si la vue d'une femme nue l'avait pris par surprise.

Don était sûrement en train de prendre son pied avec Cameron, et cela le mettait en colère. Pourtant, il aurait dû se réjouir que Don ait enfin trouvé quelqu'un qui le rende heureux.

Si leur relation durait.

Ce qui serait étonnant, puisque Don était un incorrigible dragueur.

Les pires craintes de Ryan se concrétisèrent à l'approche de la maison. Il vit une ambulance dans l'entrée, ainsi que deux voitures de police.

Bon sang ! Evie ! Les garçons !

Le cœur battant, il sortit de l'automobile et courut vers la porte d'entrée.

45

À bord de sa Chevy de location, Gregg Kingston roula jusque chez Don Verona. Il voulait savoir à qui il avait affaire, car les journaux à potins associaient Cameron et le Fameux Fumier. Il avait d'ailleurs vu de ses propres yeux le couple partir pour une escapade de fin de semaine.

La maison de l'animateur était clôturée. Pas de problème.

En s'assurant que personne ne le surveillait, Gregg escalada l'enceinte avec facilité. Une voiture était garée dans l'allée. Au cas où les lieux seraient occupés, il contourna la maison sans bruit, déverrouillant une barrière à l'aide de sa carte de crédit.

Il avança lentement, soucieux de ne pas se faire prendre. Il pouvait entendre le clapotis de l'eau. En tournant le coin, il aperçut une piscine bleue à débordement surplombant Hollywood.

C'était une propriété luxueuse, bien différente de la petite maison de Cameron, située dans un quartier modeste. Pas étonnant qu'elle veuille mettre le grappin sur ce type.

Il s'approcha des portes-fenêtres en se plaquant contre le mur. Puis il les vit. Deux personnes. Un homme et une femme debout face à face, à l'intérieur de la maison.

La femme était nue à l'exception de ses chaussures. L'homme était entièrement vêtu.

Gregg s'immobilisa avec une exclamation étouffée. Au même moment, il remarqua un reflet scintillant dans les buissons. Un télescope? Un appareil photo? Oui, quelqu'un muni d'un appareil photo prenait une série de clichés du couple.

Gregg s'empressa de reculer, puis rebroussa chemin vers sa voiture, garée à quelques maisons de là.

Il y resta assis un bon moment, à écouter Linkin Park et Chris Brown à la radio. Il ne savait pas pourquoi il attendait, mais il avait le sentiment que le spectacle n'était pas terminé.

En effet, dix minutes plus tard, un taxi tourna à l'intersection et freina devant la maison du Fameux Fumier. La Femme Nue, maintenant habillée, sortit de la maison. Avant qu'elle ne monte dans le taxi, Gregg vit une silhouette floue prendre sa photo.

La femme ne s'aperçut pas qu'elle se faisait photographier. Quant à Gregg, il n'avait aucune idée de ce qui se passait, mais il était captivé... surtout lorsqu'une Lincoln Town Car noire se lança à la poursuite du taxi.

La Femme Nue dans la maison du Fameux Fumier se faisait photographier et suivre à son insu.

C'était louche.

Vingt minutes plus tard, l'homme sortit à son tour de la maison. Il prit le volant de la voiture garée dans l'allée, activa la barrière et s'éloigna. Gregg en conclut que les lieux étaient maintenant déserts.

Une fois de plus, il escalada la grille et se dirigea vers l'arrière de la demeure. Par chance, les portes-fenêtres n'étaient pas verrouillées.

Il entra dans la maison et s'immobilisa un moment, à l'affût de tout bruit ou mouvement.

Rien.

La maison était vide.

Gregg était ravi. C'était enivrant d'aller et venir à sa guise dans la maison de quelqu'un d'autre. De fouiller dans les moindres recoins à l'insu du propriétaire.

Le nouveau copain de Cameron possédait beaucoup de vêtements. Il y avait des rangées de complets, vestons et chemises de qualité, impeccablement suspendus sur des cintres assortis. Les chemises étaient même classées par couleur. Gregg compta des dizaines de chaussures, pour la plupart neuves et luisantes. Sans oublier des cravates de toutes les nuances.

— Pédé ! marmonna-t-il en réprimant son envie d'uriner sur le tout.

Il vérifia ensuite la salle de bain. Les trucs habituels dans la pharmacie : des paquets de vitamines, des bouteilles de Vicodin et d'Ambien.

Gregg connaissait bien ces deux médicaments d'ordonnance. Il vida le contenu des deux flacons dans sa poche de jean. Beau butin. Ça valait le déplacement.

Puis il passa à la chambre. Un lit surdimensionné, des stores opaques et un téléviseur suspendu au plafond par des chaînes chromées. Trop moderne pour lui. Il ouvrit le tiroir de la table de chevet. Bingo ! Des paquets de condoms, taille extra grand. Eh bien ! Qui ce gars voulait-il impressionner ? Des pastilles à la menthe pour l'haleine. De la lotion pour les mains. Plusieurs télécommandes. Un appareil photo numérique. Et le plus beau : un pistolet de neuf millimètres.

Gregg le prit et le caressa doucement. Il avait toujours aimé les armes, et celle-ci était magnifique.

Il vérifia le chargeur, qui était plein. Au fond d'un tiroir, il découvrit une boîte de munitions supplémentaires. Très pratique.

Après avoir glissé le pistolet dans la ceinture de son jean et empoché les balles, il fit défiler les photos de l'appareil numérique. Quelques jolies filles à l'allure familière, assises ou couchées dans le lit du Fameux Fumier, en petite tenue. Rien de trop osé, et aucune image de Cameron. Dommage. Il aurait été d'humeur à se branler.

Il songea à prendre l'appareil photo, puis se ravisa. Le pistolet était une prise de choix. Il avait hâte de le brandir à la figure de Cameron et de la ramener à Hawaï, là où elle devait être.

Avec lui.

Soudain, on sonna à la porte. Il sursauta et tourna les yeux vers les caméras de sécurité. Une jolie fille en short rose et camisole assortie se tenait devant la grille. Gregg l'observa et reconnut celle qui était à la une des journaux à potins en compagnie du Fameux Fumier. Mary Ellen quelque chose. Il l'avait vue à la télé dans une comédie ridicule.

Que voulait-elle donc ?

Il devrait peut-être la faire entrer et lui faire passer un très bon moment.

Non. Il n'était pas à L. A. pour prendre du bon temps. Il était venu chercher sa femme meurtrière et infidèle.

Après quelques minutes, la fille glissa une enveloppe dans la boîte aux lettres. Faisant demi-tour, elle monta dans une Mercedes décapotable blanche et démarra.

Gregg attendit un instant, puis décida qu'il était temps de déguerpir avant que d'autres visiteurs ne se présentent chez le Fameux Fumier.

En retournant à sa voiture, il ouvrit la boîte aux lettres et s'empara du message de Mary Ellen.

Pourquoi pas ? C'était un pays libre !

46

Marty était mort. Raide mort.

Ryan était debout dans le jardin d'Evie, regardant d'un air hébété le photographe de la police terminer son travail. Le corps de Marty était affalé près de la piscine, la tête en mille miettes. Du sang et des morceaux de chair humaine étaient répandus tout autour.

Un détective au visage carré s'approcha de Ryan.

— Je ne comprendrai jamais pourquoi ils font ça devant les enfants, dit-il en enfonçant un cure-dents en bois dans sa bouche. Ça me dégoûte. C'est le deuxième cette semaine.

— Le deuxième quoi? demanda Ryan, l'estomac retourné.

— Le deuxième crétin qui se fait sauter la cervelle devant sa famille.

— Ma sœur avait une injonction contre lui.

— Ouais, répliqua le détective. Et moi, j'ai une note de la Banque d'Amérique disant qu'ils vont me donner un million!

Ryan n'était pas étonné. Il avait été averti que ce genre d'injonction était une perte de temps. Pourquoi n'avait-il pas pris la précaution d'embaucher un gardien de sécurité pour protéger sa sœur et ses neveux ?

Heureusement, Marty avait attenté à sa propre vie sans s'en prendre à sa femme ou à ses enfants. Ils l'avaient échappé belle.

Il entra dans la maison, où Evie et sa mère se faisaient interroger par une détective. Les trois garçons avaient été emmenés par sa sœur aînée, Inga.

Sortant par la porte avant, il prit son téléphone pour appeler Mandy. Elle ne répondit pas. Même chose pour Don.

Il avait envie d'appeler Cameron, qui le comprendrait mieux que quiconque. Mais il ne pouvait pas.

Elle était avec Don. Ils passaient une belle fin de semaine ensemble. Il n'allait pas gâcher leur séjour.

Dans la maison, la détective avait terminé de prendre la déposition d'Evie. En le voyant, elle se leva et courut se jeter dans les bras de son frère.

— Tu peux pleurer si tu veux, dit-il. Vas-y, ça va te soulager.

Entre deux sanglots, elle lui expliqua ce qui était arrivé. Les garçons, qui étaient d'excellents nageurs, se baignaient dans la piscine. Sa mère et elle les observaient de la fenêtre tout en préparant le repas du midi. Tout à coup, Marty était apparu. Il avait crié aux garçons de sortir de l'eau et de rentrer avec lui à Silverlake.

Surpris, les garçons avaient commencé à lui obéir. Evie était sortie en courant, suivie de Noreen.

Marty était ivre et dans un état lamentable. On aurait dit qu'il n'avait pas dormi depuis une semaine.

— Tu n'as pas le droit d'être ici ! lui avait crié Evie.

— Je m'en fiche ! Vous allez rentrer à la maison avec moi.

— Non ! avait déclaré Noreen en s'avançant courageusement pour protéger sa famille.

C'est alors que Marty avait sorti son arme et l'avait agitée dans les airs.

— Je vais te donner le choix, avait-il dit à Evie. Vous allez tous venir avec moi ou je me fais sauter la cervelle. Que dis-tu de ça ?

— Vas-y, avait-elle répliqué, certaine qu'il ne poserait jamais un tel geste.

Mais il l'avait fait.

Elle conclut son histoire et son frère l'étreignit.

— Ce n'est pas ta faute, lui dit-il. Marty était déséquilibré et avait les idées confuses. Tu ne l'as pas poussé à se tuer, il a agi tout seul.

— Oui, mais je lui ai dit de le faire ! sanglota-t-elle, les joues baignées de larmes. Et le pire, c'est que les garçons ont tout vu !

— Il l'aurait fait de toute façon. Cela n'avait rien à voir avec tes paroles.

— Je ne sais pas... Et si j'étais restée à Silverlake ? Si je n'étais pas partie avec les enfants ?

— Arrête de tout remettre en question. Tu as bien agi, et il n'y a rien à ajouter.

— En es-tu certain ?

— Tout ce qu'il y a de plus certain, dit-il en la serrant contre lui.

* * *

Après avoir révisé le scénario avec un Marlon plus ou moins assagi, Lucy reprit sa Mercedes pour rentrer chez elle. Sa colère contre Phil s'était calmée. Elle avait eu sa revanche, d'une certaine manière. Elle s'était à moitié dévêtue devant un autre homme, ce qui avait suffi à lui redonner confiance en elle. De plus, ce détail rendrait Phil furieux s'il l'apprenait.

Bien sûr, elle ne pourrait jamais lui dire qu'il s'agissait de Marlon. Cela gâcherait toute relation professionnelle future entre les deux hommes. Elle avait hâte de les présenter l'un à l'autre. Phil aimait encourager les jeunes talents, et qui sait ce qui se produirait quand il lirait le texte de Marlon ?

En fredonnant doucement, elle gara la voiture dans l'allée et entra dans la maison.

— Maman ! Maman ! crièrent ses enfants en l'accueillant dans l'entrée. Regarde ce que papa t'a acheté ! Regarde !

Elle regarda. Elle n'avait pas le choix. L'entrée était encombrée par un incroyable assortiment de vases remplis de roses et de tulipes de toutes les couleurs.

— Ce n'est pas ton anniversaire, hein, maman ? demanda Abigaile qui, à sept ans, était une version miniature de sa mère.

— Non, ce n'est pas son anniversaire, idiote ! répliqua Andrew.

Âgé de neuf ans, son frère était plutôt trapu, portait des lunettes à la Harry Potter et avait les cheveux hérissés.

— Papa dit que tu es merveilleuse et que tu dois avoir des choses merveilleuses, soupira Abigaile. Moi aussi, j'aimerais être merveilleuse...

— Tu l'es, ma chérie, dit Lucy en tapotant la tête de sa fille.

— Non, elle ne l'est pas ! Elle est stupide ! protesta Andrew.

Leur nounou passa la tête dans l'embrasure de la porte.

— Venez faire vos devoirs, les enfants ! lança-t-elle. Allez !

Heureusement que la nounou était là, pensa Lucy, qui n'aurait pu se passer d'elle.

Les enfants s'empressèrent d'aller la rejoindre.

Phil apparut, les bras chargés de paquets.

— Je suis un idiot, déclara-t-il d'une voix plus tonitruante que jamais. Un idiot en rut et sans cervelle.

— C'est vrai.

Imperturbable, elle accepta les sacs de Cartier, Tiffany et Prada qu'il lui tendait.

— Qu'est-ce que c'est ? demanda-t-elle.

— Des présents pour ma magnifique, incroyable, indulgente et compréhensive épouse.

— Qu'est-ce qui te fait croire que je suis indulgente? répliqua-t-elle en plissant les yeux.

— Le fait que je t'adore! proclama-t-il. Je te vénère. Tu es tout pour moi!

— Dans ce cas..., commença-t-elle, sautant sur cette occasion inattendue.

— Oui? dit-il d'un ton anxieux. Tout ce que tu veux. Dis-moi.

— Aide-moi à relancer ma carrière. J'ai un plan.

* * *

À son retour de sa virée dans les magasins, Mandy eut la surprise de trouver Evie et Noreen dans son salon. Elle ne se souvenait pas que Ryan ait mentionné leur visite, qui était loin de lui faire plaisir. Elle déposa plusieurs sacs de Neiman et Saks en jetant un regard interrogateur à son mari.

— Bonjour, tout le monde, dit-elle. Ai-je oublié que vous deviez passer?

Ryan lui prit le bras.

— Il y a eu une terrible tragédie, dit-il d'une voix basse. Marty s'est tiré une balle dans la tête.

Pendant un instant, elle crut qu'il faisait une blague. Puis, à leur expression sérieuse, elle comprit qu'il disait la vérité.

En écoutant Ryan lui raconter toute l'histoire, elle songea que c'était plutôt étrange. Pourquoi Marty s'était-il tué chez Evie, alors qu'il aurait pu le faire dans la maison de Silverlake et éviter une foule de complications pour tout le monde? Il avait été un salaud égoïste jusqu'au bout.

Avec angoisse, elle se dit qu'Evie et les garçons viendraient probablement se réinstaller ici. Ils ne voudraient sûrement pas rester dans la maison de location après un tel drame.

Elle ne savait pas quoi dire. « Toutes mes condoléances » ne semblait pas approprié.

— Je suppose que je devrais annuler notre réservation chez Spago, dit-elle maladroitement à Ryan, qui versait du cognac dans des verres.

— Oui, Mandy, tu devrais, répliqua-t-il avec un regard sévère.

* * *

Ils avaient fait l'amour dehors. À présent, moins de deux heures plus tard, ils recommencèrent, cette fois à l'intérieur de la maison.

Cette fin de semaine aurait-elle pu être plus parfaite ? En ce qui concernait Don, non. Et Cameron était loin de se plaindre.

— Tu ne me parles jamais de toi, de ta famille ou de tes ex, murmura Don. Je ne sais pas d'où tu viens ni comment tu t'es retrouvée dans le milieu de l'entraînement sportif.

Il avança paresseusement la main pour lui caresser les cheveux. Ils étaient étendus dans son lit, baignés par les rayons du soleil qui entraient par le puits de lumière entrouvert.

Don devenait curieux. Elle n'était pas certaine d'apprécier.

— Je viens de Chicago, finit-elle par répondre. Quand ma mère est morte, j'ai quitté la maison et voyagé autour du monde avec une amie d'école.

— Quel âge avais-tu ?

— Environ dix-huit ans.

— C'était plutôt aventureux pour une fille aussi jeune.

— J'ai toujours été une vieille âme, capable de prendre soin de moi.

C'était un mensonge. Si elle était tellement débrouillarde, pourquoi avait-elle laissé Gregg la traiter ainsi ? Pourquoi ne s'était-elle pas enfuie dès les premiers signes de violence ?

— As-tu eu des copains? demanda-t-il, curieux. Quelqu'un dont je devrais être jaloux?

— De quoi s'agit-il? D'un interrogatoire?

— Ça m'intéresse, répondit-il en lui caressant les cheveux.

— Ce n'est pas vraiment intéressant, Don, dit-elle pour mettre un terme à ses questions.

— Comment t'es-tu retrouvée à L. A.? poursuivit-il, déterminé à en savoir plus.

C'en était assez. Il était temps de lui renvoyer la balle.

— Et toi? répliqua-t-elle en se redressant.

— Eh bien, je fais partie d'une espèce rare. Je suis un véritable natif de L. A.

— C'est plutôt inhabituel.

— En effet, dit-il en admirant une fois de plus sa beauté naturelle. La plupart des gens viennent vivre à L. A., mais rares sont ceux qui sont nés ici.

— Tes parents sont-ils toujours vivants?

— Ma mère, oui.

— La vois-tu souvent?

— De temps à autre.

Il s'interrompit un instant, puis reprit:

— Elle vit dans la vallée avec sa petite amie, dans une maison pleine de chats.

— Sa petite amie? Elles sont en couple?

— Oui. Mon père nous a abandonnés quand j'avais six ans, ce qui l'a dégoûtée des hommes. Quelques mois après son départ, elle a changé d'orientation sexuelle.

Un père ayant abandonné sa famille et une mère devenue lesbienne. Cameron songea que cela expliquait bien des choses. Don Verona, le tombeur. Évidemment.

— Hé! lança-t-il, perplexe. Comment se fait-il que ce soit moi qui réponde aux questions?

— Parce que tu adores parler de toi-même, dit-elle en souriant. Ça nourrit ton ego.

— Pas du tout!

— Mais oui.

— Comment le sais-tu ?

— Je le sais, et j'ai faim ! Il est temps de commander de la nourriture !

— Elle change encore de sujet ! se plaignit-il en prenant son téléphone pour vérifier ses messages. Tu es tellement secrète ! Tu ne révèles jamais rien.

Il y avait trois messages de Phil, ce qui lui fit penser qu'il y avait une urgence.

— Je rappelle Phil, puis je vais commander, promit-il.

Cameron se leva d'un bond et annonça :

— Bon, je vais aller prendre une douche.

— Quoi ? lança-t-il avec un regard entendu. Tu ne peux pas attendre deux minutes ?

— Viens me rejoindre, répliqua-t-elle d'une voix pleine de promesses. Je vais garder l'eau froide pour toi.

— Tu veux dire « chaude » ?

— Non, pour toi, froide. Tu es insatiable !

— T'en plains-tu ? demanda-t-il en haussant un sourcil.

— Pas vraiment.

Elle se dirigea vers la salle de bain, un sourire sur la figure.

Il n'y avait rien de mieux que du sexe en après-midi. Cole et Dorian seraient fiers d'elle.

*　*　*

— Je vais chez Ryan, annonça Phil à sa femme après avoir appris le suicide de Marty. Tu n'es pas obligée de venir.

— Je devrais peut-être t'accompagner.

— Mais non. Tu n'appréciais pas tellement Marty. Il n'y a aucune raison pour que tu viennes.

— Tu ne l'aimais pas non plus.

— Là n'est pas la question. J'ai de la peine pour Evie, elle est tellement adorable. Je vais passer la voir et lui donner un câlin pour nous deux.

— C'est gentil de ta part.

— C'est à ça que servent les amis, non ?

Lucy hocha la tête.

La loyauté de Phil envers ses amis était l'une de ses plus grandes qualités.

— J'adore mes cadeaux, dit-elle, car il était évident qu'il faisait beaucoup d'efforts.

— Excellent, rétorqua-t-il. Je t'aime, ma chérie. Tu es la première dans mon cœur, et tu le seras toujours.

Il était plus sûr de lui maintenant qu'elle ne semblait plus vouloir le quitter, une perspective qui le terrifiait.

Quant à Lucy, elle lui avait pardonné, mais pas entièrement. Il devait tenir sa promesse et faire en sorte que son scénario soit porté à l'écran avant qu'elle passe complètement l'éponge.

Et alors... Quand elle serait redevenue Lucy Lyons, il n'oserait plus prendre le risque de lui être infidèle.

* * *

Comme il avait été marié cinq fois, Hamilton J. Heckerling connaissait bien les femmes. Il savait à quel point elles pouvaient être sournoises. Au fil des ans, il avait découvert que deux de ses femmes avaient des liaisons, qu'une autre détournait de l'argent vers un compte à l'étranger et qu'une dernière soutenait l'ensemble de sa famille en imitant sa signature sur des chèques.

Oui, Hamilton en connaissait un rayon sur les femmes. Il était conscient qu'un homme intelligent devait les garder à l'œil, surtout si la femme en question avait quarante ans de moins que lui.

Pola était une femme magnifique. Elle lui passait ses moindres lubies. Mais il n'avait pas confiance en elle. Loin de là.

Depuis le jour de leur mariage, il ne l'avait jamais laissée seule. Alors, quand il avait décidé de partir en voyage d'affaires au Japon sans elle, il avait pris les mesures nécessaires pour savoir exactement où elle était et ce qu'elle faisait à chaque instant de chaque journée.

Le rapport qui lui parvint par courriel, accompagné de photographies, était la dernière chose à laquelle il se serait attendu.

C'était scandaleux. Tout à fait scandaleux.

La preuve était dans les photos.

ANYA

Elliott Von Morton savait que sa liaison avec Anya ne durerait pas. En tant qu'avocat spécialisé en divorce, il avait vu les pires situations entre les hommes et les femmes. Il était assez intelligent pour comprendre que cela ne pouvait pas durer.

Ce qu'il savait, par contre, c'est qu'Anya était devenue une drogue. Sa drogue. Lorsqu'il était avec elle, il perdait entièrement la raison. Elle était le trésor qu'il n'avait jamais espéré trouver. Une jeune et belle créature qui comprenait ses besoins sexuels et les comblait comme une virtuose dévouée.

Il n'y avait rien qu'elle ne puisse faire. Rien qui n'arrive à la choquer.

Elle avait un passé, cette fille au visage d'ange. Un passé sombre qu'Elliott n'avait aucun désir de découvrir. Il recelait probablement des détails qu'il préférait ne pas connaître. Elle était à lui, maintenant, et c'est tout ce qui comptait.

Le jour où son divorce fut prononcé, la situation changea. Anya changea. Elle devint boudeuse et beaucoup moins complaisante.

Elliott ne comprit pas pourquoi, mais Anya ne tarda pas à l'éclairer :

— Je veux que tu m'épouses. Je veux être madame Elliott Von Morton.

Au début, il refusa de considérer sa requête. Il avait cinquante-six ans et trouvait ridicule d'épouser une fille assez jeune pour être sa petite-fille. Mais Anya était insistante. Plus il disait non, plus elle cessait de répondre à ses demandes sexuelles si particulières.

Il remarqua bientôt que son attitude devenait plus enjôleuse envers les hommes de son entourage. Il craignit qu'elle le quitte et trouve quelqu'un de mieux et de plus important, comme elle l'avait fait avec Seth.

Merde! Pourquoi ne pas l'épouser? Il avait déjà dépensé assez de temps et d'argent pour elle. Il avait tiré des ficelles pour qu'elle devienne une citoyenne américaine. Il l'avait aidée dans sa démarche de changement de nom. Il avait contribué à enterrer son passé, quel qu'il ait pu être. En fait, il l'avait réinventée. Elle était entrée dans sa vie comme une fille maigrichonne à l'allure de traînée, et il l'avait transformée en jeune femme élégante et soignée.

Oui, décida-t-il. Il allait l'épouser. Il n'avait rien à perdre et tout à gagner.

Au lieu d'un gros mariage, ce fut une cérémonie discrète. Ils partirent en voyage de noces aux Bahamas et revinrent à New York après une semaine. Elliott ne voulait pas rester plus longtemps, désireux de retrouver ses chaînes, ses fouets et ses menottes. Il était accro à la douleur infligée par Anya.

Anya ne savait pas quelle était sa propre dépendance. Les chaussures. C'était la seule chose qui lui procurait du plaisir. Rien n'avait d'importance à l'exception de sa collection de chaussures. Elle était vide à l'intérieur, incapable de ressentir quoi que ce soit sauf une froide indifférence. Elle avait cru pouvoir remplir ce vide en épousant un homme important comme Elliott, mais cela n'avait rien changé.

Puis un jour, Elliott l'emmena à la première d'un film produit par un de ses clients. Elle y rencontra Hamilton J. Heckerling. Un homme plus âgé qu'Elliott. Et plus riche.

La jeune femme lut dans les yeux de cet homme une dureté impitoyable comparable à la sienne. Hamilton J.

Heckerling était un personnage bien plus prestigieux qu'Elliott Von Morton. Elliott travaillait dans un bureau à New York. Hamilton J. Heckerling voyageait partout dans le monde en produisant des films à gros budget et à grand déploiement.

Fascinée par ce mode de vie, elle entreprit de séduire Hamilton. Lorsqu'elle découvrit qu'il aimait regarder deux femmes se donner du plaisir, elle sut qu'il était à elle.

Il n'y avait qu'un problème : Elliott Von Morton.

Il ne demeura pas un problème très longtemps. Malheureusement, il mourut au beau milieu d'une de leurs séances sexuelles, terrassé par une crise cardiaque.

Anya ne l'avait pas entendu prononcer le « mot de sécurité » signalant qu'il en avait assez.

Six mois plus tard, Hamilton annonça leurs fiançailles au cours d'une réception à New York.

Peu de temps après, Anya devenait madame Hamilton J. Heckerling.

47

— **C**'est vraiment bien parti ! déclara Cole. Près de mille cinq cents inscriptions en dix jours. C'est incroyable !

Cameron était d'accord. C'était incroyable. Un succès qu'ils étaient loin d'avoir prévu. L'avocat de Don s'était occupé du problème de monsieur Autobronzant, qui était maintenant réglé. Leur seule préoccupation était donc de faire face à la demande.

— Il va falloir agrandir, ajouta son collègue. C'est juste le début, ma belle. On pète le feu !

Ils avaient déjà embauché deux autres entraîneurs et une massothérapeute. Avec autant de nouveaux clients, l'espace était restreint.

— Je vais parler à Iris, dit Cameron. Je sais qu'il y a un étage libre en bas. Ce serait parfait pour nous.

— Oui, appelle-la lundi.

— D'accord.

Cole lui jeta un long regard inquisiteur en s'appuyant sur le bureau.

— Que se passe-t-il avec toi, ces temps-ci ? Tu devrais faire des culbutes, mais tu restes là bien tranquille et songeuse. Tu n'es pas dans ton état normal.

— Je suis fatiguée, avoua-t-elle.

— Ton nouveau copain t'épuise ? demanda-t-il avec un petit sourire.

— Don est super, répondit-elle sans conviction. Il n'envahit pas mon espace.

— Qu'y a-t-il, alors ?

— Rien, Cole. Je vais bien.

Pourquoi ne la laissait-il pas tranquille ? Pour dire la vérité, elle n'allait pas si bien que ça. Elle avait les idées confuses. La fin de semaine passée en compagnie de Don à la plage avait été idyllique. Un séjour agréable, divertissant, agrémenté de sexe sensationnel. Car Don était un maître dans la chambre à coucher... et partout où ils choisissaient de s'ébattre.

Toutefois, il l'avait informée mardi qu'il détestait les funérailles (qui les aimait ?) et ne pouvait assister à celles de Marty sans l'avoir à ses côtés. Évidemment, il était obligé d'y aller, par respect pour la sœur de son meilleur ami. Et qui était son meilleur ami ? Ryan Richards.

Elle l'avait donc accompagné à contrecœur.

En entrant dans l'église, la première personne qu'elle avait vue était Ryan. Leurs regards s'étaient croisés, et cela avait suffi. Elle s'était sentie comme le soir devant chez Chow. Cela avait été un moment déterminant.

Plus tard, tout le monde s'était retrouvé chez les Richards. Elle était sortie sur la terrasse pendant que Don discutait avec des amis, et Ryan était venu la rejoindre deux secondes plus tard.

— Salut, avait-il dit.

— Salut.

Ils s'étaient contemplés en silence un long moment, dans une atmosphère chargée d'électricité.

— J'espère qu'Evie n'est pas trop secouée, avait-elle dit, troublée.

— Je n'aime pas dire ça, mais c'est mieux ainsi.

Devant son air tendu, elle avait demandé :

— Est-ce que ça va ?

Il avait réprimé sa folle envie de la prendre par la main pour l'entraîner loin de là.

— Je me suis déjà senti mieux. Et toi, comment vas-tu ?

Ils étaient tellement polis ! À quoi bon ? Elle n'entendait pas les mots qui sortaient de sa bouche, trop hypnotisée par ses yeux d'un bleu intense. Un regard si sexy, si tentant...

Ryan s'était penché vers elle en murmurant :

— J'ai beaucoup pensé à toi.

— Vraiment ? avait-elle répliqué avec une sensation de vertige.

— Tu es avec mon meilleur ami, avait-il repris en toussotant. Alors, c'est normal que je pense à toi.

— D'une façon positive, j'espère ?

— Cameron, tout ce que je veux, c'est que tu sois heureuse. Et si tu es heureuse avec Don...

— Je le suis.

— Es-tu certaine ?

— Oui, avait-elle dit d'un ton peu convaincant.

— Ça ne paraît pas.

— Mais c'est vrai.

— Don n'est pas évident, tu sais. Il a toute une réputation. Il adore les femmes, mais est inconstant et se lasse rapidement.

— Pourquoi me pousses-tu à me méfier de ton soi-disant meilleur ami ?

— Parce que je ne veux pas que tu souffres.

— Est-ce si important pour toi ?

— Tu sais bien que oui.

— Hé, que faites-vous, tous les deux ? avait demandé Don en apparaissant soudain. Planifiez-vous une liaison illicite derrière mon dos ? Essaies-tu de me voler ma petite amie, Ryan ?

Il avait souri, comme si c'était une supposition ridicule.

— C'est ça, avait rétorqué Ryan avec un sourire forcé. On était en train de préparer notre fuite.

— Celle-là, je ne la laisserai pas s'enfuir! avait lancé Don en enlaçant Cameron pour l'embrasser sur la joue. Hein, ma belle?

La jeune femme avait souri faiblement. Elle n'était pas d'humeur à badiner.

Plus tard, en la ramenant chez Paradise, Don lui avait dit:

— Tu sais, je pense que Ryan t'aime beaucoup. Heureusement que je t'ai trouvée le premier.

— Qu'est-ce qui te fait croire ça?

— Je ne sais pas... Il est différent en ta présence. Comme s'il avait le béguin pour toi.

— Tu t'imagines des choses, avait-elle répliqué, le cœur battant.

Depuis, elle n'avait cessé de réfléchir à la meilleure façon de rompre avec Don.

Ce soir, ils allaient à un souper chez Phil et Lucy Standard. Elle en profiterait peut-être pour lui annoncer que c'était fini.

Il lui manquerait, mais elle savait avec certitude qu'il n'était pas l'homme qu'il lui fallait.

* * *

Lucy s'affairait dans la maison afin de s'assurer que tout était prêt pour son importante soirée. Phil était maintenant convaincu. Depuis qu'elle avait découvert son incartade avec son ancienne assistante, il était prêt à tout pour elle. Il n'arrêtait pas de la couvrir de cadeaux. Jusqu'ici, elle avait reçu la dernière montre Cartier, un bracelet de diamants antique de Neil Lane et de magnifiques colliers en or et diamants de XIV carats. Il avait même proposé de lui acheter une autre voiture.

— Ça suffit, avait-elle protesté. Ça va te coûter une fortune!

— Ma chérie, tu vaux chaque cent que je dépense.

Il se sentait vraiment coupable!

Elle se fichait bien des cadeaux. Tout ce qui lui importait, c'était son scénario et le souper qui servirait de tremplin à son retour au cinéma.

Après avoir été inclus dans ses plans, Phil avait changé la dynamique de la soirée.

— On ne veut pas une maison remplie de gens. Deux producteurs, c'est bien assez. Limitons-nous à Ryan et Hamilton.

— Es-tu certain que ce sont les meilleurs pour ce projet?

— Tout à fait. Personne ne lira ton scénario durant la soirée. Mais avec ces deux-là, on peut miser sur la compétition qui les oppose. Ils vont emporter le scénario avec eux. Ryan le lira lui-même et Hamilton le confiera à un de ses assistants. Qui sait? Tu pourrais même susciter des enchères!

Phil avait voulu lire le scénario avant la soirée – du moins, c'est ce qu'il avait prétendu. Elle avait refusé, préférant qu'il ait la surprise en même temps que tout le monde. De plus, elle hésitait à le lui montrer à cette étape tardive. Ce n'était pas le moment de faire face à ses critiques et commentaires professionnels.

Elle se demanda comment son mari réagirait en voyant Marlon. Hum... Ce ne serait pas une mauvaise chose de lui rendre un peu la monnaie de sa pièce.

Après avoir diminué le nombre d'invités, elle avait décidé d'embaucher un seul chef et un assistant qui ferait également office de barman. Inutile d'avoir l'armée de personnel suggérée par Mandy, et ils n'avaient certainement pas besoin d'un voiturier. Leur énorme allée, bien en retrait de la rue, pouvait accueillir des douzaines de voitures.

Les enfants étaient partis avec la nounou, la plupart des animaux étaient enfermés dans le refuge de Phil et la table était mise. Lucy n'avait rien d'autre à faire que de se préparer.

Elle avait le sentiment que ce serait une soirée très spéciale.

* * *

— Je suis fiancée ! cria Lynda en arrivant plus tard que d'habitude chez Paradise.

Elle entra d'un pas nonchalant, la main brandie pour faire admirer sa petite bague en diamant.

— Carlos m'a fait la grande demande hier soir, et j'ai dit oui ! Oui, oui, oui !

Tout le monde se rassembla autour d'elle. Dorian se mit aussitôt à planifier le style de robe qu'elle devrait porter et les arrangements floraux pour la réception.

— Je suis heureuse pour toi, dit Cameron en la serrant dans ses bras. Tu attendais ce moment depuis si longtemps.

— Je ne te le fais pas dire ! s'exclama la jeune fille. Carlos a mis du temps à se décider, mais hier, il a finalement plongé.

— Il faut célébrer ça ! annonça Cole. Ce soir à vingt heures, chez O-Bar !

— Super ! s'écria Lynda, les yeux pétillants. Je vais prévenir Carlos.

— Ouais, ajouta Dorian. Carlos dans un bar gai. J'ai hâte de voir ça !

— Ça ne le dérangera pas, gloussa Lynda. Il vous connaît depuis assez longtemps. Oh, je suis tellement heureuse !

— Montre-moi donc ta bague, dit Cameron.

La jeune fille avança fièrement la main.

— Elle est très belle.

— Tu le diras à Carlos. Il a dépensé *mucho* dollars.

— Oh, j'oubliais ! s'écria Cameron en se souvenant du souper chez les Standard. Je ne pourrai pas être là ce soir, j'ai promis à Don...

— Annule ! dit sèchement Dorian. Les fiançailles de notre Lynda sont plus importantes que tes projets avec ton célèbre copain !

— Je ne peux pas annuler, mais je vais essayer de vous rejoindre plus tard.

— Peuh! dit Dorian. Je crois que je t'aimais mieux quand tu ne baisais pas.

— Pour ton information, j'ai toujours baisé, mais tu ne le savais pas!

— Ha, ha! Maintenant, je comprends pourquoi tu ne voulais jamais rencontrer les amis de Carlos! s'exclama Lynda.

— Cameron est une petite cachottière, renchérit Cole.

S'ils savaient à quel point elle était cachottière... Cela lui fit penser qu'il était vraiment temps de s'occuper de son divorce.

Peut-être que le super avocat de Don pourrait l'aider. Le seul problème, c'est qu'elle n'avait pas dit à Don qu'elle était mariée. Et maintenant qu'elle envisageait la rupture, ce n'était pas le moment d'aborder le sujet.

Outre ses tâches professionnelles, elle avait deux choses à régler: rompre avec Don et trouver son propre avocat.

Elle allait s'en occuper. Très bientôt.

* * *

— J'aurais préféré ne pas sortir ce soir, grommela Ryan.

— Tu n'as pas le choix, répliqua Mandy. Lucy ne me le pardonnerait jamais si j'annulais à deux heures d'avis. Elle s'est donné beaucoup de mal. Ils n'ont pas reçu depuis des années.

Ryan pensa à quel point la semaine avait été difficile, à la suite du suicide de Marty. Il avait dû s'occuper de tout: les funérailles, l'annulation du bail de six mois pour la maison, le testament de Marty (où il ne laissait pratiquement rien) et des dizaines d'autres détails. Il était fatigué et n'avait toujours pas abordé la question du divorce avec Mandy. Chaque fois qu'il s'apprêtait à le faire, un imprévu l'en empêchait. La dernière chose dont il avait envie ce soir, c'était bien d'aller dans une soirée.

Revoir Cameron avec Don aux funérailles n'avait pas amélioré son état d'esprit. Cela avait eu pour effet de lui rappeler qu'il était piégé dans un mariage sans amour et sans sexualité.

Pour empirer les choses, Don n'avait pu s'empêcher d'arborer un grand sourire. À présent, son meilleur ami avait vraiment tout dans la vie.

Mais qu'en était-il de Cameron? Était-elle aussi heureuse que lui? Don était-il l'homme qui lui convenait?

De toute évidence, oui. Personne ne l'avait forcée.

Elle était avec Don Verona, un point c'est tout.

* * *

— Si tu emménageais chez moi, déclara Don quand Cameron lui ouvrit la porte, je n'aurais pas besoin d'éviter les photographes et d'emprunter un trajet différent chaque fois que je viens te chercher.

— Oui, mais tu adores les semer, répliqua-t-elle en souriant. C'est un jeu que tu te plais à gagner. Et jusqu'ici, tu t'en es très bien tiré. Sauf le soir chez Paradise, on a toujours réussi à rester discrets.

— C'est vrai. Les journaux à potins m'associent encore à Mary Ellen. Incroyable, hein?

— Elle doit être ravie.

— Pauvre petite. Je suis désolé pour elle.

— Je ne te crois pas.

— Tu me prends vraiment pour un sans-cœur?

— Non, juste un séducteur.

— En passant, je dois dire que tu es ravissante ce soir.

— Merci.

— Inutile de me remercier, c'est la vérité, dit-il en l'entraînant vers une autre de ses nombreuses voitures. Voici mon nouveau bébé: une Bugatti Veyron.

Il s'abstint de mentionner que cette voiture de sport était l'une des plus rapides sur le marché... et la plus chère.

Son dernier joujou lui avait coûté presque un million de dollars. On ne s'ennuyait pas dans le milieu des émissions de variétés.

— Wow! murmura Cameron. C'est une voiture fantastique, mais je préfère tout de même ma Mustang.

Il ouvrit la portière en riant.

— Tu es vraiment spéciale. Rien ne t'impressionne!

— Hé, Don, dit-elle en se souvenant tout à coup des fiançailles de Lynda. Si le repas se termine tôt, pourrait-on passer chez O-Bar? Cole et Dorian font une petite fête pour Lynda. Carlos et elle se sont enfin fiancés.

— Qui est Lynda? Et où se trouve O-Bar?

C'était irritant qu'il ne se souvienne pas de ses collègues, même s'il était venu chez Paradise et les avait tous rencontrés.

Peut-être qu'ils n'étaient pas assez célèbres pour lui... Non, Don n'était pas comme ça. Il avait simplement oublié.

— Allons, tu dois te souvenir de Lynda? C'est notre réceptionniste. Latina. Superbe. Et O-Bar est un resto sympa de Santa Monica.

— Pas de problème, on ira s'il reste du temps. Mais seulement si tu passes la nuit chez moi.

— Tu essaies toujours de me faire du chantage.

— Marché conclu?

— Suis-je obligée de dire oui?

— En fait, oui.

Une nuit de plus ne ferait pas une grosse différence. Ce n'était pas comme si Ryan était célibataire et attendait qu'elle soit libre. Il était toujours marié.

Et que pouvait-elle y faire?

Absolument rien.

* * *

Anya était perplexe. Hamilton était revenu depuis vingt-quatre heures et ne l'avait toujours pas touchée. Il n'avait pas non plus appelé de *call-girl* pour la regarder faire l'amour avec elle. Ça ne ressemblait pas à son mari qui, grâce au Viagra, avait un appétit sexuel vigoureux. Surtout qu'il avait été absent près d'une semaine.

Anya ne voyait pas d'inconvénient à jouer ces petites scènes devant Hamilton avec d'autres femmes. Dans son esprit, elle les transformait en Velma, la seule personne pour qui elle ait ressenti quelque chose.

Elle se demanda ce que son mari avait fait au Japon. Elle ne lui posa pas de questions. Le silence était une arme bien plus puissante.

Il lui avait ramené une robe de satin rouge vif, très moulante, avec de longues fentes latérales.

— Porte-la ce soir, dit-il.

— Est-ce qu'on sort?

— Oui. Un souper chez Phil et Lucy Standard. Tu les as rencontrés chez Mandy.

Elle se rappelait une grande et superbe femme aux longs cheveux noirs et un homme barbu, corpulent et ébouriffé. Cet homme était avec Ryan lors du spectacle porno qu'elle avait donné à Amsterdam. Elle se souvenait de l'avoir vu rire aux éclats et applaudir. En la rencontrant à L.A., il n'avait pas semblé la reconnaître. Et pourquoi pas? À ses yeux, elle n'était rien d'autre qu'une pute sans importance. Elle l'avait méprisé alors. Pourquoi ce soir serait-il différent?

Hamilton la forçait à aller dans sa maison, manger sa nourriture, se retrouver en présence de son détestable visage.

Mandy et Ryan seraient-ils là, puisqu'ils étaient tous amis? Sûrement. Elle appréhendait le moment de les revoir.

Plus tard dans l'après-midi, elle alla voir Hamilton dans son bureau.

— Je ne me sens pas bien. Est-ce que ça te dérangerait si je restais ici ce soir?

Il répondit, avec une lueur malveillante dans les yeux:

— Oui, Pola. Ça me dérangerait beaucoup. On part à dix-neuf heures trente. Sois prête.

48

À l'insu de Cameron, Gregg visitait sa maison quand bon lui semblait. Il savait où elle se trouvait en tout temps. Il savait qu'elle laissait ses deux chiens chaque jour chez son voisin japonais. Il savait exactement quand venait la femme de ménage : le mardi et le vendredi, entre neuf et treize heures.

Quand Cameron n'était pas là, il traitait sa maison comme si c'était la sienne. D'une certaine manière, elle l'était. Ils étaient mariés, après tout. Il était son mari. Il avait des droits.

Il regardait les sports dans son salon. Il buvait son alcool. Il mangeait sa nourriture. Il se masturbait dans sa chambre. Il faisait tout ce qui lui plaisait. Et surtout, il consultait l'agenda qu'elle laissait traîner sur la table de la cuisine. Il n'avait plus besoin de la suivre, car il connaissait tous ses déplacements. Cet agenda lui était d'une aide inestimable.

Après la fin de semaine que la jeune femme avait passée à la plage avec le Fameux Fumier, Gregg avait remarqué qu'elle l'avait revu seulement deux fois. Elle l'avait accompagné à des funérailles – il les avait suivis, cette fois-là. Très déprimant. Et le jeudi soir, le Fameux Fumier et elle avaient soupé en tête à tête chez Il Sole, un petit restaurant intime sur Sunset.

Cameron était devenue un vrai bourreau de travail. Elle passait la majeure partie de son temps chez Paradise et travaillait à l'occasion chez des clients privés.

Un jour, en l'absence de Cameron, Gregg entra d'un pas nonchalant chez Paradise et se présenta à la petite Mexicaine à la poitrine plantureuse derrière le comptoir. Il prétendit être un journaliste pour un magazine sportif de Sydney, en Australie. Il voulait se renseigner sur Paradise en vue d'un article.

— Fantastique ! minauda Lynda en battant des cils. Vous devriez parler à l'un des propriétaires.

— Qui sont-ils ? demanda Gregg en plongeant son regard dans le sien.

— Il y a Cole, mais il est occupé avec un client. Et Cameron, qui n'est pas là en ce moment.

— C'est dommage, car j'ai un délai à respecter pour mon article et je dois parler à quelqu'un aujourd'hui. Qui est cette Cameron ?

— Cameron Paradise. Le gym porte son nom, car c'est son projet. Excusez-moi, ajouta-t-elle en se détournant pour répondre au téléphone.

— Comment vous appelez-vous ? demanda-t-il quand elle raccrocha.

— Lynda, dit-elle, ravie de son attention.

Il sut manœuvrer la jeune fille et l'invita à manger un sandwich le midi, promettant d'écrire des commentaires élogieux sur Paradise. Il proposa de lui envoyer un exemplaire du magazine pour qu'elle puisse faire la surprise à ses patrons et s'attribuer tout le mérite.

— Je vais même publier votre photo, dit-il pour finir de la convaincre.

En mangeant son sandwich au thon, Lynda lui raconta tout, certaine de contribuer à son article.

Ouais, c'est ça. Dans tes rêves, espèce de clone de Salma Hayek.
Ainsi... Cameron n'avait dit à personne qu'elle était mariée. Intéressant.

Et maintenant, elle poursuivait sa relation avec le Fameux Fumier comme si elle n'avait aucun souci à se faire.

Le moment était venu de lui enlever ses illusions.

Le moment était venu de reprendre sa femme.

49

L es premiers invités à arriver furent Hamilton et sa nouvelle épouse. Lucy leur ouvrit la porte elle-même. Elle portait une robe bronze décolletée d'Hervé Léger, sa montre Cartier et ses nouveaux colliers en or et diamants. Avec ses longs cheveux noirs et sa peau de porcelaine, elle était spectaculaire et sexy.

Elle embrassa Hamilton sur les deux joues et fit un petit signe à sa jeune épouse.

— Je suis si heureuse que vous ayez pu venir, dit-elle chaleureusement. Je craignais que tu ne sois coincé à Tokyo.

— Je ne suis jamais coincé nulle part, répliqua Hamilton. Si j'ai un horaire, je le respecte.

— Je n'en doute pas une seconde, dit Lucy d'un ton charmeur. Je me souviens que tu étais très organisé quand on travaillait ensemble.

Elle battit des cils, puis reprit :

— C'est l'une des choses que j'appréciais le plus chez toi. Ton dévouement indéfectible.

Hamilton comprit aussitôt que cette actrice voulait obtenir quelque chose de lui. Il découvrirait sans doute de quoi il s'agissait au cours de la soirée.

Don et Cameron arrivèrent ensuite. Don, séduisant et charmant, avec son autodérision habituelle. Cameron, ravissante dans un pantalon de soie et un haut ample.

Phil jouait à fond le rôle de l'hôte affable. Il envoya le barman dans la cuisine en lui disant d'aller donner un coup de main au chef, et se chargea de servir lui-même à boire aux invités. Il avait hâte de découvrir ce que leur réservait Lucy. Sa présentation de scénario risquait de tourner à la catastrophe, mais il l'appuierait sans réserve. Il lui devait bien ça.

La première chose que Mandy nota en entrant avec Ryan, c'est qu'elle était trop habillée, avec sa robe violette à dos nu Narciso Rodriguez et ses diamants Elsa Peretti. Où étaient les voituriers? Et les employés qu'elle avait recommandés à Lucy? Et pourquoi Phil se tenait-il derrière le bar?

Pire encore, que diable faisait Hamilton ici? Sans oublier Don Verona et cette blonde arriviste qui l'avait volé à Mary Ellen...

— Où sont les autres? demanda-t-elle à Lucy en aparté.

— Changement de programme, répondit son amie avec une expression innocente. Je ne te l'avais pas dit?

— Non. Qui d'autre va venir?

— Personne. Phil préférait que ce soit plus intime.

— Tu aurais pu me prévenir, dit Mandy, incapable de cacher son irritation.

— Désolée.

Lucy était trop excitée par sa surprise pour se soucier de l'humeur de son amie.

— Puis-je savoir pourquoi Hamilton est ici? demanda cette dernière.

— Phil tenait à l'inviter, répliqua Lucy avant de s'échapper pour aller voir le chef dans la cuisine.

Mandy était furieuse. Elle s'était attendue à une soirée élégante avec des invités intéressants et importants. Au lieu de cela, elle était coincée avec son père et sa femme, ainsi que Don et sa dernière conquête. Pourquoi donc s'être habillée et fait coiffer ? Ça n'en valait pas la peine.

— Ne restons pas trop tard, marmonna-t-elle à Ryan pendant que Phil leur versait à boire.

Ryan ne l'entendit pas vraiment. Il était trop occupé à essayer de croiser le regard de Cameron, de l'autre côté de la pièce.

— Lucy aurait dû me dire que c'était un repas intime, se plaignit sa femme.

— Je croyais que vous vous parliez tous les jours.

— En effet. Je ne comprends pas qu'elle ne m'ait pas avertie.

— Voilà ton père, dit Ryan. Je vais aller saluer Don.

Il prit son verre de vodka et se dirigea vers le canapé.

Hamilton s'approcha de sa fille.

— Comment vas-tu ? Bien, j'espère.

Ce n'était tellement pas le style de Hamilton de se préoccuper de son bien-être. Il se radoucissait peut-être en vieillissant. Pola se tenait derrière lui avec une expression boudeuse, vêtue d'une robe rouge peu flatteuse et plutôt vulgaire. La vue de la nouvelle femme de son père mit Mandy de mauvaise humeur.

— Tout va bien, répondit-elle. Tu as sûrement appris que le beau-frère de Ryan s'est tiré une balle dans la tête ?

— Non, dit son père d'un ton indifférent. J'étais au Japon pour repérer des lieux de tournage.

— Un autre grand succès en vue ? s'enquit Mandy en se demandant quand il allait prendre sa retraite.

Il avait presque soixante-dix ans. N'en avait-il pas assez des feux de la rampe ? Elle aurait souhaité qu'il cède sa compagnie à Ryan et que ce dernier l'accepte. De toute évidence, ce n'était pas sur le point de se produire.

— Comme d'habitude, répliqua Hamilton, qui tendit son verre à Phil pour qu'il le remplisse. Comment va Ryan ?

D'abord, il lui demandait comment elle allait, et maintenant, il s'intéressait à Ryan ? Qu'est-ce qui se passait ?

— Demande-le-lui toi-même, dit-elle en désignant son mari. Il est là-bas.

— Avez-vous des problèmes de couple? répliqua son père avec un regard inquisiteur.

Elle sentit ses joues s'empourprer. Hamilton serait ravi si Ryan et elle éprouvaient des difficultés conjugales.

— Pourquoi me demandes-tu une chose pareille? rétorqua-t-elle, déterminée à garder son calme.

Hamilton émit un de ses gloussements énervants, puis se détourna pour parler à Phil.

Pola la regardait fixement.

Ha! pensa Mandy. *Si elle s'attend à ce que je reste ici pour bavarder avec elle, elle se trompe.*

Saisissant son verre de vin, elle se hâta d'aller rejoindre Ryan, Don et sa copine, dont elle avait oublié le nom.

Peu importe, sa loyauté allait à Mary Ellen. Comme elle connaissait Don, cette fille n'était qu'un remplacement temporaire.

* * *

Lucy s'entretint brièvement avec le chef avant de se précipiter à l'arrière de la maison. Elle avait caché Marlon dans une petite chambre de bonne après l'avoir fait entrer secrètement dans la maison.

Le jeune homme était nerveux. Il n'aimait pas cette idée de surprendre tout le monde avec sa présence et son scénario. Et si le grand Phil Standard ne l'appréciait pas? Si ce plan se retournait contre eux et que le scénario ne plaisait à personne?

— Reste calme et sois gentil, lui dit Lucy pour le rassurer. Personne ne le lira ici. Ils vont l'emporter chez eux. On leur résumera l'histoire en la rendant si séduisante qu'ils voudront probablement faire une offre sans attendre! De toute façon, c'est ce que pense Phil.

— Quand vais-je pouvoir sortir ? gémit-il. Je deviens claustrophobe, enfermé ici !

— Sois patient. On doit d'abord manger.

— Et moi ? J'ai faim ! se plaignit-il en faisant craquer ses jointures, une habitude énervante qu'il avait récemment adoptée.

— Je vais t'apporter de la nourriture.

Elle avait l'impression d'avoir un garçon de neuf ans boudeur devant elle.

Il ne supportait pas bien la pression. Elle devrait s'en souvenir.

* * *

Le repas comprenait une entrée d'avocat et salade de crevettes cajun, suivie d'un steak tranché finement, d'une mousseline de pommes de terre et d'un assortiment de légumes. La conversation à table toucha à tout, de la politique à la sexualité. Phil aimait parler de sexe, car cela entraînait toujours une discussion animée. Un de ses jeux préférés était de demander : « Qui est la personne la plus célèbre avec qui vous ayez couché ? »

D'habitude, il gagnait, mais pas avec Hamilton et Don à sa table. Il n'aborda donc pas ce sujet ce soir-là. Il préféra se concentrer sur la prédilection des politiciens pour les prostituées.

— Ils aiment se tremper la queue dans des endroits louches. Ne savent-ils pas qu'en payant pour ça, ils sont certains de se faire prendre ?

— Tout le monde se fait prendre, dit sagement Hamilton. Personne ne s'en sort impunément. N'est-ce pas, Ryan ?

Il regarda son gendre, assis en face de lui.

— Pourquoi me le demander à moi ? répliqua Ryan, irrité.

— Oui, pourquoi lui poses-tu cette question ? renchérit Mandy. S'il y a une personne dans cette pièce qui n'a rien à cacher, c'est bien Ryan !

Les yeux d'Anya allèrent de Ryan à son mari. Hamilton avait clairement une idée derrière la tête. Cela avait-il un lien avec Ryan?

Non, impossible. Elle avait cru Ryan quand il avait juré n'avoir parlé d'elle à personne. C'était un homme intègre.

— Pola, dit Hamilton, lui adressant la parole pour la première fois depuis leur arrivée. Que penses-tu de Ryan? Crois-tu qu'il a des secrets?

Anya haussa les épaules en gardant une mine impassible, même si des frissons d'appréhension lui parcouraient le corps.

— Je le connais à peine. Ce n'est pas à moi de répondre à cette question.

— Voyons, Hamilton! tonna Phil. Pourquoi t'en prendre ainsi au pauvre Ryan tout à coup? Qu'est-ce qu'il t'a fait?

Le magnat plissa les yeux d'un air menaçant.

— Jugez-en par vous-mêmes!

Sur ces mots, il plongea la main dans sa poche de veston et sortit une enveloppe remplie de photos. Il entreprit de les distribuer, une à la fois, au reste des convives.

— Alors, qu'en pensez-vous? demanda-t-il avec une expression redoutable. Ryan a-t-il quelque chose à cacher, oui ou non?

50

Le samedi matin, Gregg se réveilla avec une gueule de bois carabinée et une pâle copie de Cameron étendue dans le lit à ses côtés. À la cruelle lumière du jour, cette blonde minable ne ressemblait pas plus à son épouse qu'à sa mère – une femme qu'il méprisait.

Il tira du sommeil cette poufiasse, la renvoya et se demanda ce qu'il était en train de foutre. Il suivait et épiait une femme qui était déjà la sienne, une garce sournoise qui pensait l'avoir tué. Après l'avoir laissé pour mort, elle avait poursuivi joyeusement son chemin.

Pas si vite, salope! Le moment était venu de reprendre sa femme. Mademoiselle Cameron Paradise se croyait puissante et pensait avoir le vent dans les voiles, mais elle allait subir un dur retour à la réalité. Et quel meilleur moyen que de la confronter devant ses amis et le Fameux Fumier? Le petit ami qui ne savait même pas qu'elle était mariée.

Plus tôt cette semaine, il avait lu dans son agenda «Samedi: souper chez les Standard avec Don, vingt heures.»

Était-ce une grande réception? Un petit groupe d'amis? Il s'en fichait et allait la suivre de toute façon. Ce soir, ce serait le moment du châtiment.

Il passa l'après-midi à boire avec un groupe d'Australiens bruyants dans un pub près de la promenade de Venice. Ces gars aimaient faire la fête, mais ils s'écroulèrent tous sous la table alors qu'il était encore capable de continuer.

Plus tard, il s'installa à son endroit habituel près de chez Cameron, attendant que le Fameux Fumier vienne la chercher.

Ce dernier arriva à l'heure dans une voiture ridiculement tape-à-l'œil. *Quel enfoiré!* pensa Gregg. C'était bien le style de Cameron de choisir un tel crétin.

Elle monta dans la voiture et ils s'éloignèrent.

Gregg les suivit discrètement, dépassant Brentwood et montant dans les collines.

Les Standard vivaient dans un endroit reculé, un énorme ranch situé en retrait de la route. La demeure était clôturée, mais la grille était ouverte. Des gens riches dans de grosses villas. Il n'y avait que ça à Hollywood!

Gregg se gara près du portail et prit une bouteille de scotch entamée devant le siège du passager. Rien de mieux que de replonger pour soigner une gueule de bois.

Après quelques gorgées, il sortit de la voiture et remonta la longue allée à pied. Il se sentait déjà mieux. En pleine forme et prêt à l'action.

Le seul problème, c'est qu'il n'avait pas de plan précis. Peu importe ce qu'il déciderait, il savait une chose: il ne quitterait pas les lieux sans sa garce de femme.

Cameron était à lui. S'il ne pouvait pas l'avoir, personne ne l'aurait.

51

L es réactions aux photos de Hamilton furent variées autour de la table.

Mandy poussa un cri de surprise.

Anya fixa les clichés compromettants avec une expression impénétrable.

Cameron secoua la tête, incrédule.

Don émit un long sifflement.

Phil réprima un éclat de rire.

Lucy devint blême. Sa surprise devait être le clou de la soirée. Maintenant, c'était gâché.

Quant à Ryan, il était muet de stupéfaction en s'apercevant qu'il était victime d'un coup monté.

Les six photos le montraient en compagnie d'Anya dans la maison de Don. La jeune femme était nue devant lui, alors qu'il était entièrement habillé.

Il savait exactement ce que représentaient ces photos, mais pour un spectateur non averti, elles semblaient raconter une tout autre histoire.

— As-tu des choses à cacher maintenant? lança Hamilton, fier de lui.

— Salaud! dit Mandy à son mari. Comment as-tu pu nous faire ça, à mon père et moi?

— Ce n'est pas ce que vous croyez, répliqua Ryan, incapable de regarder Cameron.

Mon Dieu ! Qu'allait-elle penser de lui ?

— Selon moi, c'est exactement ce que l'on croit, dit froidement Hamilton. Que tu t'apprêtes à coucher avec ma femme pendant que je suis en voyage d'affaires. J'ai su que tu étais un bon à rien et un salaud dès le jour où Mandy t'a amené chez nous. Et maintenant, tu viens de le prouver.

Ryan jeta un coup d'œil à Anya. C'était le temps d'intervenir, de l'aider comme il l'avait fait sept ans plus tôt. Mais elle garda le silence, imperturbable.

— On parlait, c'est tout, tenta-t-il d'expliquer, conscient de la faiblesse de son argument.

— Vous parliez ? railla son beau-père. Est-ce vrai, Pola ? Vous parliez ?

La jeune femme demeura muette, les yeux baissés.

— Vous deviez avoir plein de choses à vous dire, poursuivit Hamilton d'un ton sarcastique. Ma femme et l'homme qui a épousé ma fille !

Au grand étonnement de tout le monde, Mandy se leva et assena une claque sur la joue de Ryan.

— Salaud ! cria-t-elle une fois de plus. Comment peux-tu m'humilier ainsi ?

Don se leva à son tour.

— Hamilton, tu as vraiment du culot de sortir ces photos ce soir. C'est ton problème, pas le nôtre. Personne n'a envie de s'en mêler. Tu devrais avoir plus de considération pour les sentiments de ta fille. Quelle sorte de père es-tu donc ?

— Un père très généreux, répliqua Hamilton d'un ton glacial. Un père qui se préoccupe de savoir avec quel genre d'ordure fraie sa fille.

— Oh, dit Don avec dédain. Je suppose que ce n'est pas ta femme qu'on voit sur ces photos le cul à l'air ?

— Je vous en prie, supplia Lucy, désireuse d'arranger les choses, même si elle savait que c'était impossible. Tout le monde devrait se calmer.

Tous ses plans, tous ses préparatifs, pour en arriver à ça. Satané Hamilton J. Heckerling ! Elle ne l'avait jamais aimé.

— Je suis désolé, Lucy, dit Don. Cameron et moi allons partir. Cette histoire ne nous concerne pas.

Il posa la main sur l'épaule de Cameron, qui recula sa chaise de la table. Au même moment, un fracas retentit dans la cuisine.

— Oh, mon Dieu ! s'exclama Lucy, exaspérée. Que se passe-t-il encore ?

Phil se leva.

— Restez assis, je vais aller voir.

Il se hâta vers la cuisine en pensant à la fille dans les photos. La femme de Hamilton. Sa silhouette nue lui disait quelque chose... Il n'oubliait jamais un corps féminin, et il avait déjà vu celui-ci auparavant. Mais où ? Il n'arrivait pas à s'en souvenir.

En ouvrant les portes battantes de la cuisine, il arriva face à face avec un homme armé d'un pistolet.

Bon sang ! S'il avait écrit un scénario pour cette soirée, il n'aurait jamais imaginé un truc pareil ! Le chef et le barman étaient étendus par terre, les mains liées. Bon, un braquage à domicile en plus de tout le reste !

Merde ! Où était le bouton d'alarme ?

— Salut, l'ami, dit l'homme armé, un grand gaillard d'environ trente ans, au teint fortement basané et à l'accent australien. Ne t'inquiète pas, c'est juste une petite visite amicale.

Il ne manquait plus que ça. Un voleur australien qui se trouvait drôle.

— Du calme, lui dit Phil en parlant plus lentement qu'à l'habitude. Je vais vous conduire au coffre-fort. Prenez ce que vous voulez et partez. Personne ne vous en empêchera.

— Ce n'est pas de l'argent que je veux, dit l'intrus en lui projetant son haleine de scotch au visage. Mais quelques milliers de dollars sont toujours utiles...

— Que voulez-vous, alors ? Des bijoux ? Des ordinateurs ?

— Tu es très généreux, mais en fait, je suis venu chercher ma femme.

— Votre femme ? répéta Phil, perplexe.

S'agissait-il d'un des fans déséquilibrés de Lucy sorti de son passé ? C'était possible. Elle recevait encore des tonnes de courrier d'admirateurs, parfois même des messages obscènes.

— C'est ça, ma garce de femme, confirma l'homme armé.

Phil prit une grande inspiration. Cette soirée devenait de plus en plus bizarre. Puis il se dit que cela avait peut-être un lien avec la présentation de scénario de Lucy. Elle aurait bien été capable d'organiser cette mise en scène afin qu'il soit puni pour son infidélité.

Le cambrioleur (ou pas) brandit son pistolet.

— Allons à l'intérieur rejoindre tes amis, ordonna-t-il.

Phil cligna des yeux en tripotant sa barbe.

— Certainement, dit-il en entrant dans le jeu. Phil Standard à votre service.

* * *

— Bon, ça suffit, murmura Don à Cameron. On s'en va. Ça ne te dérange pas trop ?

— Bien sûr que non. Mais je suis désolée pour Ryan.

Ce dernier se faisait engueuler copieusement par Mandy.

— Moi aussi, mais ce n'est pas le moment ni l'endroit pour intervenir. C'est un grand garçon. Il va se débrouiller.

Cameron se demanda ce qui se passait exactement. Ryan n'était pas le genre à tromper sa femme avec l'épouse de son beau-père. En outre, il était entièrement habillé dans les photos. Cette histoire était plutôt louche.

— Lucy, dit Don en se tournant vers leur hôtesse désemparée. On va partir. Tu comprends, n'est-ce pas?

Cette dernière ne sut quoi dire pour les retenir.

Au moment où Cameron et Don se dirigeaient vers la porte de la salle à manger, on entendit un vacarme. Phil se fit brutalement pousser dans la pièce, manquant de renverser Cameron. Derrière lui se tenait un homme armé.

La jeune femme retrouva son équilibre, puis se figea. L'homme au pistolet était Gregg. Le mari auquel elle avait cru échapper il y a des années.

52

Marlon n'était pas seulement de plus en plus agité, mais de plus en plus gelé. Lucy l'avait fait entrer subrepticement dans la maison comme un criminel, puis l'avait caché dans une chambre de bonne sans fenêtre. N'y avait-il pas une loi interdisant les chambres sans fenêtre? Oui, il en était certain.

Sa collaboration avec Lucy ne s'était pas passée comme prévu. Pas de réunion sérieuse pour discuter du scénario, à part quelques visites occasionnelles pour lui remettre des commentaires griffonnés à l'arrière d'une page. Pas de repas d'affaires avec un agent, car il avait négocié l'entente lui-même. Dix mille dollars en argent comptant, en échange d'un scénario. Aucun contrat.

Son père, qui était avocat, paniquerait s'il apprenait ce qu'il avait accepté de faire. Mais sapristi! Il travaillait avec Lucy Lyons, la vedette aux seins superbes! Il s'était masturbé plusieurs fois en pensant à sa poitrine, lors de nuits solitaires. Maintenant qu'il les avait vus de près, cela valait bien plus qu'un contrat ridicule.

Elle était passée le voir un peu plus tôt avec un plateau de hors-d'œuvre. Comme si cela allait assouvir sa faim! Il avait tout avalé, mais était encore affamé.

Allumant un troisième joint, il tenta de tromper son ennui en pensant à sa vie sexuelle. Ce n'était pas si mal. Il avait trois petites amies en même temps, trois filles sexy de moins de dix-neuf ans. Mais c'était là le problème. C'étaient des filles, pas des femmes, et il semblait avoir pris goût aux vraies femmes. Depuis sa liaison avec Cameron Paradise, il avait eu envie de retrouver une femme comme elle. Ce n'est pas qu'ils aient eu de longues conversations philosophiques ou rien de ce genre, mais leurs activités au lit ? Oh là là ! Puis un jour, Cameron avait disparu, avait changé son numéro de cellulaire et n'était jamais revenue.

Si seulement Lucy n'avait pas reculé à la dernière minute, leur association aurait pu être encore plus agréable. Oh oui... bien plus agréable.

Il regarda l'heure. Il se faisait de plus en plus tard.

Merde, combien de temps pensait-elle qu'il patienterait ici ? Il n'allait pas attendre encore longtemps.

Oh, non !

Si elle ne venait pas le chercher bientôt, il allait déguerpir, scénario ou pas !

53

Gregg les avait alignés par terre contre le mur de la salle à manger. Son pistolet lui donnait une sensation de toute-puissance, surtout que nul d'entre eux ne connaissait son identité. En effet, Cameron n'avait pas encore ouvert la bouche.

Son intention n'avait pas été d'attaquer un groupe de gens. Au départ, il voulait juste entrer de force, humilier Cameron et la ramener avec lui. Sauf que les circonstances avaient pris le dessus. Lorsque le barman l'avait surpris en train de forcer la porte de la cuisine, une altercation s'en était suivie. Gregg l'avait roué de coups, s'était introduit dans la cuisine et avait terrassé le chef, avant d'attacher les deux hommes.

Gregg était fort. Il avait des muscles d'acier. À Hawaï, il s'entraînait deux fois par jour. Bonne chance à ceux qui tentaient de s'en prendre à Gregg Kingston.

Puis il s'était souvenu qu'il avait une arme. Pourquoi ne pas s'en servir ? Il l'avait donc sortie de la ceinture de son pantalon, ce qui avait fait sursauter tout le monde. Oui, y compris Cameron. Il s'amusait à lire les expressions sur son visage. Au début, elle était sous le choc, puis avait semblé perplexe, et enfin, résignée.

La garce savait exactement pourquoi il était là. Mais pas son petit copain. Le Fameux Fumier allait avoir toute une surprise. Gregg avait hâte de voir son expression quand il apprendrait la vérité.

Avant qu'il ait la chance d'ouvrir la bouche, Cameron prit la parole, ce qui le mit en furie.

— Je veux m'excuser auprès de tout le monde, dit-elle d'une voix tendue. Cet homme est mon... mon mari.

Don lui saisit le bras.

— Dis-moi que j'ai mal entendu, marmonna-t-il. Dis-moi que tu mens.

— Quoi ? cria Mandy, horrifiée. Ton mari ? Oh, mon Dieu ! Est-ce un cambriolage ? Avez-vous planifié cela ensemble ?

— Gregg, ne fais pas ça, dit Cameron d'une voix calme. Dépose ce pistolet et laisse-les partir. On va discuter, tous les deux.

— Merde ! La salope veut discuter ! cria Gregg en continuant de brandir son arme. Je n'en reviens pas ! Cette garce m'a laissé pour mort à Hawaï il y a quatre ans. Ouais, vous avez bien entendu : elle a tenté de me tuer et s'est enfuie au milieu de la nuit !

Il prit une bouteille de vin rouge sur la table et but quelques gorgées.

— Ouais, reprit-il. J'ai été dans un foutu coma pendant des mois, mais elle s'en fichait ! Elle pensait m'avoir achevé.

— Papa, fais quelque chose ! gémit Mandy, horrifiée.

Hamilton fit mine de se lever.

— Oublie ça, le vieux ! grogna Gregg. Tu n'iras nulle part.

Le vieil homme se rassit.

— Que voulez-vous ? demanda Ryan. Dites-le-moi et je vais essayer d'accéder à vos demandes.

Il tentait de garder son calme, même si la découverte que cet homme armé était le mari de Cameron était tout un choc.

Gregg tourna ses yeux rougis vers lui.

— Qui a décidé que tu étais le chef du groupe ? railla-t-il.

— Vous voulez sûrement quelque chose, insista Ryan.

— Oui, elle, répondit-il en désignant Cameron avec son pistolet. Je veux que cette sale menteuse vienne avec moi.

Cameron se leva. Elle n'arrivait pas à croire à ce qui arrivait. Tout ce qu'elle savait, c'est que ça ne pouvait pas continuer. Elle devait intervenir.

— Bon, je viens.

— Oh, oui, tu viens ! Toutes les nuits avec ton nouveau copain ! ricana Gregg. Mais savais-tu que pendant que tu venais, il baisait cette Mary Ellen ? Et qu'il l'a mise enceinte ? Le savais-tu, ma chère femme ? Si tu ne me crois pas, lis ça !

Il sortit le message de Mary Ellen de sa poche et le lui lança. Don ramassa le papier.

— Où est le bouton d'alarme ? chuchota Phil à Lucy.

— Sous la table, murmura-t-elle. Là où tu t'assois.

— Essaie de t'en approcher.

— D'accord.

Gregg porta la bouteille de vin à ses lèvres tout en observant Don, qui lisait le mot de Mary Ellen.

— Je vais vous donner un chèque de cinquante mille dollars si vous nous laissez partir, dit Hamilton.

— Cinquante mille ? répliqua Gregg en dévisageant le célèbre producteur. C'est tout ce que valent vos amis ?

— Cent mille.

— Me prenez-vous pour un idiot ? s'écria l'Australien. Ai-je l'air d'un homme sans cervelle ?

— Combien ? insista Hamilton.

— Il veut savoir combien, railla Gregg, tout à fait dans son élément. Je ne sais pas... Un million ou deux, peut-être ?

— D'accord.

Gregg éclata de rire et avala quelques autres gorgées de vin.

— Vous autres, les foutus riches, vous croyez que vous pouvez tout acheter, hein ? Eh bien, vous ne pouvez pas acheter Gregg Kingston. Non, monsieur! Gregg Kingston n'est pas à vendre!

Cameron reconnut l'état d'esprit dans lequel se trouvait son mari. Ivre et belliqueux, violent et incontrôlable. Elle l'avait vu ainsi tellement de fois, mais jamais avec une arme à la main. C'était un véritable cauchemar. Comment savoir de quoi il était capable?

— Il faut que je boive de l'eau, dit Lucy en se levant. Sinon, je crois que je vais m'évanouir.

Gregg la regarda pour la première fois, remarquant ses seins mis en évidence par sa robe Hervé Léger.

— Hé, serais-tu la vedette de cinéma? demanda-t-il en la dévisageant. Je t'ai vue dans...

— *Bleu saphir*, répondit-elle en s'approchant de la table.

Elle prit un verre d'eau tout en glissant son autre main discrètement sous la table pour appuyer sur le bouton d'alarme.

— Oui, c'est ça, répliqua Gregg, tout content de l'avoir reconnue.

Lucy déposa son verre et retourna s'asseoir avec les autres.

— C'est fait, chuchota-t-elle à Phil, qui lui serra la main.

Cameron ne pouvait quitter Gregg des yeux. Elle avait gardé le secret sur son mariage, et maintenant, il était ici à cause d'elle et menaçait tout le monde. Elle l'avait quitté cinq ans plus tôt, cet homme qui l'avait battue et avait abusé d'elle. Elle s'était enfuie avec un bras fracturé et le visage tuméfié, complètement terrifiée.

Mais la situation était différente à présent. Elle n'avait plus peur. Oh, non! Elle avait mûri et s'était découvert une force intérieure. Elle possédait maintenant une assurance qu'elle n'avait jamais soupçonnée. Si seulement elle pouvait le convaincre de partir avec elle, peut-être que les autres s'en tireraient indemnes.

— Gregg, dit-elle d'une voix forte. Partons d'ici. Laisse ces gens tranquilles, ils ne t'ont rien fait.

— Oublie ça, ma petite Cammy, répondit-il en se balançant sur les talons de ses bottes de cowboy. Je m'amuse ! Je me fais offrir de l'argent, je rencontre des vedettes de cinéma. Je comprends pourquoi tu aimes vivre ici. C'est un milieu attrayant pour une fille de province.

Il tourna la tête vers Don et poursuivit :

— Comment est-elle au lit maintenant ? Je lui ai appris tout ce qu'elle sait. Elle était vierge quand je l'ai rencontrée. J'ai même dû lui montrer à sucer. Ce n'était pas une mauvaise élève. Qu'en dis-tu ?

— Mon espèce de salaud..., gronda Don en se levant.

Gregg s'avança et le frappa au visage avec la crosse de son arme. La joue de Don se fendit et se mit à saigner.

Mandy poussa un cri. Ryan tenta de se lever pour intervenir, mais Gregg fut plus rapide. Brandissant son arme comme un bandit de cinéma, il tira un coup de feu.

La balle alla ricocher sur le mur.

— Que cela vous serve d'avertissement ! lança-t-il. Je suis sérieux. La prochaine balle va vous trouer la peau, espèces de vieux riches ! Alors, restez assis et arrêtez de m'énerver !

54

L'esprit embrumé par la drogue, Marlon avait sombré dans un sommeil extrêmement agréable. Il rêvait qu'il était dans un harem, entouré de filles nues bien roulées qui comblaient tous ses désirs. Pendant ce temps, Amy Winehouse chantait *Rehab,* et Kate Moss, vêtue d'un habit de religieuse à motif léopard, lui massait les pieds.

C'était un rêve incroyable, jusqu'à ce que Kid Rock apparaisse et tire une balle entre les yeux de Kate Moss.

Marlon se redressa brusquement. Il était peut-être défoncé, mais il aurait pu jurer que ce coup de feu était réel.

Il jeta un coup d'œil à sa montre Swatch. Merde, il était presque vingt-trois heures, et il était toujours enfermé dans cette chambre minuscule comme un prisonnier. Il ne s'était pas attendu à ce genre de soirée.

Se levant avec peine, il se mit à arpenter la petite pièce où il était coincé depuis trois heures. Il en avait assez.

Avait-il entendu un coup de feu, oui ou non?

Sûrement pas. C'était juste un rêve.

Il sortit son téléphone. Trois messages de différentes filles et un texto de son copain Randy l'informant qu'il y avait une fête à tout casser à la House of Blues.

Puis il examina la pile de scénarios posée sur une table. Six copies immaculées de son travail, prêtes à être distribuées. Ce soir devait être le début de la carrière dont il rêvait, au lieu des études de droit préconisées par son père.

Bon, il est temps de passer à l'action, se dit-il, refusant de rester tapi une minute de plus.

Il ouvrit la porte silencieusement et emprunta le long corridor menant à la cuisine.

D'abord un peu de nourriture, puis il passerait la tête par la porte de la salle à manger pour attirer l'attention de Lucy.

En entrant dans la cuisine, que vit-il? Sapristi! Deux types ficelés comme deux foutus poulets sur le sol!

Soit il avait fumé trop de pot et avait des hallucinations, soit ce spectacle était bien réel.

Il décida d'en avoir le cœur net.

55

Maintenant que Gregg avait une pièce remplie d'otages, il ne savait quelle attitude adopter. Il était venu chercher Cameron, sans aucune intention d'utiliser son arme. Toutefois, il l'avait sortie et se retrouverait donc dans un gros pétrin une fois que tout serait terminé.

Le problème, c'est qu'ils connaissaient son nom. Comme un idiot, il le leur avait dit. En outre, il avait frappé le Fameux Fumier avec son pistolet, ce qui serait sûrement considéré comme une voie de fait.

Merde ! C'était la faute de Cameron ! La salope était responsable de tout. Il devrait peut-être attacher ces gens et s'enfuir. Ouais, c'est ce qu'il allait faire. S'enfuir avec elle.

Pendant que Gregg réfléchissait, Cameron essayait d'éponger le sang sur la pommette de Don.

Ce dernier lui adressa un faible sourire.

— Tu n'aurais pas pu me dire que tu étais mariée ? Il fallait que tu gardes cette information pour toi !

— Comme tu l'as déjà dit, je suis secrète.

— Qui est ce type ?

— Quelqu'un qui vient de loin et du passé. Tu sais, je n'ai jamais voulu le tuer.

— C'était une erreur, tu aurais dû...

Entre-temps, Ryan tentait de rassurer Mandy.

— Ne me touche pas! cria-t-elle. Tu me lèves le cœur! Je te déteste!

— C'est un malentendu, dit-il, déterminé à s'expliquer.

Comment rétablir la vérité sans révéler le secret d'Anya?

— Papa avait raison, lança Mandy, furieuse contre lui et terrifiée par la situation où ils se trouvaient. Heureusement qu'on n'a jamais eu d'enfant ensemble!

— Ne dis pas ça! On a essayé.

— Vraiment? répliqua-t-elle méchamment. À la première fausse couche, je n'étais même pas enceinte. Pour la deuxième, je me suis fait avorter. Et tu sais quoi? Je ne le regrette même pas!

Ses paroles le frappèrent en plein cœur. Elle s'était débarrassée de leur enfant. Elle lui avait menti tout ce temps et il l'avait crue. Il l'avait prise en pitié, était resté avec elle à cause de tout ce qu'elle avait prétendument subi.

Il fut soudain submergé par la tristesse et les regrets. Tout devint clair.

— En sortant d'ici, ce sera fini entre nous, lui dit-il.

— Oui, Ryan. C'est bien fini.

Gregg se balançait au bord de la table, toujours indécis quant à la suite des événements.

Cameron le connaissait assez pour comprendre qu'elle devait garder le silence. C'était mieux pour tout le monde. Gregg était acculé au pied du mur, et ça ne promettait rien de bon.

Elle jeta un coup d'œil à Ryan. Mandy et lui discutaient en chuchotant d'un air animé.

Hamilton était assis, le dos droit, son visage distingué déformé par la rage.

Son épouse regardait dans le vide, ses yeux bleus dépourvus d'expression. Cameron vit que la jeune fille n'avait pas peur, ce qui était plutôt étrange. Un homme pointait une arme sur eux, leurs vies étaient en danger... Elle aurait dû être terrifiée.

Phil enlaçait Lucy, la protégeant de son bras.

Maudit Gregg. Comment pouvait-il faire ça? Comment osait-il revenir ainsi dans sa vie pour tout gâcher?

Soudain, le téléphone sonna, les faisant tous sursauter.

— Ne répondez pas, ordonna Gregg.

La sonnerie continua de retentir.

Il agita son pistolet en direction de Lucy.

— Bon sang! Réponds et débarrasse-toi d'eux!

Lucy s'approcha du téléphone, le cœur battant. Dieu merci, les enfants n'étaient pas à la maison.

— Allô, répondit-elle.

— Madame Standard? fit une voix d'homme.

— Oui.

— Ici le détective Saunders. Est-ce que tout va bien?

— Non.

— Y a-t-il un homme armé dans votre maison?

— Oui.

— Raccroche! lança Gregg.

— Passez-le-moi, dit le détective.

Elle tendit l'appareil à Gregg.

— C'est pour vous, dit-elle.

Puis tout devint noir et elle s'évanouit.

56

Marlon libéra le chef et le barman, et les trois hommes sortirent de la maison. Le jeune scénariste prit son cellulaire pour appeler la police.

Dis donc, ces salopards sont rapides, se dit-il deux minutes plus tard en voyant deux voitures de police remonter la longue allée.

Apparemment, les policiers avaient été alertés par une alarme silencieuse dans la maison, ce qui expliquait leur arrivée instantanée.

Le chef et le barman avaient besoin de soins médicaux pour leurs ecchymoses et coupures. Pendant qu'ils se faisaient soigner, le détective prit leurs dépositions.

Marlon raconta ce qu'il savait, même si c'était peu.

— Je n'ai jamais vu ce type. Mais j'ai entendu un coup de feu, qui m'a réveillé d'un profond sommeil. J'ai eu la peur de ma vie !

— Que faisiez-vous dans cette maison ? demanda le détective, comme s'il le soupçonnait d'être impliqué.

Marlon lui parla de Lucy et du scénario, puis le policier lui ordonna de ne pas bouger. Comme s'il avait l'intention de partir ! Pas question. Il était au premier rang pour observer un drame en direct et ne raterait pas cette chance.

En moins d'une heure, des équipes de télévision arrivèrent sur les lieux, ce qui irrita les détectives. Mais dans une telle situation de prise d'otages, ils ne pouvaient pas s'y opposer.

Marlon s'approcha d'une jeune journaliste aux cheveux blonds bouclés, vêtue d'une jupe courte et de hautes bottes de cuir.

— J'étais à l'intérieur, lui dit-il. Vous savez à qui est cette maison, n'est-ce pas?

— Non, à qui? répondit-elle avec un sourire rehaussé de brillant à lèvres.

— Lucy Lyons.

— La vieille vedette de cinéma?

— Elle n'est pas si vieille.

— Mon père m'avait amenée voir son film, *Bleu* quelque chose... J'avais douze ans et il pensait que ça parlait de dauphins. On a eu toute une surprise!

— Je parie que oui! rétorqua Marlon.

Mademoiselle Bouche Brillante semblait avoir environ vingt-trois ans. L'âge idéal pour sa prochaine liaison avec une femme plus vieille.

— Alors, dit-elle avec un regard intéressé. Racontez-moi tout ce que vous savez.

57

Le front couvert de sueur, Gregg était toujours indécis et rempli de rage. Cette foutue situation s'était transformée en siège, à son grand désarroi. Évidemment, tout cela était la faute de Cameron. Il était venu à Los Angeles pour la retrouver et la punir d'avoir essayé de le tuer. Et à présent, il était coincé dans ce cul-de-sac.

Un détective merdique lui avait parlé au téléphone comme s'il était un parfait crétin.

— Déposez votre arme, sortez dehors les mains en l'air, et tout ira bien, avait-il dit.

Oh, merci, monsieur le détective. Vous allez juste me donner une petite tape sur les doigts et me renvoyer à Hawaï, c'est ça ?

Ouais, bien sûr !

Qui avait appelé les flics ? Il aurait bien aimé le savoir. Est-ce qu'un des idiots ligotés dans la cuisine avait réussi à défaire ses liens ?

— Toi ! lança-t-il à la fille en robe rouge.

Assise à l'écart contre le mur, elle n'avait pas dit un mot de la soirée.

— Oui, répondit-elle en le fixant de ses yeux bleu clair inexpressifs, sans manifester de crainte.

C'était étrange. Le reste du groupe semblait terrifié à la perspective qu'il perde la tête et se mette à tirer, mais pas cette fille.

— Comment t'appelles-tu ? demanda-t-il en s'essuyant le front.

— Anya.

Ryan lui jeta un regard inquiet. Pourquoi reprenait-elle ce nom alors que tout le monde la connaissait sous celui de Pola ?

Cameron se pencha vers Don. Elle avait réussi à endiguer le sang de sa blessure et il tenait une serviette de table contre sa joue.

— Ça va ? chuchota-t-elle.

— Ce n'est pas grave, dit-il en haussant les épaules. Un peu de chirurgie plastique, et il n'y paraîtra plus.

— Va dans la cuisine, Anya, ordonna Gregg. Va voir s'il y a quelqu'un, puis reviens ici ou je tire une balle dans le visage de ton papa.

Hamilton se hérissa. Il allait s'assurer personnellement que ce criminel reçoive la plus lourde des sentences.

Anya se leva lentement, lissant langoureusement sa robe de satin rouge moulante. Elle savait pourquoi Hamilton la lui avait achetée. C'était le genre de robe que portent les prostituées. C'est ainsi que la voyait Hamilton : comme une fille de joie. Il avait raison, c'est ce qu'elle était. Une pute, une putain, une femme de mauvaise vie. Du moment qu'ils payaient, les hommes pouvaient se servir d'elle comme bon leur semblait. Ils pouvaient cracher sur elle, l'humilier, la battre, la sauter. Elle n'était qu'un morceau de viande. Le sexe était important. Dans l'univers d'Anya, c'était tout ce qui comptait.

— Dépêche-toi, marmonna Gregg, qui transpirait à grosses gouttes. Et pendant que tu y es, essaie de me trouver une bouteille de scotch. Je veux autre chose que ce foutu vin !

Anya le regarda en se léchant les lèvres d'un air suggestif.

— Veux-tu me baiser ? demanda-t-elle d'une voix rauque. Tu ne seras pas déçu. Je suis très douée au lit. Je peux faire tout ce que tu veux. N'importe quoi.

— Bon sang ! s'exclama Hamilton.

— Oh, mon Dieu ! s'écria Mandy.

Gregg en resta bouche bée. Cette fille qui s'offrait à lui le laissait sans voix. Était-ce un coup monté de Cameron ? Cette démone s'amusait-elle à ses dépens ?

Ryan se leva d'un bond. Il venait de comprendre qu'Anya était en état de choc. Elle ne savait pas ce qu'elle disait – ni ce qu'elle faisait, car elle commençait à retirer sa robe.

Gregg soupçonna que c'était un tour qu'il se faisait jouer, une astuce pour le prendre au dépourvu. Mais il n'allait pas tomber dans le panneau. Oh non ! Il n'était pas idiot.

Ces gens pensaient-ils vraiment qu'ils pouvaient le déjouer ? Il était Gregg Kingston, que diable ! Personne ne pouvait le berner. Il était invincible.

— Assieds-toi ! ordonna-t-il à Ryan, les mains tremblantes. Toi aussi, lança-t-il à Anya. Retourne t'asseoir !

Mais la jeune femme ne l'écouta pas. Laissant sa robe glisser sur le sol, elle se retrouva nue comme dans les photos et s'avança vers leur ravisseur.

Cameron eut l'horrible pressentiment qu'une tragédie allait se produire. Gregg paniquait, elle pouvait le lire sur son visage. Elle tenta de se lever, mais Don la retint.

— Ne bouge pas, murmura-t-il en lui saisissant le bras.

— Va t'asseoir ou je tire ! cria Gregg pendant qu'Anya continuait d'avancer. JE SUIS SÉRIEUX, SALOPE !

Ryan ne put en supporter davantage. Il s'élança dans une tentative désespérée pour arrêter Anya. Mais il était trop tard.

Une fois de plus, un coup de feu retentit. Une mare de sang se forma dans un silence mortel.

Épilogue

Dix-huit mois plus tard

La première de *Bleu saphir 2* fut un grand événement hollywoodien. Lampes à arc, tapis rouge, flux d'informations sur Internet en temps réel, équipes de télévision internationales, gradins pour les foules de fans et réception grandiose prévue après la représentation.

Natalie de Barge était au poste pour interviewer les célébrités qui défilaient. Elle leur posait les questions stupides habituelles sur leurs robes et coiffures, en ajoutant une ou deux plaisanteries à l'occasion. Car Natalie n'avait nullement l'intention de demeurer une journaliste culturelle toute sa vie. Son objectif était d'animer sa propre émission de télé avec trois autres femmes de tête – une version L.A. de l'émission *The View*.

Don Verona avait promis que sa compagnie de production l'aiderait dans ce projet, et pourquoi pas? Ils étaient déjà partenaires de Cole et Cameron dans Paradise, le club sportif le plus en vue de L.A. Tout le monde y trouvait son compte.

Natalie flattait les femmes, draguait les hommes, souriait et posait les questions appropriées. Comme son frère, elle avait une personnalité sympathique et les vedettes se sentaient à l'aise en sa présence.

Elle accueillit Birdy Marvel en lui faisant la bise. La jeune diva au joli visage, affligée d'une dépendance au sexe, raconta son récent séjour en centre de désintoxication et affirma avoir trouvé la foi. Déterminée à nourrir les enfants affamés dans le monde, elle travaillait à son nouveau CD, préparait une tournée nationale et s'apprêtait à lancer un parfum et une collection de vêtements.

— C'est merveilleux, dit Natalie, bouclant l'entrevue parce qu'elle venait d'apercevoir Lucy Lyons qui approchait.

Lucy était la grande vedette de la soirée. En plus de tenir le premier rôle dans *Bleu saphir 2,* elle en était également la productrice déléguée.

Le film, produit et écrit par le mari de Lucy, le scénariste oscarisé Phil Standard, promettait d'être un énorme succès. Coproduit par Hamilton J. Heckerling et coscénarisé par Marlon Robert, un nouveau venu très talentueux, ce long métrage allait encore plus loin que *Basic Instinct,* s'il fallait en croire les rumeurs.

Les deux femmes se firent la bise à la manière de Hollywood, un rituel où les lèvres embrassaient l'air.

— Vous êtes magnifique, dit Natalie.

C'était son rôle de lancer des compliments, mais elle devait admettre qu'à quarante-deux ans, cette mère de deux enfants mariée à un homme excentrique et chaud lapin avait fière allure. Lucy Lyons était rayonnante avec ses longs cheveux noirs, ses lèvres pulpeuses et son corps ferme.

— Parlez-moi du film, poursuivit-elle. Apparemment, il va nous en mettre plein la vue.

— En effet, répondit Lucy avec un grand sourire de vedette de cinéma. Littéralement sulfureux. Et je n'y enlève mes vêtements qu'une seule fois ! La véritable vedette de ce film est Mary Ellen Evans, qui interprète ma nièce. Attendez que l'Amérique voie Mary Ellen dans toute sa splendeur ! Elle n'est plus la fille d'à côté sympa, mais la fille que tous les hommes voudraient... Oups ! dit-elle en posant son index sur ses lèvres. J'ai failli dire un mot osé à la télé !

— Ne vous en faites pas, j'ai déjà entendu pire, dit Natalie en souriant. Revenons au film. Il paraît que vous êtes toutes les deux excellentes. Selon *Variety,* vos prestations sont magistrales.

— Merci, Natalie. J'ai fait de mon mieux.

— Je n'en doute pas. Maintenant, parlons de choses importantes : la robe que vous portez est de quel couturier ?

* * *

Dans une limousine de location en route vers la première, Lynda, enceinte de huit mois et demi, Carlos, le futur papa (bien qu'ils ne soient pas encore mariés), Dorian, accompagné d'un jeune mannequin de vingt ans, et Cole, seul et content de l'être, discutaient du nouvel espace récemment acquis par Paradise. Seuls Cole et Cameron avaient visité les lieux. Selon Cole, c'était un endroit spectaculaire, avec un jardin magnifique, un bain à remous et une piscine pour longueurs.

— De l'aérobie en piscine ! dit Dorian. J'ai hâte !

— Et moi, j'ai hâte de voir ce film, ajouta Lynda. J'ai envie de regarder des scènes érotiques torrides.

— C'est à peu près tout ce que tu peux faire, grommela Carlos. Regarder.

— Serais-tu en train de te plaindre ? protesta la jeune femme avec un regard courroucé en tapotant son énorme ventre. Parce que ce gros patapouf est ton fils. Alors, attention à tes paroles.

— D'accord, ma poule. Mais dès que tu auras pondu cet œuf, ton homme s'attend à de l'action !

— Oh là là ! grogna Dorian. Allez-vous parler de bébé toute la soirée ? Où est Cameron quand j'ai besoin d'elle ?

— Elle avait un truc important à faire, répondit Cole.

— Plus important qu'une soirée en notre compagnie? rétorqua Dorian. Ça m'étonnerait!

Cole sourit. Il lui arrivait d'être le seul au courant des secrets de sa partenaire. Et celui-ci était très prometteur...

* * *

— Regardez comme elle est superbe! s'exclama Natalie en aidant Mary Ellen à monter sur la plate-forme devant la caméra. Difficile de croire que vous avez accouché il y a sept mois, juste avant de tourner ce film. Vous avez une allure du tonnerre!

— Merci, Natalie, répondit Mary Ellen, heureuse de toute cette attention.

— Vos bijoux sont sensationnels, tout comme votre robe. De qui est cette création?

— Armani, bien sûr.

— Évidemment... Et comment va le père du bébé? Est-il toujours dans les parages?

Mary Ellen n'hésita pas une seconde. Sa réponse était déjà toute préparée :

— Don Verona est un père attentif et dévoué, mais nous ne sommes plus ensemble. J'ai beaucoup d'affection et de respect pour lui.

— Parlez-nous de votre rôle dans ce film. Il y a beaucoup de nudité, paraît-il? Comment était-ce de se dévêtir à l'écran?

* * *

— Arrête de gigoter, dit Mandy.

— Je ne gigote pas, répliqua Marlon.

— Il ne gigote pas, renchérit Hamilton.

Ils se trouvaient à l'arrière de la Bentley de Hamilton, conduite par son chauffeur.

Mandy était ravie. Elle était convaincue que *Bleu saphir 2* battrait des records, dont elle bénéficierait doublement. Hamilton lui avait promis une part des profits en guise de récompense pour avoir finalement divorcé de Ryan. Et Marlon... eh bien, Marlon était le propre prodige de Mandy. Elle l'avait découvert.

Hum... presque découvert, car Lucy l'avait trouvé en premier – mais pas sur le plan sexuel, heureusement. Mandy n'aurait jamais accepté de passer en deuxième.

Bleu saphir 2 était son idée. Après leur expérience cauchemardesque chez les Standard, Lucy avait sombré dans une dépression. C'était compréhensible : une fille s'était fait tuer dans sa salle à manger. N'importe qui se serait effondré.

Comme c'était la cinquième épouse de Hamilton qui avait été victime du mari déséquilibré de la copine de Don, Mandy n'avait pas été bouleversée outre mesure. Toutefois, cette soirée avait été une épreuve traumatisante, avec la découverte de la liaison de Ryan.

Quand Lucy lui avait parlé de Marlon, du scénario et de cette occasion gâchée, elle lui avait offert de montrer le scénario à son père. Elle devait bien ça à son amie Lucy.

À la lecture du scénario, Mandy ne l'avait pas trouvé très original, bien que les dialogues soient brillants. C'est alors qu'elle avait eu l'idée de *Bleu saphir 2,* car le premier volet avait été un des films les plus importants de Hamilton.

Elle proposa ce projet à son père, qui n'était pas en deuil de son épouse et mourait d'envie de reprendre le travail. Il consentit immédiatement. Phil voulait faire plaisir à sa femme et accepta que Marlon rédige le scénario, qu'il peaufinerait ensuite. Tout était donc en place. Par-dessus le marché, Mandy avait pensé à Mary Ellen pour le rôle de la jeune nymphomane.

Le résultat était une super production qui promettait d'être un succès monumental, peut-être encore plus grand que le premier film.

Il ne fallut pas longtemps avant que Mandy se lance dans une liaison torride avec Marlon, qui avait près de treize ans de moins qu'elle.

Cette différence d'âge ne la dérangeait pas. En fait, elle avait le sentiment d'être au goût du jour. Après tout, cela semblait fonctionner pour Demi Moore et Ashton, Madonna et Guy, Susan Sarandon et Tim... Même chose pour Mandy Heckerling et Marlon.

Comme aurait dit Marlon, c'était génial.

* * *

Don et Phil s'éloignèrent du tapis rouge et allèrent boire un verre dans le bureau.

— Je dois reconnaître que Lucy a un talent exceptionnel, dit Phil, en mari extrêmement fier. Tu sais, Don, elle avait raison de vouloir revenir à l'écran.

— Et Mary Ellen ? demanda son ami. Comment est-elle dans ce film ?

— Étonnamment douée... Je suppose que c'est fini entre vous ?

— Ça n'a jamais vraiment commencé, répondit Don d'un ton désinvolte. C'est une chic fille, mais elle n'est pas pour moi.

— Vois-tu parfois le bébé ?

— Aussi souvent que je peux. C'est la petite fille la plus adorable du monde. Je suis en amour !

— Enfin !

— Hé, j'ai déjà été amoureux, mais ça n'a jamais fonctionné. Que veux-tu ? Ce n'est pas comme Lucy et toi. Tu as vraiment de la chance.

— Je le sais !

* * *

Au même moment où avait lieu la première de *Bleu saphir 2* sur le boulevard Hollywood, Ryan présentait son dernier film. Il s'agissait de l'histoire émouvante d'une jeune prostituée russe, tournée dans un style documentaire. Il estimait que c'était son meilleur film jusqu'ici. Au cours des dix-huit derniers mois, il s'était plongé dans ce projet, y avait mis tout son cœur et son âme, parcourant l'Europe pour tourner dans de multiples endroits.

Son film s'intitulait *Anya*, en souvenir d'une jeune fille qu'il n'avait jamais vraiment connue. Une fille qui avait souffert à un point que nul ne pouvait imaginer. Une fille qui avait fini par trouver la mort dans la salle à manger d'une résidence de Hollywood. Durant le tournage, il n'avait pensé à rien d'autre. Il avait demandé à ses avocats de s'occuper de son divorce et de donner à Mandy tout ce qu'elle réclamait. Les possessions matérielles lui importaient peu ; seul son travail comptait à ses yeux.

L'actrice qu'il avait choisie pour le rôle, Tamara Yakovlev, était une brunette lumineuse aux yeux insondables et au corps souple. Née à Saint-Pétersbourg, elle était venue aux États-Unis avec ses parents aisés quand elle avait dix ans. Son histoire était à l'opposé de celle d'Anya, mais elle avait réussi à rendre son essence grâce à son jeu parfait. Elle était devenue Anya.

Ils avaient eu une brève liaison pendant le tournage en Pologne. Cela n'avait pas duré, car ce n'était pas la femme qu'il lui fallait.

Il avait souvent pensé à Cameron. Après la soirée tragique chez les Standard, ils n'avaient pas gardé le contact. Il s'était isolé de tous pour se concentrer sur son film. À un moment donné, il avait entendu dire qu'elle avait rompu avec Don.

À présent qu'il était de retour à L.A., il avait songé à lui téléphoner, mais n'avait pas osé.

Et s'il idéalisait une relation qui n'était pas réelle ? C'était peut-être préférable de tout oublier.

* * *

Déposer Yoko et Lennon chez monsieur Wasabi était une espèce de rituel pour Cameron. Ils l'aimaient. Il les aimait. Même si elle pouvait se permettre de payer un gardien d'animaux, elle préférait conserver la même routine.

— Est-ce que ça va s'ils restent ici cette nuit ? demanda-t-elle à son voisin.

Le vieil homme lui fit un clin d'œil complice. Il était peut-être trop âgé pour s'offrir des aventures, mais il enviait l'homme avec qui cette charmante et ravissante jeune femme allait passer la nuit.

Après lui avoir laissé les chiens, elle fit un tour chez elle, prit une douche, se maquilla légèrement et changea de vêtements six fois. Elle finit par opter pour un jean, des bottines de combat, une simple camisole et son vêtement le plus coûteux, un veston Dolce & Gabbana beige en cuir souple. Enfin satisfaite, elle quitta la maison et monta dans sa Mustang. Elle démarra en direction de la salle de visionnement de Santa Monica où, avait-elle découvert par hasard, Ryan Richards présentait son dernier film.

Ryan Richards. Un nom issu du passé.

Ryan Richards. Un homme à qui elle n'avait cessé de penser depuis des mois.

Ils ne s'étaient pas reparlé depuis le soir fatidique où Gregg avait tué l'épouse de Hamilton. C'était une telle tragédie ! Parfois, Cameron était submergée par la culpabilité en pensant à ce qui s'était passé.

Si seulement Gregg n'était pas parti à sa recherche...

Si elle avait eu le courage d'aller à Hawaï pour divorcer...

Si, si, si... Tout le monde lui avait dit que c'était inévitable, que Gregg était un psychopathe, mais elle savait qu'elle aurait pu éviter ce drame.

Après le coup de feu fatal, les policiers avaient fait irruption dans la maison et tout avait tourné au chaos.

Don avait voulu qu'elle l'accompagne chez lui, mais elle avait refusé. Elle lui avait expliqué qu'elle avait besoin d'espace, ne se sentait pas à l'aise dans son mode de vie et préférait cesser de le voir.

— C'est toi qui me mens, et c'est moi qui me fais plaquer ! avait-il ragé. Incroyable !

— Je suis désolée, avait-elle dit avec sincérité. Ça ne pouvait pas marcher.

Elle avait des sentiments pour lui, mais cela ne suffisait pas.

Emporté par la colère, il l'avait informée qu'il était l'investisseur silencieux de Paradise. C'est lui qui avait fourni l'argent supplémentaire pour lancer l'entreprise.

Tant pis. Elle n'était même pas fâchée. Gregg lui avait enlevé toute capacité de réagir.

Le procès avait eu lieu des mois plus tard. Après une journée de délibérations, le jury avait prononcé sa sentence : homicide involontaire. Gregg avait écopé d'un emprisonnement de huit ans.

Dès la fin du procès, Cameron avait consulté un avocat et entamé les procédures de divorce. Six mois plus tard, elle était libre.

Le groupe de Paradise s'était rallié autour d'elle. Encore une fois, le travail devint toute sa vie.

Jusqu'à hier, lorsqu'une jeune actrice en train de soulever des haltères avec Cole avait mentionné la présentation du film de Ryan Richards ce soir.

Cameron avait décidé de ne pas accompagner Cole et les autres à la première de *Bleu saphir 2,* et de prendre un risque. Un gros risque. Un risque complètement insensé.

Peut-être que le lien entre Ryan et elle était le fruit de son imagination. Il était possible qu'il ne se souvienne même pas d'elle.

Elle se faufila dans la salle après le début du film et fut aussitôt captivée. *Anya* était une œuvre magnifique, sobre et extraordinairement puissante.

À la fin, les spectateurs applaudirent avec enthousiasme. Elle remarqua même quelques personnes qui essuyaient des larmes.

La jeune femme chercha Ryan des yeux et finit par le repérer. La superbe vedette du film l'enlaçait et l'embrassait.

Cameron sentit son ventre se serrer. Bien sûr qu'il était passé à autre chose. Pourquoi pas ?

Au moment où elle s'apprêtait à faire une sortie discrète, un jeune homme extirpa l'actrice des bras de Ryan, et ils partirent bras dessus, bras dessous.

Prenant une grande inspiration, Cameron se dirigea vers le réalisateur. D'autres admirateurs l'entouraient, lui serraient la main, lui tapaient dans le dos. Les accolades et les félicitations fusaient.

La jeune femme se plaça derrière une spectatrice corpulente qui attendait son tour pour le complimenter.

Puis il la vit.

Pendant un moment vertigineux, leurs regards se croisèrent, et elle sut que rien n'avait changé. Ils éprouvaient tous deux la même chose.

— Salut, dit-elle doucement.

— Salut, toi.

— J'ai adoré ton film.

— Ah bon ?

— Oui, dit-elle, notant que ses yeux étaient toujours de ce bleu intense qui lui coupait le souffle.

— Pourquoi t'a-t-il fallu tout ce temps pour me retrouver ? demanda-t-il, rempli d'optimisme et d'espoir.

Elle sourit. Un sourire rêveur et heureux.

— Par simple paresse.

Il l'attira vers lui, tout contre lui.

Et elle sut que c'était le début d'une aventure exceptionnelle.

Fin

EXTRAIT DE

L'héritière des Diamond

DE JACKIE COLLINS

Prologue

— Ton père veut te voir sur-le-champ.

— Hein? marmonna Jett Diamond d'une voix ensommeillée, son cellulaire plaqué contre son oreille.

Il faillit l'échapper en roulant dans son lit pour attraper sa montre : quatre heures du matin !

Dehors, une pluie froide tombait sur Milan. Les gouttes tambourinaient sur le puits de lumière de la salle de bains. La ravissante créature allongée à côté de lui s'étira.

— Qui c'est, *carino*? murmura-t-elle en posant un bras sur son torse.

— Rendors-toi ! lui ordonna-t-il.

D'un geste machinal, il prit une cigarette, l'alluma et tira une longue bouffée. Quelle était la raison de ce coup de fil nocturne de lady Jane Bentley, la compagne de longue date de son père? Il l'ignorait mais elle n'avait pas l'air de plaisanter.

— Vous avez vu l'heure? maugréa-t-il.

— Oui, Jett, répliqua lady Bentley d'une voix égale. Et je te le répète, ton père veut te voir. Tu es attendu chez lui, à Manhattan, vendredi matin, à neuf heures. Ton billet pour New York est à la réception du *Four Seasons*.

Elle marqua une pause qui en disait long avant d'ajouter :

— Arrange-toi pour ne pas lui faire faux bond, Jett. Tu as tout à y gagner.

Sur ces mots, elle raccrocha, sans lui laisser le temps de protester.

Merde ! Il n'avait jamais aimé cette femme : lady Jane Bentley, son accent britannique qui sonnait faux, ses manières qui se voulaient impeccables. Elle partageait la vie de son père depuis six ans. À la surprise générale, elle avait quitté son mari, lord James Bentley, un aristocrate anglais, pour le puissant Red Diamond. Turbulent, autoritaire, le milliardaire des médias avait déjà été marié quatre fois. À l'époque, le scandale avait fait les gros titres des journaux à potins.

Il réprima un soupir accablé. Red Diamond. Son père. Que pouvait-il bien lui vouloir ?

Max Diamond, le magnat de l'immobilier, était en plein souper mondain quand son téléphone se mit à vibrer. Où qu'il aille, il ne l'éteignait jamais. Ses associés à qui il vouait une confiance totale savaient qu'ils pouvaient l'appeler à toute heure du jour et de la nuit, pour n'importe quel problème. C'était ce qu'il voulait. D'ailleurs, comme il avait pris des engagements financiers risqués, il devait être joignable en tout temps pour gérer toute crise éventuelle.

Qui pouvait bien l'appeler à onze heures du soir ? Il jeta un coup d'œil discret à son téléphone et vit « lady Bentley » s'afficher à l'écran. Ils avaient beau vivre dans la même ville, il n'avait parlé ni à Red Diamond ni à Jane Bentley depuis des mois. Ils n'étaient pas un exemple de famille unie.

Que pouvait bien lui vouloir la maîtresse de son père ? Intrigué, il s'excusa et alla à la bibliothèque d'où il la rappela.

— Ton père veut te voir chez lui. Neuf heures, vendredi matin. C'est extrêmement important, Max.

Lady Bentley avait au moins une qualité : elle allait droit au but.

— À quel sujet ? s'étonna-t-il.

— Sois au rendez-vous et tu le sauras.

Max hocha la tête, irrité, et grommela :

— Je devrais pouvoir m'arranger.

— Tes deux frères arrivent en avion.

Il fronça les sourcils. La présence de ses frères donnait à penser que l'affaire était sérieuse. Leur père était-il mourant ?

Si c'était le cas, le plus tôt serait le mieux, se dit-il, sarcastique.

Chris Diamond s'entraînait dans son gym privé. À Los Angeles, si vous n'aviez pas votre propre espace équipé d'appareils à la fine pointe, vous n'aviez d'autre choix que de vous mélanger à la masse transpirante des centres d'entraînement publics. Autrement dit, vous n'aviez pas réussi ! Et Chris Diamond, l'un des avocats les plus appréciés de l'industrie du spectacle de Los Angeles, aimait se dire qu'il avait réussi. D'où cette salle de sport ultra perfectionnée, pourvue d'un système Hi-Fi spectaculaire et de trois écrans de télévision haute définition tapissant trois des murs. Le quatrième était une immense baie vitrée qui surplombait les lumières scintillantes de la ville.

La maison, à l'extrémité de Coldwater Canyon, était perchée à flanc de colline. Chris l'avait achetée pour son panorama époustouflant, puis il l'avait fait reconstruire et décorer de façon à satisfaire ses envies jusqu'au moindre détail. Perfectionniste, il aimait l'ordre et l'organisation. Cela lui apportait ce sentiment de sécurité qui lui avait cruellement manqué dans son enfance.

— Neuf heures vendredi matin, annonça lady Bentley.

— Je ne vais pas pouvoir.

Il sauta de son vélo stationnaire et passa une serviette d'un blanc immaculé autour de son cou.

— Pourquoi pas ?

— J'ai un rendez-vous important à Las Vegas que je ne peux pas remettre.

— Je te conseille de le repousser, répondit lady Bentley d'un ton placide. Tes frères seront là et ton père t'attend.

Après un silence, elle enchaîna :

— Je suis sûre que tu ne voudrais pas le décevoir.

Chris resta un instant perplexe.

— Il est malade ? finit-il par demander.

— Sois au rendez-vous, tu as tout à y gagner.

Sur cette phrase mystérieuse, elle raccrocha.

De sa main noueuse, Red Diamond prit une cigarette noire et l'alluma avec un briquet en or. À soixante-dix-neuf ans, il faisait tout à fait son âge. Son visage osseux était marqué et ridé. Enfoncés dans leur orbite, ses yeux d'un bleu délavé étaient soulignés de cernes noirs. Un nez aquilin et un menton volontaire laissaient entrevoir l'homme imposant qu'il avait été plus jeune.

Lady Bentley entra dans sa chambre. Il la toisa de la tête aux pieds. Comme toujours, elle était tirée à quatre épingles.

— Ils viennent ? demanda-t-il d'une voix hargneuse.

Jane Bentley fit oui de la tête. Que pouvait bien mijoter Red Diamond cette fois ? Elle aurait été curieuse de le savoir : tous les actes de son compagnon étaient calculés.

Il exhala un nuage de fumée âcre dans sa direction.

— Tu es sûre ? rugit-il.

— Certaine, affirma-t-elle en repoussant la fumée de la main, en prenant un air affligé.

— Tous les trois ? insista-t-il d'une voix rauque.

— Oui, affirma-t-elle sans se départir de son calme. Suivant vos instructions, je les ai tous appelés et ils seront là.

Un sourire rusé éclaira le visage buriné du vieil homme.

— Parfait. Que la fête commence…, murmura-t-il presque pour lui-même.

Lady Bentley hocha de nouveau la tête. Quand Red Diamond voulait quelque chose, personne ne se risquait à discuter, pas même elle.

Restait à savoir ce qu'il complotait. Elle aurait donné cher pour qu'il lui dévoile ses intentions. Mais elle était assez intelligente pour ne pas poser de questions. Red Diamond décidait toujours seul quand abattre ses cartes.

Comme les autres, elle devrait attendre pour satisfaire sa curiosité.

1

— Comment vous appelez-vous, ma belle? demanda l'homme au crâne chauve.

— Liberty, répondit la jeune serveuse.

Il la dévisagea, interloqué.

— Pardon?

— Liberty, répéta-t-elle.

C'est écrit sur mon insigne, imbécile! Tu ne sais pas lire?

— Quel drôle de prénom…

C'est pas vrai! Combien de fois on m'a dit ça? Gwyneth Paltrow et Chris Martin ont appelé leur bébé Apple. Courteney Fox et David Arquette, Coco. Et Liberty, c'est bizarre?

Ignorant le commentaire du chauve, elle remplit de nouveau sa tasse et s'éloigna. Furieuse, elle passa derrière le comptoir d'un pas vif et lâcha:

— Je déteste ce maudit boulot de serveuse!

Sa cousine Cindi, vingt-trois ans, originaire d'Atlanta, l'avait fait engager dans ce restaurant de Madison Avenue. Elle aussi voulait devenir chanteuse.

— N'oublie jamais que ça paye les factures, ma chouette! lui rappela-t-elle.

Bien en chair, la peau noire luisante, Cindi avait les chevilles épaisses, de bonnes fesses, une poitrine plantureuse et un large sourire engageant.

— C'est chanter qui devrait payer les factures, répliqua Liberty avec conviction. C'est ce que nous devrions faire.

— Et c'est ce que nous ferons quand nous pourrons avoir une audition, remarqua Cindi. Mais tant que nous sommes serveuses…

— Je sais, je sais, s'impatienta Liberty, agacée. Il faut gagner sa vie. Il faut payer le loyer.

Son air bougon n'affectait pas sa beauté remarquable. Avec une mère noire et probablement un père métis – un homme dont sa mère refusait de parler, encore moins de révéler l'identité –, elle avait la peau couleur café au lait. Sa longue chevelure brune, soyeuse, encadrait un visage en forme de cœur qu'éclairaient des yeux verts en amande ombrés de cils d'une longueur invraisemblable. Ses pommettes saillantes, son petit nez droit et ses lèvres pulpeuses en rehaussaient la perfection.

Cindi ne cessait de lui dire qu'elle ressemblait à Halle Berry. C'était pénible. Elle se considérait comme un modèle original et ne voulait pas être comparée aux autres femmes, même les plus belles et les plus riches. Elle avait dix-neuf ans et elle avait tout le temps de réussir.

Quoique… Il lui arrivait de douter. Parfois, elle se réveillait au beau milieu de la nuit en sueur, le cœur battant. Et si son talent n'était jamais découvert? Si personne n'écoutait ses chansons, ne l'entendait chanter? Et si elle finissait comme sa mère, une chanteuse ratée qui faisait des ménages toute la journée?

Elle aurait bientôt vingt ans et depuis qu'elle avait quitté l'école, quatre ans plus tôt, il ne se passait rien. Oui, elle avait fait une démo, elle avait décroché quelques contrats de choriste, mais pas autant qu'elle l'aurait souhaité. Et jamais un producteur ne s'était présenté pour lui dire: «Chérie, tu es celle que je veux. Je te signe un contrat sur-le-champ. Tu seras la prochaine Alicia Keys ou Norah Jones, tu n'as plus qu'à choisir ton nom de scène.»

Mais où étaient Clive Davis ou P. Diddy quand elle avait besoin d'eux?

— Mademoiselle!

Une voix aiguë de femme la ramena à la réalité. Une cliente en colère essayait d'attirer son attention. Elle se dirigea vers elle de sa démarche chaloupée. Au moins, elle avait de la personnalité, on ne pouvait pas lui enlever ça.

— Oui?

— Vous savez depuis combien de temps j'attends? lui lança la femme. Où sont mes œufs?

Vêtue d'une imitation de tailleur Armani, elle avait les traits anguleux et serrait un faux sac Vuitton sur ses genoux.

Aucune classe! se dit Liberty. *Quand on ne peut pas se payer un vrai Vuitton, autant laisser tomber.*

L'homme assis avec elle ne dit rien. Apparemment, ses œufs à lui n'étaient pas si urgents.

— Je suis désolée, déclara-t-elle, son intonation voulant dire : «Je m'en contrefiche.» Ce n'est pas moi qui s'occupe de votre table.

Elle refusait de dire : «Je ne suis pas votre serveuse.» C'était humiliant, surtout avec ce genre d'abrutie.

— Alors appelez-moi la personne qui s'en occupe, lui intima la cliente avec mépris. Ça fait un quart d'heure que j'attends.

— Très bien, acquiesça Liberty, nonchalante.

Un instant, leurs yeux se croisèrent. La femme la détestait parce qu'elle était belle. Cela lui arrivait tout le temps. Si elle était Beyoncé Knowles ou Janet Jackson, les autres femmes ne la détesteraient pas, elles lui lécheraient les bottes, comme tout le monde le fait avec les stars.

Un jour, Mariah Carey était entrée dans le restaurant accompagnée de tout son personnel et de deux Noirs costauds, les gardes du corps qui ne la quittaient jamais. Un vent de panique avait balayé la place. Les paparazzis étaient apparus et, en dix minutes, une foule s'était formée devant les vitrines. Un peu plus et ils les brisaient.

Voyant que Manny Goldberg, le propriétaire, commençait à s'énerver, sa femme, Golda, avait jugé plus prudent de faire passer Mlle Carey et son groupe dans la cuisine. Très affable, la star avait bu une tasse de thé vert, signé des autographes et discuté aimablement avec les deux chefs hispaniques. Un instant, l'idée d'aller la voir avait effleuré Liberty. Mais à la fin, elle avait manqué de courage. Cindi, en revanche, était rentrée avec un autographe de la diva sur une serviette en papier qu'elle avait rangée dans son tiroir de sous-vêtements, à côté des paquets de condoms de couleurs et de tailles variées. Cindi était une fille prévoyante.

Alors que Liberty s'éloignait de la table, elle entendit la femme chuchoter à son compagnon :

— Petite garce mal élevée. Pour qui se prend-elle ?

Liberty ne releva même pas. Elle avait été traitée de bien pire.

En jetant un coup d'œil vers la porte, elle aperçut M. Hip-Hop en personne qui entrait. L'espace de quelques secondes, elle retint sa respiration. C'était la troisième fois qu'il venait cette semaine. Il s'asseyait toujours à l'une de ses tables et lui laissait un pourboire généreux, même s'il ne lui parlait jamais autrement que pour lui donner sa commande.

Elle connaissait son nom. C'était Damon P. Donnell, le roi du hip-hop et le patron de la maison de disques Donnell Records. Il avait emménagé dans des nouveaux bureaux situés tout près du restaurant où, manifestement, il adorait déjeuner.

Elle savait aussi que ce Noir au sourire irrésistible avait trente-six ans. Il portait toujours des lunettes de soleil de marque et un diamant dans l'oreille, et en général des espadrilles Nike et un habit branché sur un T-shirt en soie. Il avait la réputation d'encourager les nouveaux talents. Surtout des rappeurs, en fait, comme lui jadis. Mais sauf pour participer à quelques galas de bienfaisance, il ne se produisait plus sur scène.

Deux ans auparavant, il avait épousé une princesse indienne originaire de Bombay. Dommage ! Aucune chance de l'avoir de cette façon. Même s'il n'avait pas d'enfant. Liberty s'interdisait toute aventure avec un homme marié.

Sa femme passait son temps dans les boutiques. Apparemment, elle avait converti en garde-robe personnelle trois chambres de leur tentaculaire *penthouse* qui, situé au soixante-sixième étage d'un immeuble du West Side, offrait une vue splendide sur New York.

Pourtant, la première fois que Liberty avait vu Damon P. Donnell, elle n'avait pas la moindre idée de qui il était.

— Il faut que je couche avec ce type, avait-elle chuchoté à Cindi. C'est une vraie bombe.

Le monde du spectacle n'avait aucun secret pour Cindi, qui dévorait tous les magazines et journaux consacrés aux vedettes et qui, chaque jour, écoutait des émissions comme *Access, E.T., Extra* et *E !* Elle s'était donc fait un plaisir de lui dresser le portrait du rappeur.

— Ce type est célèbre, marié, riche, l'avait-elle informée. C'est les ligues majeures, pas du tout quelqu'un pour toi ! Oublie-le, ma grande ! Malgré ses airs de séducteur, il ne cherche pas.

Parfois, Cindi lui compliquait la vie. Pour punir sa cousine, même si ça lui coûtait, elle mettait un point d'honneur à ne jamais lui parler de leur prestigieux client.

Aujourd'hui, il était accompagné d'un homme d'affaires blanc qui semblait discuter de gros contrats. Très animé, il agitait beaucoup les bras. Au moment où Liberty s'apprêtait à se diriger vers leur table, Cindi surgit et lui donna un petit coup de coude.

— La huitième merveille du monde est de retour, dit-elle. Encore une fois. Peut-être que je me suis trompée. Peut-être que tu as une chance avec lui. Si j'étais toi, j'essaierais.

Ignorant la suggestion, Liberty se contenta de répondre :

— La mégère à la table quatre veut ses œufs. Tu ferais bien d'y aller avant qu'elle fasse un scandale.

— Je m'en occupe, répondit Cindi sans s'affoler le moins du monde. Dire que j'ai oublié sa commande. Dommage, non ?

Liberty lui adressa un sourire complice et se dirigea vers la table de Damon. Sans lever la tête, les yeux rivés sur le menu comme si c'était la toute première fois qu'il le lisait, il commanda :

— Un café, un grand jus d'orange, une omelette de blancs d'œufs et des tranches de bacon à part.

— La même chose pour moi ! dit l'autre homme, sans doute son associé.

Elle hésita un instant. Si seulement Damon avait pu lui accorder un regard. Hélas, il l'ignorait. Contrairement à l'autre type qui, de ses petits yeux, la détaillait sans gêne de la tête aux pieds.

— Bien sûr, monsieur Donnell, lança-t-elle pour lui faire comprendre qu'elle savait qui il était. Le café et le jus d'orange tout de suite. L'omelette et le bacon suivent. Croustillant, c'est bien ça ?

Il finit par lever les yeux. Visibles à travers ses verres teintés, ils se posèrent sur l'insigne au-dessus de son sein droit. Toujours silencieux, il acquiesça d'un petit hochement de tête.

Elle regagna le comptoir pour aller chercher une cafetière. Et si elle en profitait pour leur apporter sa démo ?

Non, c'était trop tôt. Elle devait développer une relation. Le genre client-serveuse détendue.

Eh oui, avec lui, elle voulait bien être une serveuse, ce n'était pas comme avec cette Blanche snob qui n'arrêtait pas de se plaindre.

— Mademoiselle ! hurla justement celle-ci. Nous attendons toujours. Où sont mes œufs ?

Elle fut tentée de lancer: «Enfoncés dans tes vieilles fesses desséchées où personne ne les trouvera!»

Mais elle s'arrêta juste à temps. Manny et Golda n'approuveraient pas. Pour des patrons, c'était des gens bien. Et puis, elle ne voulait pas se faire renvoyer. Tout comme Cindi, elle avait besoin de ce travail. Comme d'habitude, elles étaient en retard pour payer le loyer. Et les factures s'accumulaient. Elles n'arrivaient jamais à être à jour.

Avant de travailler au café, elle avait essayé plusieurs emplois. Tous horribles. Serveuse était de loin le mieux, même si ses pieds souffraient le martyre. En général, elle faisait les horaires de jour et gardait ses soirées libres pour écrire des chansons et traîner avec ses amis musiciens, dont son copain du moment, Kev, un guitariste. Ils étaient ensemble depuis quelques mois. C'était un type sympathique, mais rien de sérieux. Elle ne croyait pas aux relations sérieuses, pas avant d'avoir construit sa carrière.

— Ça s'en vient! hurla-t-elle de l'autre extrémité de la salle à l'horrible cliente.

— J'espère bien, maugréa cette dernière d'un air revêche pour bien montrer à tous à quel point elle était mécontente.

Assis seul à une table en coin, un habitué d'un certain âge l'appela.

— Excusez-moi, Liberty. Pourrais-je avoir un autre café?

Elle lui décocha un sourire et lança la réponse la plus courante de son vocabulaire:

— Tout de suite!

Un pot de café frais à la main, elle remplit la tasse de l'homme et repartit vers la table de Damon. Au moment où elle arrivait, un petit garçon qui jouait par terre fit rouler sa petite voiture devant elle. Elle trébucha sur le jouet et tomba la tête la première. *Boum!* La cafetière se brisa sur le sol. Le liquide lui brûla le bras, elle sentit que sa cheville droite était tordue sous elle.

Dans un silence de plomb, tous regardèrent la cafetière brisée. Les quatre fers en l'air, Liberty se sentait aussi idiote que maladroite. Au bout d'un instant, les conversations reprirent.

Pendant quelques secondes, elle resta désemparée. Mais le rire dédaigneux de l'abominable cliente agit comme un déclic sur elle. Malgré sa cheville et son bras douloureux, elle s'empressa de se relever.

Heureusement, Cindi et M. Client Régulier s'étaient précipités à sa rescousse. L'homme l'aida à s'installer sur une chaise pendant que Cindi ramassait le verre brisé et nettoyait le café renversé.

— Ça va? demanda M. Client Régulier avec sollicitude.

Son inquiétude semblait sincère. Réprimant ses larmes, elle hocha la tête et jeta un coup d'œil discret dans la direction de Damon. Sans un regard pour elle, il continuait de parler, tandis que le diamant à son oreille brillait sous la lumière des néons.

Elle n'avait pas moins envie de pleurer. Son bras était en feu, sa cheville l'élançait et Damon P. Donnell n'avait même pas remarqué son existence. La vie finirait-elle par lui sourire un jour?

Il fallait que sa chance tourne! Elle en avait désespérément besoin.

2

Jett Diamond avait toujours eu un succès fou avec les femmes. Elles succombaient toutes devant ses yeux bleu limpide, ses pommettes saillantes, ses cheveux blond cendré qui lui retombaient sur le front, son corps athlétique et son air arrogant.

Il en profitait pleinement. Séduire une femme n'était jamais un problème. Le problème, c'était de s'en débarrasser. Elles entraient dans sa vie. Elles restaient. Elles voulaient plus. Alors que tout ce qu'il demandait, c'était de les voir quitter son appartement sans larmes, de lui épargner leurs crises d'hystérie.

Quand il annonça à Gianna qu'il devait partir pour New York, elle ne s'effondra pas comme une hystérique. Mannequin, Gianna était une Italienne dynamique et pleine d'assurance ; elle était certaine qu'il serait rentré avant même qu'elle commence à s'ennuyer de lui.

Jett était arrivé en Italie trois ans plus tôt. À l'époque, il n'avait pas un sou et tentait de se sortir de ses problèmes d'alcool et de drogue. En l'espace de quelques mois, il avait réussi à se remettre d'aplomb grâce à un programme de désintoxication, avait signé un contrat dans une agence de mannequins et n'avait pas mis longtemps à se faire un nom. On le voyait dans des publicités pour des marques de cigarettes et d'alcools populaires, des voitures de luxe ou des costumes de grands couturiers. L'objectif de l'appareil photo saisissait bien cette combinaison unique de charme et d'insouciance indolente qui faisait la réputation de Jett. Les Italiennes craquaient toutes pour son air de mauvais garçon.

Mannequin n'était pas la plus virile des professions mais c'était un métier qui lui permettait de vivre de façon décente. Cela lui évitait de demander à son radin de père milliardaire et à ses deux demi-frères de lui faire la charité.

Quand Jett avait déménagé en Italie, il avait pris ses distances par rapport à eux. Il s'en félicitait. Personne ne faisait le lien entre la famille Diamond et lui. D'autant plus qu'il n'utilisait que son prénom : Jett. Mannequin américain à Milan. Il tenait à son anonymat.

Gianna le conduisit à l'aéroport dans sa Lamborghini jaune étincelant, un cadeau de l'un de ses ardents admirateurs. Jett et elle avaient une relation fondée sur l'indépendance, ce qui leur convenait parfaitement à tous les deux. Ni elle ni lui ne souhaitaient s'engager.

Avant de quitter l'appartement, elle lui avait fait une fellation remarquable. Il avait savouré chaque seconde. Normal. Avec ses délicieuses lèvres pulpeuses et sa langue si habile, elle savait satisfaire un homme. Il ne l'aimait pas. Mais il aimait beaucoup les faveurs dont elle le gratifiait.

Au moment de monter dans l'avion, il repensa à son père. Que pouvait-il bien lui vouloir ? Trois ans sans le moindre contact. Puis, soudain, cet appel de lady Jane.

Une petite voix intérieure lui soufflait qu'il n'était pas obligé d'y aller, mais sa curiosité était piquée. Il s'agissait de Red Diamond, et quand Red Diamond appelait, tout le monde accourait, même lui. Il en avait toujours été ainsi.

* * *

Jett avait cinq ans. Il était intelligent, même si son père le jugeait limité.

Ils passaient des vacances en famille dans la ferme de Toscane : sa mère, la sublime Edie, ancienne mannequin au visage exquis ;

son demi-frère de treize ans, Chris, qu'ils ne voyaient que rarement. Et Red, un homme que, même tout petit, Jett craignait.

Jett était monté dans un arbre dont il n'arrivait plus à descendre. Plus tôt dans la journée, Nanny, sa gouvernante aux traits sévères, le lui avait interdit. Mais quand il avait vu Chris escalader l'énorme chêne comme un singe, il avait voulu faire pareil.

Maintenant, il était coincé en haut, agrippé à une branche, et il avait peur. Si peur que des larmes coulaient le long de ses joues et que ses petites jambes robustes tremblaient.

— Fais venir un des gardiens pour qu'il monte le chercher, supplia Edie en serrant son verre de Martini.

— Sûrement pas ! rugit Red. Il est monté tout seul, il descendra tout seul.

— Mais il pourrait tomber, protesta Edie.

Elle buvait de petites gorgées pour tromper son anxiété.

— Cela lui servira de leçon, à ce petit crétin.

— Il n'a que cinq ans, remarqua sa mère, ses mains délicates tremblant tellement que les glaçons tintaient contre la paroi du verre.

— Il est assez grand pour savoir ce qu'il fait, rétorqua Red d'une voix dure.

— Je vais monter le chercher, proposa Chris. C'est facile.

— On t'a rien demandé, imbécile ! hurla Red, en le foudroyant du regard.

Prudent, Chris s'éclipsa.

Une heure passa. La nuit tombait, des nuages se formaient à l'horizon, annonçant la pluie. En équilibre précaire, Jett s'accrochait toujours à la branche. Red avait envoyé tout le monde à l'intérieur et se dirigeait vers la maison.

— Papa ! hurla Jett, le visage déformé par la peur. Ne me laisse pas. Papa ! J'ai peur. Papa ! Aide-moi ! S'il te plaît.

Red se retourna et leva la tête vers le petit garçon aux yeux écarquillés de terreur.

— Leçon de vie numéro un, gronda-t-il, ne jamais se mettre dans une situation sans issue. Tâche de t'en souvenir, espèce de morveux !

Plus tard, quand il avait été sûr que tout le monde dormait, Chris était sorti en cachette de la maison, avait rejoint son frère qui sanglotait dans l'arbre et l'avait aidé à en descendre.

Le lendemain matin, Red leur avait infligé une correction mémorable de sa canne à pommeau d'argent et Chris avait été renvoyé aux États-Unis par le premier avion.

Par la suite, Jett avait souvent regretté que son grand frère ne soit pas là pour voler à son secours. Car l'incident de l'arbre n'avait été qu'un début.

***

Max Diamond était impatient de savoir ce que Red pouvait bien vouloir. Probablement que le vieil homme était en train de mourir d'une maladie quelconque et qu'il souhaitait se racheter pour la façon dont il traitait tout le monde depuis des années. Tout particulièrement ses trois fils qu'il avait pratiquement toujours ignorés.

À quarante-trois ans, Max était un beau brun ténébreux, doublé d'un homme d'affaires extrêmement riche. Il avait gravi les échelons tout seul, sans l'aide de son père. En fait, être le fils de Red Diamond l'avait toujours desservi. Quand il avait commencé dans l'immobilier à New York, les gens croyaient qu'il avait beaucoup d'argent. Son père ne lui avait cependant jamais donné un sou. Il avait fait fortune à la sueur de son front.

Travailler fort avait été payant pour Max, et il n'avait jamais rechigné à la tâche. Aussi, avait-il réussi à se construire un véritable empire. Mais aujourd'hui, deux banques avaient décidé de se retirer d'un énorme projet d'immeubles déjà en chantier dans Lower Manhattan.

Des milliards de dollars étaient en jeu et s'il ne trouvait pas du financement au plus vite, il risquait la faillite.

Max était l'aîné des frères Diamond. Chris avait trente-deux et Jett, le petit dernier, vingt-quatre. Aucun d'entre eux n'avait la même mère. Rachel, la mère de Max, était morte peu de temps après sa naissance. Celle de Chris, Olivia, avait péri dans un accident d'avion. La mère de Jett, Edie, vivait au fin fond de Montauk où elle s'adonnait à une sérieuse consommation de vodka et de très jeunes amants.

La vie dissolue d'Edie Diamond n'était un secret pour personne. Et qui était responsable de cette déchéance ? Red Diamond, bien entendu. Le vieil homme n'avait aucun respect pour les femmes. Il les traitait de façon lamentable. Il suivait toujours le même schéma : les conquérir, les épouser, les briser. Il avait anéanti Edie.

Max avait fait une tentative de mariage. Et avait fait l'expérience d'un très coûteux divorce new-yorkais. Son ex, Mariska, une Russe, blonde, au regard glacial, qui ne vivait que pour lire son nom dans les rubriques de la presse à potins, n'avait pas montré la moindre intention de disparaître sans faire de vagues malgré l'énorme somme d'argent qu'elle avait reçue après la rupture.

Ils avaient une très jolie petite fille de cinq ans, gâtée pourrie, Lulu. Mariska et Lulu habitaient un *penthouse* de luxe dans l'un des immeubles des Diamond, qui était inclus dans la généreuse indemnité du divorce.

Max passait presque toutes les fins de semaine avec sa fille, qu'il adorait. Tous deux s'entendaient à merveille et s'amusaient beaucoup. À bord du jet privé de Max, ils se rendaient à Disney World, en Floride, ou faisaient un saut aux Bahamas, où ils se lançaient dans les glissades d'eau de l'*Atlantis*, l'hôtel préféré de la fillette. Lulu ne se lassait pas de la compagnie de son père et c'était réciproque.

Les récentes fiançailles de Max avaient provoqué la colère de Mariska. Elle avait toujours été certaine de se remarier avant lui.

— Quel est l'intérêt pour toi? avait-elle demandé avec dédain. Tu n'as pas besoin d'une autre femme.

Qu'elle aille au diable! Il allait se remarier et, cette fois, il ferait en sorte que son mariage dure. Il n'avait pas la moindre intention de finir comme son père: Red avait trois ex-femmes et trois fils à qui il avait toujours montré la plus grande indifférence.

* * *

Max avait seize ans. Il s'apprêtait à aller chercher Rosemary, une jolie fille au sourire éblouissant avec qui il sortait depuis un an, pour l'amener au bal des finissants de leur école. Elle était splendide dans sa robe rose, avec des fleurs dans ses cheveux. Max avait tout prévu. C'était le grand soir. Ils s'étaient déjà beaucoup tripotés, mais ils n'étaient jamais allés jusqu'au bout. Cette fois, il en était sûr, elle le laisserait faire. Ils en avaient parlé assez souvent. De plus, il avait des condoms dans sa poche. Il était donc prêt.

Le bal avait été une réussite. Ils avaient dansé toute la soirée, avaient beaucoup bu et, dans la limousine qui les ramenait vers la 68ᵉ Rue, Rosemary l'avait laissé la caresser. Red et Olivia, sa belle-mère, étaient en voyage à l'étranger, et son demi-frère de cinq ans, Chris, était seul à la maison avec sa gouvernante. Aussi lui semblait-il logique d'amener Rosemary chez lui plutôt que dans quelque hôtel minable.

Dans la bibliothèque, avec la bande sonore de Grease *en musique de fond – Olivia Newton John et John Travolta braillant «You're the One that I Want» en stéréo –, ils étaient passés aux choses sérieuses. Max, fébrile, avait baissé le bustier de la robe de Rosemary sur ses hanches et remonté sa jupe. Ses seins ronds, voluptueux, lui donnaient envie d'y enfouir la tête, et l'abondance de ses poils pubiens le surprit.*

Ce soir, ils allaient enfin faire l'amour. Pour lui comme pour elle, ce serait la première fois.

Au moment même où il déroulait un préservatif, Red Diamond entra en trombe dans la pièce et alluma toutes les lumières.

— Papa! bafouilla Max, essayant désespérément de dissimuler son érection dans son pantalon. Je te croyais en voyage.

— Vraiment? persifla Red en regardant Rosemary.

Au comble de l'embarras, la jeune fille ne savait pas si elle devait commencer par couvrir ses seins ou baisser sa jupe.

— Enfin, papa! bredouilla-t-il. Nous nous apprêtions à partir. Je... je ne voulais pas...

— Décampe, espèce d'obsédé! l'interrompit Red sans quitter Rosemary des yeux. Je vais m'assurer que la demoiselle rentre chez elle sans encombre.

— Mais...

— File! Petit salaud, excité, le coupa-t-il d'un ton brusque. Immédiatement!

Honteux, Max avait laissé sa petite amie à moitié nue seule avec son père et s'était éclipsé dans sa chambre, en caleçon.

Le lendemain matin, il avait téléphoné à Rosemary. Elle avait refusé de lui parler. Il avait réessayé les jours suivants, sans succès. Sa mère avait fini par lui annoncer d'un ton pincé qu'elle était partie en voyage en Europe, pour une durée indéterminée, et l'avait prié de cesser de l'importuner.

Quatre ans plus tard, alors qu'il était à l'université, il était tombé par hasard sur Rosemary à une fête. Elle avait tout d'abord essayé de l'éviter. Il avait quand même fini par découvrir la vérité sur cette triste soirée. Selon Rosemary, une fois seule avec elle, Red l'avait brutalisée, avant de la violer à plusieurs reprises, jusqu'à ce qu'elle s'évanouisse. Quand elle avait repris connaissance, il l'avait renvoyée chez elle en taxi en la menaçant de représailles si elle racontait à quiconque ce qui s'était passé. Incapable de garder le silence, elle avait tout dit à ses parents. Bien entendu, son père s'était précipité chez Red pour lui régler son compte.

Après une longue dispute, Red avait accepté d'acheter le silence des parents de Rosemary en leur versant une somme généreuse.

— Pourquoi ne m'as-tu rien dit ? avait demandé Max. Pourquoi n'es-tu pas allée le dénoncer à la police ?

Rosemary avait haussé les épaules avec une désinvolture qu'il savait feinte. Son regard douloureux trahissait son traumatisme.

— Nous savons tous les deux que ça n'aurait rien donné, avait-elle dit. Ton père a le bras long. Pas le mien.

Ainsi, Red Diamond avait pu en toute impunité violer une fille de seize ans. Et pas n'importe quelle fille. Le premier grand amour de Max.

Quand il avait mis Red au pied du mur, son père lui avait ri au nez.

— Elle me suppliait, mon garçon, s'était-il esclaffé. Elle en bavait. Elle avait besoin d'un homme, d'un vrai, pas d'un incapable comme toi.

— Mais c'était ma copine, papa. MA COPINE.

— Que cela te serve de leçon en ce qui concerne les femmes, l'avait sermonné Red. Tu ne peux jamais leur faire confiance. Jamais ! D'une manière ou d'une autre, ce sont toutes des putains. Tu l'apprendras bien assez vite.

Ils n'avaient plus jamais abordé le sujet.

***

Le nouveau client de Chris, le célèbre acteur Jonathan Goode, était sur le point de faire la tournée de plusieurs villes européennes pour promouvoir son film. Le jet aimablement fourni par le studio de cinéma pour transporter la star de l'autre côté de l'Atlantique faisait une escale à New York. Chris en profita donc pour se rendre au rendez-vous familial.

Malgré sa renommée internationale, Jonathan Goode, un homme agréable et discret de trente-cinq ans environ, ne semblait pas avoir un ego surdimensionné. Ce qui ne l'empêchait pas d'être accompagné de l'entourage dévoué à toute vedette : son gérant aux yeux de faucon ; son agente ; une attachée de presse autoritaire ; un entraîneur personnel très musclé ; une styliste lesbienne ; son chef personnel français ; et deux assistants d'une efficacité extrême. Sans oublier sa copine du moment, une Arménienne aux cheveux bouclés qui parlait très peu l'anglais et souriait beaucoup, surtout aux paparazzis.

Les rumeurs sur la sexualité de Jonathan allaient bon train. Était-il homosexuel ? Bisexuel ? Ou pas intéressé par le sexe, tout simplement ?

Chris l'ignorait et il s'en fichait. Jonathan était un type sympathique, sans prétentions, et ce qu'il faisait ou ne faisait pas au lit ne regardait que lui.

— Pourquoi ce voyage de dernière minute ? lui demanda Jonathan en s'installant dans un confortable siège de cuir, tandis qu'une hôtesse et un agent de bord très séduisants s'affairaient autour d'eux.

— Raisons familiales, lui répondit-il en attachant sa ceinture.

— Une ex-femme ? Une mère ? Des sœurs ? s'enquit l'acteur avec un intérêt poli.

— Je n'ai pas d'ex-femme. Ma mère est morte et je n'ai pas de sœurs.

Avec un sourire en coin, Jonathan déclara :

— J'ai trois sœurs plus âgées. Elles m'ont tout appris sur les femmes, et je suis toujours aussi dérouté.

Chris sourit à son tour. Il n'avait pas de mal à comprendre l'adoration que les femmes du monde entier vouaient à Jonathan Goode. Il était doté de ce physique un peu juvénile, typique de certains Américains. Tout comme Kevin Costner ou Tom Cruise, son aura de héros séduisait ses *fans* des deux sexes.

L'un des assistants arrivait vers eux d'un pas décidé.

— Excuse-moi, Jonathan, dit-il en lui tendant un téléphone, c'est Les Moonves qui veut te dire un mot.

Tandis que l'acteur prenait la communication, Chris se mit à feuilleter un magazine qui, en couverture, montrait Jonathan, plus beau que jamais, faisant semblant de pratiquer un art martial.

Chris était content de voir que l'acteur semblait totalement ignorer qu'il était le fils du célèbre Red Diamond. Il n'avait jamais essayé de s'en cacher, mais il n'en parlait pas. Avec ceux qui se montraient curieux, il changeait de sujet. Et à présent qu'il était l'un des plus brillants avocats de Los Angeles, personne ne posait plus de questions.

Il avait néanmoins traversé bien des épreuves. Il avait dix ans quand Olivia, sa mère, refusant de supporter les infidélités constantes de Red, avait demandé le divorce. Elle avait déménagé en Californie où elle avait rencontré Peter Linden, un avocat extrêmement riche, qu'elle avait épousé. Linden n'était pas intéressé par l'enfant de sa nouvelle et très belle femme, aussi, la mort dans l'âme, Olivia avait-elle fait passer son second mari avant son fils. Chris s'était retrouvé dans un collège militaire très strict, où, malgré la brutalité quotidienne, il avait réussi à survivre. Puis il était allé à l'université et, enfin, conseillé par son beau-père, il avait étudié en droit.

Il n'était pas dupe. Il savait que pour Peter Linden, tous les prétextes étaient bons pour se débarrasser de lui. Pourtant, l'idée de faire son droit ne l'avait pas rebuté. Ayant observé le train de vie luxueux de son beau-père, il était attiré par le métier d'avocat. Les questions légales de l'industrie du spectacle l'intéressaient, d'autant plus qu'il avait l'intention de s'installer à Los Angeles, une ville à laquelle il s'était attaché. Il y faisait beau, les femmes y étaient très belles et très libres. Que demander de plus ?

Il voyait Red deux fois par an. Cela lui suffisait amplement. Le jour où il avait passé son examen du barreau, sa mère, qui venait le rejoindre pour fêter son diplôme, avait péri dans un accident d'avion privé. Son beau-père, anéanti par le chagrin, l'en avait tenu responsable et avait coupé tout lien avec lui. Il n'avait manifestement pas mis longtemps à se consoler car, six semaines plus tard, il s'était remarié avec une célèbre actrice de cinéma, une blonde au style clinquant.

Quelques semaines après l'enterrement, Chris avait appelé son père dont il n'avait pas eu de nouvelles depuis qu'il lui avait annoncé la mort d'Olivia.

— Qu'est-ce que tu me veux encore ? avait tonitrué Red. De l'argent ? Dommage ! Tu n'obtiendras pas un sou de moi. J'ai financé toutes tes études. C'est plus qu'assez. Alors maintenant, bouge tes fesses et travaille pour gagner ta vie, comme j'ai été obligé de le faire. Tu n'obtiendras rien sur un plateau d'argent. Commence par réussir quelque chose, après tu pourras me téléphoner.

Typique de Red Diamond. « Tu viens de perdre ta mère ? Et alors ? Retourne travailler, paresseux ! »

Déçu mais pas surpris par l'attitude de son père, Chris avait emménagé avec des camarades d'université. Quelques mois plus tard, il avait décroché un emploi au cabinet juridique Century Law et avait commencé à grimper les échelons, bien déterminé à prouver à son père comme à son beau-père qu'il pouvait très bien se passer de leur argent et de leur aide pour réussir.

Grâce à une brève liaison avec une cliente du cabinet, une actrice de quarante-cinq ans, la chance avait tourné en sa faveur. Hollywood est une ville cruelle pour les femmes vieillissantes. C'est justement parce que la carrière de cette femme déclinait et qu'elle semblait ne pas avoir d'avenir qu'il avait hérité de son dossier. D'une très grande beauté, avec sa fragilité à fleur de peau, elle lui rappelait Olivia.

Relancer la carrière de cette comédienne était un défi de taille, comme les adorait Chris. À la surprise de tous, à commencer par la principale intéressée, il réalisa l'impossible : il lui négocia un contrat dans une nouvelle série télévisée qui devint extrêmement populaire. D'actrice déchue, elle était passée au statut de cliente qui valait de l'or. Et, le plus important, elle était *sa* cliente.

Chris quitta ses colocataires et entreprit sa vertigineuse ascension professionnelle. Un an plus tard, on lui proposa de s'occuper d'un dossier très important, car il avait un don pour ferrer les gros poissons. Peu de temps après, on lui offrit de devenir l'un des associés du cabinet. Il était jeune, séduisant, et travaillait à Hollywood. Quand il téléphona à Red pour lui annoncer sa promotion, il perçut une satisfaction réticente dans sa voix.

« Tu vois, fut-il tenté de lui dire, je n'ai pas eu besoin de toi pour réussir. »

Mais il préféra se taire, attendant patiemment d'entendre des félicitations sortir de la bouche même de son père.

Avant de quitter Los Angeles, Chris avait annulé son voyage à Las Vegas. Une décision qui avait beaucoup contrarié Roth Giagante, le propriétaire du *Magiriano Hotel*.

— Tu es censé être ici cette semaine, avec mon argent, avait-il fulminé. Nous avons un accord ! Et je ne m'entends pas avec les gens qui ne tiennent pas leurs engagements.

— J'ai une urgence à New York que je suis obligé d'aller régler, avait répondu Chris. Je serai à Las Vegas dimanche. Tu as ma parole.

— Tu as intérêt, sinon, tu vas avoir affaire à une autre sorte d'«urgence». Je me fais bien comprendre?

Oh! oui, il comprenait. En échange de certains privilèges que lui fournissait Roth Giagante, Chris permettait à celui-ci de côtoyer des vedettes et de flirter avec le monde du spectacle. Mais, depuis quelque temps, Chris avait perdu beaucoup au jeu et Roth voulait son argent. En liquide. Six cent mille dollars pour être précis: une énorme somme à trouver.

Roth serait payé. Un jour. Même si, en vérité, il n'avait réussi à rassembler que deux cent cinquante mille dollars qui étaient cachés dans le coffre de sa maison de Los Angeles. Il espérait que Roth lui laisserait un peu plus de temps. C'était un homme plutôt décontracté et il comptait le calmer en lui promettant de recommander son établissement à certains de ses célèbres clients. Comme toutes les grosses légumes de Las Vegas, il était une vraie groupie.

Oui, Las Vegas l'avait perdu. Il avait gagné beaucoup d'argent mais, ces trois derniers mois, il avait tout flambé à la roulette. Malgré la gravité de la situation, il semblait incapable de s'arrêter. Il était devenu accro, une dépendance qui l'étranglait.

Quand Jonathan mit fin à sa conversation téléphonique, ils étaient dans les airs, en route pour New York. L'acteur se leva et adressa un signe de la tête à sa copine, qui le suivit dans sa cabine. Il referma la porte derrière eux. Manifestement, reprendre leur conversation n'était pas au programme de la vedette. Chris s'en foutait. En fait, cela l'arrangeait plutôt. Il avait eu une semaine stressante. Tout en essayant de réunir l'argent pour payer Roth, il avait dû continuer de gérer les affaires de ses clients, des gens exigeants qui n'hésitaient pas à l'appeler à toute heure du jour et de la nuit. D'ailleurs, ce n'était pas du tout du goût de sa dernière conquête, Verona, une professeure de pilates asiatique, dotée d'un physique exotique et de mains magiques. Verona voulait emménager avec lui. Jusqu'ici, Chris avait résisté. Il aimait vivre seul. Quel mal y avait-il à cela ?

Il était content toutefois que Verona ne soit pas une actrice et qu'elle n'ait aucune ambition de ce genre. C'était tant mieux ! Il avait récemment mis fin à une brève liaison qu'il avait eue avec Holly Anton, la star de séries télévisées. Non seulement Holly s'était révélée folle à lier, mais elle était responsable de son nouvel engouement pour le jeu. Elle adorait Las Vegas, la ville où elle avait grandi, et ils n'avaient pas tardé à y passer toutes leurs fins de semaine.

Elle ne lui manquait pas. Il n'avait pas tardé à en avoir assez de son appétit sexuel insatiable, de ses accès de dépression profonde et de sa paranoïa concernant sa carrière. C'est pour faire face à ses constantes sautes d'humeur qu'il avait fui dans le jeu. Un virus qui ne l'avait plus quitté. Il étouffa un soupir. Les actrices ! Il avait fait une croix sur ce type de relation. Il s'estimait même chanceux d'en être sorti indemne.

Aussi beau que ses deux frères, Chris était le sosie de George Clooney à l'époque d'*Urgences*. Les femmes craquaient pour son sens de l'humour plein d'autodérision et son sourire ravageur. Son statut de brillant avocat dans une ville où la réussite était une drogue rehaussait son pouvoir de séduction. Qui aurait pu se douter qu'en dépit de son succès, il était criblé de dangereuses dettes de jeu ?

Il posa son magazine, ferma les yeux et essaya de faire le vide dans son esprit. Pourvu que ce voyage soit la solution à ses problèmes. Être convoqué à New York par son père milliardaire pouvait être un signe que le vent était en train de tourner en sa faveur.

Il n'allait pas tarder à découvrir ce que voulait Red. L'attente devenait insupportable.

**

«*Ton père ne pensait pas ce qu'il a dit*», *disait toujours Olivia d'un ton apaisant.*

Dans son enfance, c'était les mots que Chris avait entendus presque chaque jour. Peut-être la croyait-il, mais dès qu'il avait été assez grand pour comprendre, Chris avait su que Red Diamond pensait tout ce qu'il disait et faisait. Red n'offrait jamais une seconde chance. Le truc, c'était d'éviter de se trouver sur son chemin. Hélas, comme il avait pu le constater à maintes reprises, ce n'était pas toujours possible.

Son père était un adepte de la punition corporelle. Si l'un de ses fils commettait un acte qu'il considérait comme répréhensible, il partait du principe qu'il méritait une bonne correction. Et il semblait très heureux d'administrer la punition en personne.

Quand Chris avait neuf ans il avait, en toute innocence, englouti une boîte de chocolats qu'il avait trouvée sur la table de chevet paternelle. Comment aurait-il pu se douter qu'il s'agissait de chocolats fins, confectionnés spécialement pour Red par un maître chocolatier en Belgique, et livrés aux États-Unis par jet privé?

Quand Red avait trouvé sa boîte vide, ses hurlements de colère avaient résonné dans toute la maison.

— Qui a mangé mes chocolats?! avait-il vociféré.

Pendant qu'Olivia essayait de calmer son mari, Chris, terrorisé, attendait devant la porte de la chambre de ses parents. Mae, la cuisinière, était arrivée en courant pour proposer d'en faire d'autres.

— Vous êtes folle? avait fulminé Red. Ce sont des chocolats de maître chocolatier, rien à voir avec les cochonneries que vous fabriquez.

Foudroyant son patron du regard, Mae avait battu en retraite en bougonnant.

— Où est Chris ? avait alors rugi Red. Où est ce crétin ?

— Je suis sûre que ce n'est pas lui, avait protesté Olivia, protégeant son fils, comme d'habitude.

— Oh ! tu es sûre que ce n'est pas lui, avait répété Red, en imitant sa voix de manière cruelle.

— Je vais faire venir d'autres chocolats, avait-elle repris, je peux...

En entendant résonner la claque qu'avait infligée Red à sa femme, Chris, n'écoutant que son instinct, s'était précipité dans la chambre et s'était mis à frapper son père.

— Ah ! avait hurlé Red en le repoussant. Au moins, il a du cran. Quelle surprise !

Une fraction de seconde, Chris avait senti une bouffée de satisfaction. Son père l'avait félicité !

Mais il n'avait pas tardé à déchanter. Il avait reçu une fessée deux fois plus longue que d'habitude, d'une telle violence qu'il avait saigné.

Pourtant, même s'il n'avait pas pu s'asseoir pendant une semaine, il n'avait jamais oublié que Red avait mentionné son courage. Malgré son jeune âge, il savait que c'était une bonne chose.

3

Nancy Scott-Simon était un monstre d'autorité. Tout pour le mariage prochain de sa fille unique, Amy, devait être parfait et malheur à celui qui commettrait un impair.

C'était une femme mince et sèche, aux cheveux d'un noir de jais tirés en chignon rehaussant ses pommettes hautes. Elle avait un faible pour les tailleurs d'Oscar de la Renta, les sacs à main Ferragamo, les chaussures Gucci et les robes de soirée Valentino. Et pour les beaux bijoux anciens offerts par sa mère qui, à quatre-vingt-dix ans, avait conservé sa vivacité de jeune fille. Nancy régentait tout dans sa maison de Park Avenue, décorée à la perfection : cinq étages, huit chambres, cinq domestiques.

Sa fille Amy était ravissante. Véritable princesse new-yorkaise; elle avait les cheveux blonds, un visage à la candeur trompeuse et des yeux turquoise un peu mélancoliques. Avec sa bouche pulpeuse, sa peau dorée par le soleil et son corps svelte, elle aurait pu faire la couverture de *Sports Illustrated*, ce qui, bien sûr, n'arriverait jamais.

À vingt-cinq ans, Amy était une fille riche. Un jour, elle toucherait une grosse part de l'argent de Nancy, elle-même héritière des fortunes conjuguées de son père et de sa mère.

Amy avait connu une enfance privilégiée. Elle avait grandi entourée de gouvernantes, de chauffeurs, de majordomes et de gardes du corps. Elle avait fréquenté les meilleures écoles privées et passé ses vacances dans les plus beaux endroits du monde. Ce qui n'avait pas empêché le malheur de frapper. À quatorze ans, elle avait été kidnappée, conséquence de la richesse de sa famille. Nancy en parlait comme d'un « incident ». Mais

Amy n'oublierait jamais cette épreuve. Après un voyage cauchemardesque dans un coffre de voiture crasseux, elle avait passé quarante-huit heures enfermée dans une cave infestée de rats, un bandeau sur les yeux, enchaînée à sa chaise. Elle n'avait eu que quelques bouts de pain sec et une bouteille d'eau pour subsister. Le plus terrifiant avait été d'ignorer ce qui l'attendait. Chaque seconde de cette captivité avait été une pure torture, qui atteignait son paroxysme quand l'un ou l'autre de ses ravisseurs, deux hommes et deux femmes, entrait dans la pièce pour lui hurler des menaces et des insultes.

Au lieu de prévenir la police, Nancy avait fait intervenir l'avocat de la famille. Bien sûr, il avait payé la rançon. Mais cela n'avait rien effacé : ni l'humiliation d'Amy ni sa souffrance psychologique.

En pleine nuit, les ravisseurs l'avaient remise dans le coffre de la voiture et abandonnée quelque part dans Brooklyn. Au bord de l'hystérie, elle avait réussi à trouver une cabine téléphonique d'où elle avait appelé le fils de l'avocat qui était venu la chercher pour la ramener chez elle.

Les ravisseurs n'avaient jamais été attrapés. Ils avaient réussi à s'en tirer en emportant deux millions de dollars en liquide. Et elle avait eu la vie sauve. L'échange était-il équitable ?

Absolument pas. Nancy s'était félicitée de ne pas avoir fait intervenir la police ou le FBI. Elle avait ainsi évité une publicité désagréable. La pensée qu'elle avait mis la vie de sa fille en danger ne l'avait pas effleurée. Pas plus qu'elle n'avait songé un instant qu'Amy aurait sans doute eu besoin d'une thérapie après avoir traversé une expérience aussi abominable. « C'est fini, tu dois tout oublier ! » lui avait-elle ordonné, lui faisant bien comprendre que le sujet ne devait plus jamais être abordé.

Hélas, pour Amy, ce n'était pas fini. Longtemps, elle avait été la proie de cauchemars et de pénibles souvenirs, et elle ne se sentait en sécurité nulle part. Au fil des ans, elle avait lentement surmonté ses peurs et décidé de gagner de l'indépendance. Elle souhaitait quitter la maison familiale, travailler et habiter seule. Nancy avait commencé par protester, mais avait dû céder face à l'insistance de la fille.

Après plusieurs semaines de recherches, Amy avait trouvé un emploi au service des relations publiques d'une grande maison de couture, *Courtenelli*, dirigée par la flamboyante et pittoresque styliste italienne, Sofia Courtenelli. C'était littéralement un coup de maître. Avec deux autres attachées de presse, Amy était chargée de la promotion et de la publicité de la maison. Grâce à son charme, à son éducation et à son physique, elle avait immédiatement plu à tout le monde. Elle avait eu une véritable révélation en découvrant qu'elle adorait travailler. C'était amusant, stimulant, et, surtout, elle rencontrait des tas de gens que jamais elle n'aurait croisés autrement.

Le seul problème était les hommes. Ils la draguaient sans relâche, ce qui la rendait folle. Qu'ils soient mannequins ou représentants, tous n'avaient qu'une idée en tête : séduire la petite Amy Scott-Simon. Après tout, n'était-elle pas une grande héritière new-yorkaise ?

Comme les relations sans lendemain ne l'intéressaient pas, elle ne donnait suite à aucune proposition de ses admirateurs. À dire vrai, elle n'était pas intéressée par le sexe. Après plusieurs tentatives déplaisantes à l'école secondaire et à l'université, elle avait décidé qu'elle resterait vierge jusqu'au mariage. Ou, à tout le moins, jusqu'à ce qu'elle rencontre un homme à qui elle pourrait vraiment faire confiance. Et puis, les souvenirs de sa séquestration la harcelaient. Personne d'autre que sa meilleure amie, Tina, ne savait qu'elle avait subi des attouchements sexuels durant sa séquestration. Elle n'en avait rien dit à sa mère, pour éviter une crise. Elle n'avait peut-être pas été violée, mais ses ravisseurs l'avaient forcée à faire des choses qu'elle préférait oublier. Elle avait enfoui ces événements au plus profond de sa mémoire. C'était mieux ainsi.

Un soir mémorable, à un gala de bienfaisance à Manhattan, elle avait été présentée à Max Diamond. Il était beaucoup plus âgé qu'elle, mais son élégance et sa galanterie l'avaient intriguée. Max lui était apparu comme quelqu'un de rassurant, contrairement à bien des hommes qu'elle avait connus. Et sa grosse fortune personnelle constituait un autre avantage non négligeable. Il était peu probable qu'il en veuille à son héritage, ce qui était un profond soulagement.

Après plusieurs soupers agréables et de longues conversations, ils avaient entamé une relation sérieuse. Elle savait qu'il était divorcé et père d'une fillette, mais cela ne la dérangeait pas outre mesure. Elle avait été très honnête avec lui et l'avait informé qu'ils ne feraient pas l'amour.

— Jamais? avait-il demandé, l'air à la fois perplexe et intrigué par sa franchise.

— Ne te moque pas de moi, avait-elle rétorqué avec conviction. Je me réserve pour l'homme que j'épouserai.

— Je peux respecter cette décision, avait-il approuvé.

— Vraiment? avait-elle demandé, enchantée par sa réponse.

— Oui, avait-il répondu. Je trouve ton attitude extrêmement louable.

Elle lui avait lancé un regard incrédule. Un homme qui la comprenait la changeait agréablement. Elle avait alors décidé que Max était vraiment celui qu'elle attendait.

Trois mois plus tard, à la plus grande joie de Nancy, ils s'étaient fiancés.

Chaque jour, Nancy s'attendait à voir arriver sa fille dans l'appartement de Park Avenue pour passer en revue le déroulement de la cérémonie avec Lynda Colefax, l'organisatrice du mariage, une femme autoritaire, d'un âge indéterminé, toujours tirée à quatre épingles.

Amy commençait à redouter ces séances. Elle ne pouvait plus supporter d'écouter Nancy et Lynda parler de la présence de tel ou tel invité, des arrangements floraux, du plan de table, du gâteau de mariage, de sa robe, de la musique, des nappes. C'était tellement commun.

« Je m'en fous ! avait-elle envie de hurler. Cela ne devrait pas prendre de telles proportions. Je déteste être le centre de l'attention. Je veux juste que ce soit passé. »

Harold, son beau-père, était d'accord avec elle.

— On fait beaucoup trop de tralala, grommelait-il. On dépense trop d'argent.

Bien entendu, Nancy l'ignorait.

Amy avait perdu son père quand elle avait trois ans, dans un tragique accident de bateau à Venise. Un an après, son seul frère était mort à son tour d'une rare maladie des os. À l'exception de quelques photos de famille, elle n'avait aucun souvenir ni de l'un ni de l'autre. Elle vivait avec un sentiment constant de tristesse et de deuil, et était convaincue que si son père avait été vivant, elle n'aurait jamais été kidnappée.

Son beau-père était un honnête homme, même s'il manquait de courage. Nancy mettait tout le monde dans sa poche. Nancy commandait. C'était son argent. Sa façon de faire. Et Harold n'osait jamais s'interposer.

À mesure que son mariage approchait, Amy, prise d'insomnies, se tournait et se retournait dans son lit, se demandant si elle ne faisait pas une énorme erreur. Oui, son futur mari était un homme important, un magnat des affaires. Beau, bienveillant et attentionné, il lui vouait une affection sincère. Il avait accepté sa décision d'attendre le mariage pour faire l'amour avec elle et n'essayait jamais de la presser. Il lui avait offert, en guise de bague de fiançailles, un diamant de dix carats et la couvrait de cadeaux de luxe. Mais pour elle, ces largesses n'étaient que frivolité. Elles ne symbolisaient pas l'affection comme elle l'entendait. Dans le fond de son cœur, elle voulait plus. Dans le fond de son cœur, elle regrettait son père, son frère, ces hommes qui manquaient à sa vie.

Ces derniers temps, elle s'était de plus en plus interrogée sur ses sentiments pour Max. Était-elle vraiment amoureuse de lui? Après tout, il traînait de lourds bagages – une ex-femme et un enfant – et il était son aîné de vingt-trois ans. Une différence d'âge qui avait fini par la déranger, mais dont personne d'autre ne semblait se préoccuper.

Quand elle avait exprimé ses doutes devant sa mère, Nancy avait haussé les sourcils avec élégance avant de répliquer:

— Tu ne pourrais pas faire un meilleur mariage, ma chérie. Au moins, nous savons que nous n'avons pas affaire à un coureur de fortunes. Max est un beau parti et il est pour toi. N'est-ce pas formidable?

Comme elle aurait aimé avoir pour mère une femme à qui elle pourrait vraiment parler! Mais non. Nancy n'était pas ce genre de personne. Nancy Scott-Simon était autoritaire, elle avait la critique facile et elle avait le don de la faire sortir de ses gonds.

Les dés étaient donc jetés! Le mariage allait être célébré.

Des romans qui vous transportent, des livres qui
racontent des histoires, de belles histoires de femmes.
Des livres qui rendent heureuse !

Quand Lilly, jeune antiquaire, reçoit un violon très ancien censé
lui appartenir, elle croit rêver tant l'objet est exceptionnel.

La découverte d'une partition de musique cachée dans la dou-
blure de l'étui du violon achève de la convaincre qu'elle doit
absolument remonter le fil de l'histoire pour dévoiler les secrets
de ce joyau. Aidée de sa meilleure amie, elle se lance sur les
traces de l'éblouissante musicienne à qui appartenait le violon.
De l'Angleterre à l'Italie, jusqu'aux confins de la jungle indoné-
sienne, Lilly fera de grandes découvertes.

En vente partout où l'on vend des livres et sur
www.saint-jeanediteur.com

Collection

C

CHARLESTON

Des romans qui vous transportent, des livres qui racontent des histoires, de belles histoires de femmes. Des livres qui rendent heureuse !

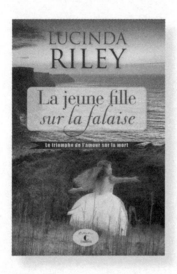

Bouleversée par une rupture amoureuse, Grania Ryan quitte New York pour aller se ressourcer en Irlande, sur la ferme familiale. Un jour, au bord d'une falaise, Grania entrevoit la silhouette fantomatique d'une petite fille ; cette enfant transformera la vie de la jeune femme...

En remontant l'histoire grâce à de vieilles lettres, Grania découvre le lien qui unit sa famille à celle de cette fillette attachante. Obsédante, exaltante, l'histoire de ces deux lignées raconte le triomphe de l'amour sur la mort.

En vente partout où l'on vend des livres et sur
www.saint-jeanediteur.com

Des romans qui vous transportent, des livres qui racontent des histoires, de belles histoires de femmes. Des livres qui rendent heureuse !

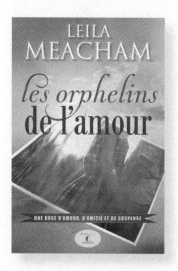

Texas, 1979. Catherine Ann est encore une petite fille lorsqu'elle perd ses parents dans un accident de voiture. Chez sa grand-mère, elle fait la connaissance de deux garçons, John et Trey, des orphelins comme elle. Ils formeront rapidement un trio mythique.

Au fil du temps, des projets et des rêves, l'amitié se soude jusqu'au jour fatidique où une mauvaise blague vire à la tragédie. Puis, à l'aube de la quarantaine, Catherine Ann, John et Trey se retrouvent dans le patelin de leur enfance. Les années écoulées auront-elles réussi à effacer les drames du passé ?

En vente partout où l'on vend des livres et sur
www.saint-jeanediteur.com

MARQUIS

Québec, Canada

Achevé d'imprimer le 22 mars 2016